# SOUS HAUTE DÉPENDANCE

**Illustration de couverture :** Stéphane Perger

Cet ouvrage a été proposé à l'éditeur français par l'agence Editio Dialog, Lille
Ouvrage publié originellement par Loewe Verlag sous le titre *Erebos*


Loi n° 49-956 du 16 juillet 1949 sur les publications destinées à la jeunesse.
Dépôt légal : janvier 2013
ISBN : 978-2-7470-3435-7
Imprimé en France

URSULA POZNANSKI

# SOUS HAUTE DÉPENDANCE

Traduit de l'allemand par Sylvie Roussel

bayard jeunesse

*Cela commence toujours la nuit. C'est la nuit, au cœur des ténèbres, que naissent mes projets. Les ténèbres sont mon royaume. Elles sont le terreau sur lequel va prospérer ce que je veux faire pousser.*

*J'ai toujours préféré la nuit. Il faut que l'appât soit beau pour que la proie ne sente pas l'hameçon avant qu'il ne soit profondément accroché dans sa chair. Ma proie. Je ne la connais pas. Et pourtant j'aimerais la serrer dans mes bras. D'une certaine façon, c'est ce qui va se produire. Nous ne serons qu'un.*

*Les ténèbres, elles sont autour de moi. En moi. Elles sont comme mon propre souffle. Les mauvaises odeurs de mon corps. On m'évite, et c'est bien ainsi. Tous, ils tournent autour de moi, chuchotant, mal à l'aise, craintifs. Ils croient que c'est la puanteur qui les tient à distance, mais, moi, je sais que ce sont les ténèbres.*

# CHAPITRE 1

Déjà trois heures dix et toujours pas de trace de Colin.

Nick faisait rebondir le ballon de basket sur l'asphalte. Un choc bref et mat à chaque contact avec le sol. Il s'efforçait de garder le rythme. Encore vingt fois. Si Colin n'arrivait pas, Nick irait seul au sport.

Cinq, six. Cela ne ressemblait pas à Colin de manquer l'entraînement sans explication. Il savait parfaitement qu'on avait vite fait de se faire virer de l'équipe de Betthany, leur entraîneur. En plus, le portable de Colin n'était pas allumé. À tous les coups, il avait oublié de le charger. Dix, onze. Mais qu'il ait oublié le basket, ses copains ? Dix-huit. Dix-neuf. Vingt. Pas de Colin. Nick soupira et coinça le ballon sous son bras. Tant pis ! Pour une fois, la plupart des paniers seraient pour lui.

La séance fut éprouvante et, au bout des deux heures, Nick était en nage. Les jambes douloureuses, il clopina jusqu'à la douche, se posta sous le jet d'eau chaude et ferma les yeux. Colin n'était pas apparu et Betthany avait piqué sa crise, ainsi qu'il fallait s'y attendre. Il avait déversé toute sa fureur sur Nick, comme si celui-ci était responsable de l'absence de son ami.

Le garçon versa le shampoing sur sa tête et se lava les cheveux – beaucoup trop longs aux yeux de son entraîneur –, qu'il attacha ensuite en queue de cheval. Il était le dernier à quitter le gymnase ; dehors la nuit tombait. En descendant l'escalier mécanique qui conduisait au métro, Nick sortit son portable de sa poche et appuya sur la touche mémoire de son téléphone. À la deuxième sonnerie, la boîte vocale de Colin se déclencha et il raccrocha sans laisser de message.

Sa mère était allongée sur le canapé. Elle lisait une de ses revues professionnelles de coiffure tout en regardant la télé.

– Aujourd'hui, il n'y a que des hotdogs au menu, déclara-t-elle dès que son fils eut refermé la porte derrière lui. Je suis vidée. Tu peux m'apporter une aspirine ?

Nick jeta son sac de sport dans un coin et mit un comprimé dans un verre d'eau. Des hotdogs, génial ! Il mourait de faim.

– Papa n'est pas là ?

– Non, il rentre plus tard. Un de ses collègues fête son anniversaire.

Sans grand espoir, Nick passa en revue le contenu du frigo, dans l'espoir d'y dénicher de quoi patienter jusqu'au dîner – les restes de la pizza d'hier, par exemple –, mais il ne trouva rien.

– Que penses-tu de l'histoire de Sam Lawrence ? lui cria sa mère depuis le salon. C'est dingue, non ?

Sam Lawrence ? Ce nom lui disait quelque chose, mais il n'arrivait pas à mettre un visage dessus. Quand il était crevé comme aujourd'hui, les messages codés de sa mère lui tapaient sur les nerfs. Il lui apporta son médicament et fut tenté de s'en préparer un.

– Vous étiez là quand ils sont venus le chercher ? Mrs Gillinger m'a raconté l'histoire aujourd'hui pendant que je lui faisais ses mèches. Elle travaille dans la même boîte que la mère de Sam.

– Attends, tu veux bien m'aider à comprendre : Sam Lawrence est censé être dans mon lycée ?

Elle lui lança un coup d'œil réprobateur :

– Ben oui, bien sûr ! Deux classes en dessous de toi. Il vient de se faire renvoyer du lycée. Ça a été le branle-bas de combat, paraît-il. Tu ne t'en es pas aperçu ?

Non, Nick ne s'était rendu compte de rien, mais sa mère se fit un plaisir de lui expliquer les faits en détail :

– On aurait trouvé des armes dans son casier ! Des armes, tu imagines ! Un pistolet et deux couteaux à cran d'arrêt. Comment un gamin de quinze ans peut-il se procurer un pistolet ? Tu saurais me l'expliquer, toi ?

– Non, répondit Nick en toute sincérité.

Il était passé complètement à côté de ce « scandale », pour reprendre l'expression de sa mère. Il pensa aux massacres commis par des tueurs fous dans quelques écoles américaines. Se pouvait-il qu'il y ait des types aussi cinglés dans leur lycée ? Ça le démangeait d'appeler Colin. Il en saurait peut-être plus sur l'affaire, mais Colin ne décrochait toujours pas son téléphone, le lâcheur. C'était peut-être aussi bien comme ça. Sa mère avait dû en rajouter, comme d'habitude. Si ça se trouve, ce Sam Lawrence n'avait qu'un vulgaire pistolet à eau et un canif.

– C'est vraiment terrible, tout ce qui peut aller de travers quand les enfants grandissent, déclara sa mère en lui lançant son fameux regard dégoulinant d'amour inquiet.

Lorsqu'elle le scrutait ainsi, Nick n'avait qu'une envie, filer s'installer chez son frère.

– Tu étais malade, hier ? Qu'est-ce que Betthany a râlé !

– Non, tout va bien, répondit Colin, dont les yeux rougis fixaient un point sur le mur du couloir.

– T'es sûr ? T'as une sale mine.

– Sans blague ! J'ai juste super mal dormi.

Le regard de Colin effleura le visage de Nick avant de revenir se poser sur le mur. Nick avait du mal à croire son copain, mais il n'insista pas. D'habitude, le manque de sommeil n'était pas un problème pour Colin.

– T'es sorti ?

Colin fit non de la tête, agitant ses dreadlocks en tout sens.

– Bon. Mais si c'est ton père qui est encore...

– C'est pas mon père, O.K. ?

Sur ces mots, Colin se fraya un passage devant Nick et entra dans la salle de classe. Au lieu de s'asseoir, il se dirigea droit vers Dan et Alex, qui se tenaient près de la fenêtre.

Dan et Alex ? Nick n'en croyait pas ses yeux. Ces deux-là étaient tellement ringards que Colin les avait surnommés « les Sœurs Popote ». Sœur Popote n° 1 (Dan) était court sur pattes et il semblait vouloir compenser sa petite taille par un postérieur surdimensionné, qu'il grattait volontiers. Quant à Sœur Popote n° 2 (Alex), son visage avait la particularité de changer de couleur à une vitesse record dès qu'on lui adressait la parole, passant du blanc couleur carreau de salle de bain au rouge tomate. C'était systématique.

Colin avait-il décidé de briguer le titre de Sœur Popote n° 3 ?

– Il y a un truc que je ne pige pas, murmura Nick.

– Tu parles tout seul maintenant ?

Jamie avait surgi derrière lui. Il balança par terre son sac à dos déglingué et adressa un sourire moqueur à Nick, découvrant la rangée de dents la plus anarchique de tout le lycée.

– C'est mauvais signe quand on parle tout seul. C'est un des premiers symptômes de schizophrénie. Tu entends des voix aussi ?

– N'importe quoi ! répondit Nick en haussant les épaules. C'est Colin. Il m'inquiète : il fait copain-copain avec les Sœurs Popote.

Il regarda de nouveau dans leur direction et ce qu'il vit le fit tressaillir. Ce n'était plus de la fraternisation. C'était carrément de la soumission. Le visage de son ami affichait une expression suppliante qu'il ne lui avait jamais vue. Intrigué, Nick se rapprocha du groupe et entendit ce qu'il disait :

– ... je comprends pas en quoi ce serait gênant que tu me donnes quelques tuyaux.

– C'est pas possible. Ce n'est pas la peine de compliquer les choses, tu le sais bien, répliqua l'autre en croisant les bras sur son gros ventre.

Sur la cravate de son uniforme luisait une tache de jaune d'œuf, reliquat du petit déjeuner.

– Allez, Dan ! Je ne t'en demande pas beaucoup. Et je ne dirai rien à personne, promis.

Alex posait un regard interrogateur sur son comparse, qui semblait se délecter de la situation.

– N'y pense même pas ! Tu la ramènes moins, maintenant, hein ? Débrouille-toi pour te sortir de là.

– Au moins...

– Non ! Tu vas la fermer, ta grande gueule ?

Ça y est ! Colin allait enfin empoigner cet abruti par le col de sa veste et le balancer à l'autre bout de la salle !

Mais non. Son ami se contenta de baisser la tête et de regarder le bout de ses chaussures.

Il y avait un truc qui ne tournait pas rond. Nick se dirigea lentement vers la fenêtre et se joignit au trio.

– Alors, quoi de neuf par ici ?

– Tu veux quelque chose ? riposta Dan, agressif.

Le regard de Nick allait de son copain aux deux autres.

– Je ne te demande rien, répondit-il. Je parle à Colin.

– T'es aveugle ? Tu vois pas qu'on cause ?

Nick en eut le souffle coupé. Dan osait lui parler comme ça !

– Ah bon ? lâcha-t-il lentement. De quoi peut-il bien causer avec toi ? De recettes de cuisine ?

Colin lui lança un coup d'œil rapide, mais ne dit rien. Si sa peau n'avait pas été aussi sombre, Nick aurait pu jurer qu'il avait rougi.

Que se passait-il ? Son ami avait trempé dans une embrouille et l'autre était au courant ? Est-ce qu'on le faisait chanter ?

– Colin, reprit Nick d'une voix forte, Jamie et moi, on a rendez-vous après les cours avec des potes au Camden Lock. Tu viens avec nous ?

La réponse se fit attendre.

– Je ne sais pas encore, marmonna-t-il, le visage tourné vers la fenêtre. Il vaut mieux que vous ne comptiez pas sur moi.

Les Sœurs Popote échangèrent un regard qui en disait long. Nick était de plus en plus agacé :

– Mais il se passe quoi ici, enfin ?

Il posa sa main sur l'épaule de son ami :

– Hé, Colin, qu'y a-t-il ?

C'est le nabot – Dan – qui la retira.

– Rien qui te regarde. Rien que tu puisses comprendre.

À 17h30, la Northern Line était bondée. Nick et Jamie, qui avaient décidé d'aller au cinéma, étaient comprimés entre des gens fatigués qui sentaient la transpiration. Le basketteur, dont la tête émergeait de la masse des passagers, avait le privilège de respirer un air moins vicié, mais Jamie était écrabouillé entre un type en costume et une matrone à la poitrine imposante.

– Je te dis, moi, qu'il y a quelque chose qui cloche, lâcha le garçon. Dan traitait Colin comme un moins que rien, et il m'a parlé comme si j'étais un gamin. La prochaine fois...

Il s'interrompit. Quoi, la prochaine fois ? Que ferait-il, la prochaine fois ? Il lui mettrait son poing dans la figure ?

– La prochaine fois, je lui expliquerai ma façon de penser, conclut-il.

Jamie haussa les épaules. Il n'avait pas la place de faire plus.

– Je crois que tu te racontes des histoires, dit-il d'un ton apaisant. Il espère peut-être que Dan va l'aider en espagnol ? Il donne des cours particuliers à pas mal d'élèves.

– Non, ce n'était pas ça. Il aurait fallu que tu les entendes !

– Alors il est peut-être en train de leur monter un bateau, rétorqua Jamie avec un rire sardonique. Peut-être qu'il s'amuse à les embobiner tous les deux, tu vois ? Comme la fois où il avait fait croire à Alex que Michelle était folle de lui. On en a rigolé pendant des semaines, tu te souviens !

Nick ne put s'empêcher de sourire. À l'époque, leur copain s'était montré tellement convaincant qu'Alex avait poursuivi de ses assiduités la malheureuse Michelle. Naturellement, quand la vérité avait éclaté, Alex ne savait plus où se mettre.

Au point où il en était, son visage ne changeait même plus de couleur. Il restait rouge pivoine en permanence.

– C'était il y a deux ans. On avait quatorze ans, dit Nick. C'étaient des blagues de gamins.

Les portes du métro s'ouvrirent. Une poignée de voyageurs en sortit. Poussant et forçant, une marée humaine tenta d'entrer dans la rame. Une jeune femme à talons aiguilles écrabouilla le pied de Nick de tout son poids. Il eut tellement mal qu'il en oublia Colin.

C'est seulement plus tard, lorsqu'ils étaient assis dans la salle obscure devant l'écran où défilaient les spots publicitaires, que l'image de ce dernier aux côtés des deux nazes lui revint en mémoire. Le regard brillant d'Alex. Le ricanement méprisant de Dan. L'air gêné de son ami.

Ça ne pouvait pas être une histoire de cours particuliers. Jamais de la vie.

Colin ne donna pas signe de vie du week-end et, le lundi, c'est à peine s'il adressa la parole à son copain. Il avait l'air hyper-pressé tout le temps. À la pause, Nick le vit glisser quelque chose dans la main de Jerome. Un objet fin en plastique. Colin gesticulait beaucoup en parlant à l'autre, qui ne semblait pas manifester un intérêt démesuré. Puis il s'éloigna.

– Salut, lança Nick d'un ton guilleret en s'approchant de lui. Colin vient de te donner un truc ?

– Oh, rien de particulier, répondit Jerome en haussant les épaules.

– Tu me le montres ?

Le garçon plongea la main dans sa poche, puis se ravisa.

– Pourquoi ça t'intéresse ?

– Simple curiosité.

– C'est pas important. Pourquoi tu ne demandes pas à Colin ?

Il tourna les talons et se joignit à quelques élèves qui commentaient les derniers résultats du foot.

Nick alla chercher ses livres d'anglais dans son casier et entra dans la salle, où son regard s'attarda sur Emily, comme toujours. Elle dessinait, concentrée sur sa feuille. Ses cheveux noirs balayaient le papier.

Il s'arracha à sa contemplation et se dirigea vers le bureau de Colin, mais Alex occupait la place.

– Va te faire voir, grommela Nick.

Le jour suivant, Colin ne vint pas au lycée.

– Il peut y avoir mille explications à son comportement, dit Jamie en claquant la porte de son casier. Eh, d'habitude, c'est moi qui suis le plus suspicieux de nous deux. Peut-être que Colin est amoureux ? Tu as pensé à cette hypothèse ? La plupart des mecs se mettent à débloquer quand ça leur tombe dessus. Amoureux de Gloria, par exemple ? Ou de Brynne. Non, elle, elle n'en pince que pour toi, Nick. Espèce de bourreau des cœurs !

Nick n'écoutait que d'une oreille, car son attention avait été attirée par deux élèves de seconde à l'autre bout du couloir, devant les toilettes, Dennis et un autre, dont Nick ne retrouvait pas le prénom. Dennis parlait avec véhémence tout en agitant un petit objet mince et carré sous le nez de son interlocuteur. Cette scène ressemblait à s'y méprendre à celle qu'il avait surprise la veille. Le deuxième fit disparaître la chose discrètement dans sa poche, d'un air entendu.

– Peut-être qu'il a jeté son dévolu sur la douce Emily Carver, poursuivit Jamie d'un ton enjoué. Mais elle lui résiste. Ça pourrait expliquer son humeur massacrante. À moins qu'il ne craque pour notre chérie à tous : Helen !

Ce disant, Jamie flanqua une claque vigoureuse sur les fesses de la fille corpulente qui tentait de se frayer un passage devant lui pour entrer dans la classe.

Helen fit volte-face et lui asséna un coup qui l'envoya bouler un mètre plus loin.

– Bas les pattes, enfoiré !

Jamie se ressaisit rapidement :

– Avec plaisir. Mais j'ai du mal à me retenir quand je te vois. Je n'ai jamais su résister au charme des boutons d'acné et des bourrelets.

– Fiche-lui donc la paix !

Jamie n'en croyait pas ses oreilles :

– Qu'est-ce qui t'arrive, Nick ? Tu milites chez Greenpeace maintenant ? Depuis quand tu prends la défense des baleines ?

Il ne répondit pas. Quand il voyait Jamie charrier Helen, Nick ne pouvait s'empêcher de penser qu'il jouait avec des bâtons de dynamite.

Affalé sur le canapé, Nick regardait des épisodes des Simpsons en mangeant des raviolis tiédasses à même la boîte. Sa mère n'était pas encore rentrée. À en juger par l'état du salon, elle avait dû partir en catastrophe, oubliant la moitié de ses instruments de travail, qui traînaient par terre. Il avait failli s'étaler en posant le pied sur un rouleau. C'était bien sa mère, ça, la reine de la pagaille.

Son père ronflait dans la chambre. Il avait accroché à la porte le panneau « Ne pas déranger : je prends un acompte de sommeil. »

La boîte de conserve était vide et maintenant Homer Simpson venait d'emplafonner sa voiture dans un arbre. Nick bâilla. Il connaissait la suite. De toute façon, il était l'heure de partir à son entraînement. Il rassembla ses affaires sans grand enthousiasme. Colin viendrait sans doute aujourd'hui, puisqu'il avait manqué la dernière séance. Il allait lui passer un coup de fil pour lui rappeler le rendez-vous, ça ne pouvait pas faire de mal. Nick essaya à trois reprises, mais il tomba sur le répondeur, que Colin écoutait tous les trente-six du mois, comme chacun savait.

– Si vous ne prenez pas le jeu au sérieux, vous n'avez rien à faire là !

Le gymnase résonnait des hurlements de Betthany. Les membres de la troupe décimée fixaient leurs chaussures.

Le coach ne s'en prenait pas aux bonnes personnes ! Eux, ils étaient présents ! Il faut dire que, ce jour-là, ils étaient huit au lieu de dix-sept. Impossible de former deux équipes. Quant à remplacer un joueur, ce n'était même pas la peine d'y penser. Colin n'était pas venu, évidemment. Mais Jerome aussi était absent. Bizarre.

*Qu'est-ce qui leur arrive, à ces lâcheurs ? Ils sont tous malades ? Tous atteints de ramollissement cérébral ou quoi ?*

– S'il est d'une humeur de chien comme ça, moi aussi, je reste à la maison, la prochaine fois, grommela Nick suffisamment fort pour que l'entraîneur l'entende.

Sa réflexion lui valut vingt-cinq pompes.

Sur le chemin du retour, Nick tenta encore d'appeler Colin, sans succès.

Il ne comprenait pas pourquoi cette histoire le tracassait tant. Était-ce à cause du comportement débile de Colin ? Non, ça n'était pas ça. Si ça n'avait été qu'une question de comportement, ça n'aurait pas été grave. C'était comme si Colin avait rayé Nick de sa vie du jour au lendemain. Il fallait au moins qu'il s'explique.

De retour chez lui, il se précipita dans sa chambre et se laissa tomber sur la chaise branlante qui faisait face à son bureau. Il alluma son ordinateur et ouvrit sa messagerie.

De : Nick Dunmore <nick1803@aon.co.uk>

À : Colin Harris <colin.harris@hotmail.com>

Objet : Tout va bien ?

Salut, vieux ! T'es malade ou y a un truc qui ne va pas ? J'ai fait ou dit quelque chose qui ne t'a pas plu ? Si oui, c'était pas mon intention.

Au fait, qu'est-ce qui se passe entre toi et Dan ? Ce type est vraiment bizarre. On était d'accord là-dessus...

Tu viens au lycée demain ? S'il y a des problèmes, on peut en parler.

CU

Nick

Il appuya sur « Envoyer », puis alla sur le « chat » de son club de basket. Mais personne n'était connecté. Alors il surfa sur le site de *artManiak*. Celui d'Emily. Il regarda si elle avait encore posté un manga ou un poème. C'est fou ce qu'elle était douée.

Il trouva deux nouvelles esquisses ainsi qu'un « post ». Il hésitait à le lire, comme à chaque fois. Il savait que ce texte ne lui était pas destiné. Emily avait tout fait pour rester anonyme. En revanche, on ne pouvait pas en dire autant de ses copines : elles parlaient trop.

Il décida de mettre ses scrupules entre parenthèses. Ici, sur cette page, il était proche d'elle. Un peu comme s'il la touchait dans le noir.

Emily écrivait que sa tête était vide. Qu'elle aurait voulu partir s'installer à la campagne, loin de cette ville tentaculaire. Ses mots se plantaient dans le cœur de Nick comme autant de coups de poignard. Il ne pouvait pas imaginer un instant qu'Emily puisse quitter Londres et sortir de sa vie. Il relut le commentaire trois fois et ferma la page.

Il retourna à ses e-mails. Pas un mot de Colin. Pas de tweet non plus. Il n'avait rien reçu depuis des jours. Nick referma son portable en soupirant.

La chimie était une punition envoyée par le Ciel. Pire que les Dix Plaies d'Égypte. Nick s'arrachait les cheveux sur son livre, tentant de résoudre l'exercice que Mrs Ganter leur avait donné en interro. Si seulement un 10/20 de moyenne avait été suffisant ! Mais non, il fallait au moins 13/20. Et 16/20 aurait été encore mieux. Les facs de médecine ne prenaient pas les nuls en chimie.

Il leva les yeux. Emily était assise devant lui ; sa tresse noire dansait sur son dos. Pas un de ces dos étroits de poupée Barbie. Non, un dos qui s'était forgé au fil des entraînements de natation. Tout comme ses jambes, longues et nerveuses et... Il secoua la tête pour remettre ses idées en place. Bon sang ! Combien de mol y avait-il dans 19 grammes de $CH_4$ ?

La sonnerie annonçant la fin de l'heure retentit beaucoup trop tôt. Nick rendit sa copie parmi les derniers, persuadé qu'elle ne lui vaudrait pas les félicitations de Mrs Ganter. Emily était déjà partie. Nick la chercha du regard et l'aperçut à quelques mètres, dans le couloir. Elle discutait avec Rashid, dont le nez imposant projetait sur le mur une ombre semblable à un bec d'oiseau. Nick avança mollement dans leur direction, tout en faisant mine de chercher quelque chose dans son sac.

– Tu ne dois en parler à personne, tu comprends ? C'est important.

Rashid tendait un truc à Emily, un petit paquet plat, enveloppé dans du papier journal. Carré, une fois de plus.

– Tu vas être bluffée : c'est mortel !

Le visage d'Emily était l'expression même du scepticisme :

– Je n'ai pas de temps à perdre avec ces conneries.

Nick se planta non loin d'eux, devant le tableau d'affichage du club d'échecs, qu'il examina d'un air concentré.

– Pas le temps ? C'est n'importe quoi. Essaie-le ! Tiens, prends-le !

Du coin de l'œil, Nick voyait Rashid agiter son paquet sous le nez d'Emily, mais elle ne le prit pas. Elle lui tourna le dos en secouant la tête et s'éloigna.

– Offre-le à quelqu'un d'autre, lança-t-elle à Rashid par-dessus son épaule.

*Oui, à moi, par exemple*, pensa Nick. Que se passait-il ? Pourquoi personne ne parlait de ces petits paquets qui faisaient le tour du lycée ? Et pourquoi diable n'en avait-il pas encore ? D'habitude, il était toujours le premier au courant !

Nick continuait à observer Rashid. Il avait remis l'objet dans la poche de sa veste et marchait dans le couloir. Il se dirigea vers Brynne, qui venait de quitter une copine. Il l'aborda et ressortit le paquet de sa poche.

– Ce que tu contemples a l'air bien passionnant, dis donc.

Une main vigoureuse lui empoigna le bras. C'était Jamie.

– Comment s'est passé l'abominable cours de chimie ? poursuivit-il.

– Abominablement, murmura Nick. Tu t'en doutes.

– Certes, mais je voulais te l'entendre dire.

Des élèves s'étaient rassemblés au milieu du couloir, lui cachant Brynne et Rashid. Nick se rapprocha d'eux, mais la transaction semblait terminée. Rashid s'en allait de son pas traînant et Brynne disparut à l'angle du couloir.

– Zut ! jura Nick.

– Qu'y a-t-il ?

– Il se passe quelque chose. L'autre jour, Colin a refilé en douce un objet à Jerome. À l'instant, Rashid a tenté le coup avec Emily, mais elle l'a envoyé balader. Alors il s'est attaqué à Brynne. Le reste, je l'ai raté. J'aimerais vraiment savoir ce qui se trame.

– Des CD, répliqua Jamie d'un ton blasé. Ça doit être des copies pirates. À deux reprises, aujourd'hui, j'ai remarqué un mec qui en attirait un autre dans un coin pour le baratiner avec un CD. Pas de quoi en faire un drame, non ?

Des CD. Ça correspondait au format du paquet de Rashid. Une copie pirate qui circulait de main en main. Oui, c'était possible. Cette idée apaisa un peu la curiosité de Nick. Pourtant... S'il ne s'agissait que d'un CD, pourquoi ce silence ? La dernière fois qu'un film interdit avait fait le tour de la classe, il avait monopolisé les conversations. Ceux qui l'avaient vu se répandaient en descriptions débridées, tandis que les autres les écoutaient, muets d'envie.

Mais, là, c'était tout le contraire. Les initiés faisaient des messes basses, en se tenant à l'écart.

Songeur, Nick se rendit en anglais. Le cours n'était pas palpitant et il resta plongé dans ses pensées. Il lui fallut vingt minutes pour s'apercevoir que Colin était encore absent et Jerome aussi, maintenant.

Une douce lumière d'automne inondait le bureau de Nick et répandait une teinte dorée sur le bazar de livres, de cahiers et de feuilles chiffonnées qui s'y accumulait. L'essai d'anglais sur lequel il planchait depuis une demi-heure se réduisait à trois malheureuses phrases. En revanche, la marge était couverte de gribouillis en tous genres. Nick n'arrivait pas à se concentrer.

Il entendait sa mère s'activer dans la cuisine, tandis qu'à la radio Whitney Houston chantait *I will always love you*. Il ne manquait plus que ça !

Il jeta son stylo sur le bureau, se leva d'un bond et claqua la porte de sa chambre. Ce n'était plus possible ! Ces foutus CD l'obsédaient. Pourquoi on ne lui en avait pas donné ? Pourquoi personne ne lui en parlait ? Il tenta, une fois de plus, d'appeler Colin, qui, bien sûr, ne décrocha pas. Nick laissa quelques insultes bien senties sur son répondeur, puis afficha le numéro de Jerome. Il appuya sur la touche pour composer le numéro. La tonalité retentit trois fois avant que la liaison soit coupée.

Bon sang ! Cette histoire n'avait ni queue ni tête. D'un geste rageur, il faillit balancer son téléphone mobile dans son sac à dos, mais il s'arrêta net, pris d'une inspiration subite. Une idée séduisante venait d'effleurer son esprit : il avait aussi le numéro d'Emily.

Il le composa sans attendre que sa timidité reprenne le dessus. Une sonnerie, une autre...

– Allô ?

– Emily ? C'est moi, Nick. Je voulais juste te poser une question... Au sujet d'aujourd'hui... en classe.

Fronçant les sourcils, il prit une profonde inspiration.

– Pour l'interro de chimie ?

– Non. Euh... j'ai vu par hasard que Rashid avait voulu te donner un petit paquet. Tu peux me dire ce que c'était ?

Emily laissa passer quelques secondes avant de répondre :

– Pourquoi ?

– Ben… parce que… Tu vois, il y a pas mal de gens qui se comportent bizarrement, ces derniers temps. Il y en a aussi beaucoup qui sont absents, tu as remarqué peut-être ? poursuivit-il, soulagé de voir qu'il arrivait enfin à faire des phrases complètes. Et je crois que ça a un rapport avec ces trucs qui circulent. Voilà pourquoi je te demande… Tu comprends, j'aimerais savoir de quoi il s'agit.

– Je n'en ai pas la moindre idée.

– Rashid ne t'a rien dit ?

– Non, il m'a fait subir un interrogatoire en règle. Il voulait avoir des renseignements sur ma famille, qui ne le regardent absolument pas. S'ils me laissaient beaucoup de liberté. (Elle eut un petit rire sans joie.) Et si j'avais mon propre ordinateur.

– Ah bon…

Nick essayait en vain de trouver un sens à ces informations :

– Il a expliqué pourquoi tu avais besoin de l'ordinateur ?

– Non, il a juste dit qu'il allait me donner quelque chose d'unique et qu'il faudrait que je le regarde *seule*, répliqua-t-elle d'un ton qui ne laissait aucun doute sur ce qu'elle pensait de la proposition. Il était complètement survolté et j'ai eu du mal à m'en débarrasser. Mais ça, ça ne t'a pas échappé.

Nick encaissa le coup et se sentit rougir.

– En effet, confirma-t-il.

Pendant un instant, tous deux se turent.

– Que penses-tu que ce soit ? demanda Emily.

– Aucune idée. Je poserai la question à Colin quand il sera revenu. Ou bien… Tu as peut-être une autre suggestion ?

Silence.

– Non. Pour être honnête, je n'y ai pas vraiment réfléchi.

Nick respira à fond avant de se lancer :

– Tu veux que je te tienne au courant si je découvre quelque chose ? Seulement si c'est intéressant, bien sûr.

– Oui, répondit Emily, naturellement. Bon, il faut que je te laisse. J'ai du boulot.

Nick raccrocha, le cœur battant. Sa conversation avec Emily avait sauvé cette journée pourrie. Colin pouvait bien faire ce qu'il voulait, il était désormais le cadet de ses soucis. Il avait créé un lien avec Emily et maintenant il avait un prétexte pour lui parler.

Colin était de retour au lycée. Adossé à son casier, comme si de rien n'était, il fit un large sourire à Nick, en rejetant ses dreadlocks en arrière.

– J'ai eu une laryngite carabinée, expliqua-t-il en montrant l'écharpe nouée à son cou. Je ne pouvais même pas téléphoner. Totalement aphone.

Nick chercha à détecter si Colin mentait. Difficile à dire...

– Betthany a piqué la pire crise de sa carrière. Pourquoi tu ne lui as pas dit que tu étais malade ?

– Oh, j'étais vraiment à plat. Il faut qu'il se calme, le vieux.

Nick choisit ses mots avec soin :

– On dirait qu'ils sont drôlement contagieux, tes symptômes. Avant-hier, nous n'étions que huit à l'entraînement. Le record absolu.

Si Colin était étonné, il n'en montra rien :

– Ça peut arriver.

– Jerome était absent, lui aussi.

Un infime tressaillement de la paupière trahit l'intérêt soudain que cette information avait éveillé chez Colin. Nick était bien décidé à pousser l'avantage.

– D'ailleurs, c'était quoi, le truc que tu lui as donné récemment ?

La réponse fusa :

– Le nouvel album de Linkin Park. Désolé, je sais, il faut que je te le copie aussi. Je te le file demain, d'accord ?

Colin claqua la porte de son casier, coinça les livres de maths sous son bras et lança :

– Bon, on y va !

Ces explications avaient plongé Nick dans une profonde perplexité, mais il se ressaisit. Linkin Park ! Se pouvait-il qu'il ait rêvé les conspirations et les comploteurs ? Et si c'était son imagination qui lui avait joué un mauvais tour ? Peut-être qu'une vague de grippe était bel et bien la cause des absences. Après tout, il n'y en avait pas tant que ça ! Nick fit un rapide décompte en franchissant le seuil de la classe. Sœur Popote n° 2 manquait à l'appel. Jerome, Helen et Greg aussi. Les autres étaient avachis sur leurs bancs, à moitié endormis.

O.K., pensa Nick. *C'est moi qui me suis raconté des histoires. Inutile de chercher un grand mystère*. C'est juste Linkin Park. Se moquant de son imagination débridée, il se tourna vers Colin pour lui raconter la colère de Betthany, la veille. Mais Colin ne le regardait pas : ses yeux étaient rivés sur Dan, à sa place attitrée, devant la fenêtre. Il pointait quatre doigts vers le haut. Colin dressa trois doigts en retour.

Le regard de Nick allait de l'un à l'autre. Mr Fornary entra dans la salle avant qu'il ait pu demander à Colin ce que signifiaient ces échanges de signes. Pendant une heure, le prof les assomma avec des problèmes de maths si costauds qu'à la fin Nick était incapable de réfléchir à des choses aussi basiques que trois ou quatre doigts tendus.

# CHAPITRE 2

Sa mère avait laissé de l'argent sur la table de la cuisine et une liste de courses d'une longueur impressionnante. Pour elle, c'était la saison des permanentes. À croire que l'automne faisait naître chez les Londoniennes une envie de boucles et de frisettes. Nick fronça les sourcils en étudiant la liste. Pizzas surgelées à gogo, lasagnes, poissons panés et plats préparés. Sa mère n'avait manifestement pas prévu de faire la cuisine dans les semaines à venir. Il poussa un soupir, attrapa trois grands sacs à provisions et se mit en route pour le supermarché. En chemin, il repensa aux drôles de signes échangés par Dan et Colin. Avait-il eu des visions ? C'était en tout cas l'avis de Jamie.

– Tu t'ennuies, mon pote. Tu as besoin d'une occupation ou d'une petite copine. Tu veux que je t'organise un rendez-vous avec Emily ?

Nick s'empara d'un caddie et décida de chasser ces histoires de sa tête. Jamie avait raison, il valait mieux s'occuper des vrais problèmes. Par exemple, se demander comment il était censé rapporter à la maison les vingt bouteilles d'eau demandées par sa mère.

Il trouva le lycée en pleine ébullition lorsqu'il arriva le lendemain. Dans le hall d'accueil, les élèves étaient beaucoup plus nombreux que d'habitude et les langues allaient bon train. Leurs discussions à voix basse formaient un grondement sourd dans lequel Nick ne parvenait pas à saisir un traître mot. L'attention générale se concentrait sur deux policiers qui s'engageaient d'un pas déterminé dans le couloir de la direction.

Non loin de l'escalier, Nick découvrit Jamie en grande conversation avec Sœur Popote Alex, Rashid et un autre, dont le prénom lui échappait. Mais si, le garçon s'appelait Adrian, il avait treize ans et ne fréquentait pas les grands, d'habitude. Nick le reconnut parce que son histoire avait fait le tour de l'établissement, à son arrivée, il y a deux ans. Son père s'était pendu.

– Hé, il y a de l'action aujourd'hui, lança Jamie en faisant signe à Nick de les rejoindre.

– Pourquoi y a les flics ici ?

– Il semblerait que notre lycée soit un repère de voyous, poursuivit-il avec un sourire narquois. On a volé neuf ordinateurs, des notebooks même pas sortis de leur carton d'emballage, destinés au cours d'informatique. Maintenant, ils inspectent la salle pour y chercher des indices.

Adrian hochait la tête.

– Pourtant, elle était fermée à clé, intervint-il timidement. Mr Garth l'a dit aux policiers. Je l'ai parfaitement enten...

– Tu la fermes, le môme ! grogna Alex.

Ses boutons d'acné luisaient, sans doute sous l'effet de l'excitation.

Nick se retint de lui flanquer son poing dans la figure et pivota plutôt vers Adrian :

– La porte a été forcée ?

– Non, c'est bien ça, le problème. Elle a été ouverte. Quelqu'un a dû piquer la clé, mais Mr Garth dit que c'est impossible parce que les trois sont à leur place. Y compris la sienne, qu'il porte toujours sur lui.

– Nick ?

Une voix flûtée interrompit Adrian, tandis qu'une main aux ongles peints se posait légèrement sur son épaule. Emily... Mais Nick se ressaisit. Emily ne portait pas trois bagues à chaque doigt et elle ne dégageait pas des effluves aussi... orientales. Il tourna la tête et son regard rencontra les yeux bleus de Brynne. Bleus comme deux flaques d'eau.

– Nicky, tu peux... Je veux dire, on peut se voir juste une minute, sans... ?

Alex se mit à ricaner et passa la langue sur ses lèvres. Nick sentit ses poings se serrer.

– O.K., dit-il à Brynne d'un ton revêche, mais pas longtemps.

L'agacement qui perçait dans sa voix ne semblait pas la déranger. En tout cas, elle n'en laissa rien paraître. Elle était jolie – on ne pouvait pas dire le contraire –, mais elle était surtout pipelette et, selon Nick, bête à manger du foin. Elle trottinait devant lui sur ses talons aiguilles en balançant les hanches et s'engagea dans l'escalier qui descendait aux salles de sport. À cette heure-ci, il n'y avait pas un chat.

– Nicky, murmura-t-elle, je veux te donner quelque chose. C'est carrément génial, tu vas voir.

Elle plongea la main dans son sac, s'arrêta et la ressortit.

Nick fixait le sac. Il croyait savoir de quoi il s'agissait et, pour un peu, il aurait souri à Brynne.

– Mais je dois d'abord te poser une question.

*Si tu ne veux pas te faire mal, ne me demande pas ce que je pense de toi.*

– Vas-y !

– Tu as un ordinateur ? Un ordinateur à toi ? Dans ta chambre ? C'est important.

Le grand moment était arrivé ! Nick allait enfin connaître le fin mot de l'histoire.

– Oui, j'en ai un.

Elle sourit.

– Est-ce que tes parents fouillent dans tes affaires ?

– Non, ils me fichent la paix.

– Bon, dit-elle en réfléchissant, les sourcils froncés. Attends, il y a encore un truc.

Elle se rapprocha d'un pas, le visage tendu vers lui, lui envoyant à la figure une odeur de chewing gum et de patchouli.

– Tu ne dois le montrer à personne. Sinon, ça ne marchera pas. Tu le fais disparaître et tu ne dis pas que je te l'ai donné. Promis ?

C'était idiot. Il se rembrunit.

– Pourquoi ?

– Ce sont les règles, rétorqua Brynne avec insistance. Si tu ne promets pas, je ne peux pas te le remettre.

Nick poussa un soupir excédé.

– O.K. Comme tu veux. Je promets.

– N'oublie pas, hein ? Sinon, je vais avoir des problèmes.

Il prit la main qu'elle lui tendait. Elle était brûlante. Brûlante et un peu moite.

– Bien. Je compte sur toi, chuchota-t-elle en lui lançant son regard le plus irrésistible.

Elle lui glissa un boîtier en plastique mince et carré.

– Amuse-toi bien ! murmura-t-elle dans un souffle.

Puis elle tourna les talons.

Il ne la regarda pas s'éloigner, se concentrant sur l'objet : un DVD piraté dans un emballage sans inscription. Nick l'ouvrit, au comble de l'excitation.

Linkin Park. Tu parles !

Il faisait sombre à cet étage, et il orienta le DVD vers la lumière pour mieux lire ce que Brynne y avait inscrit de son écriture tarabiscotée.

Il n'y avait qu'un mot, qui ne lui évoquait rien : Erebos.

Pendant le reste de la journée, Jamie le charria avec Brynne, mais ce n'était pas méchant. Les blagues habituelles de son ami. Le plus dur était de résister à la tentation d'extraire le DVD de sa poche pour le lui montrer. Il parvint à tenir bon. Il regarderait d'abord seul afin de comprendre pourquoi tous prenaient des airs si mystérieux. Il se jura en tout cas de ne pas jouer le jeu de cette conspiration généralisée qui l'avait horripilé.

La journée se traîna, interminable. Nick n'arrivait pas à se concentrer. Ses pensées le ramenaient toujours à cet objet insignifiant. Il le sentait à travers trois épaisseurs de tissu. Son poids. Ses arêtes.

– Ça ne va pas ? Tu es malade ? demanda Jamie avant le début de la dernière heure de cours.

– Non, pourquoi ?

– Parce que tu fais une drôle de tête.

– Je pensais à autre chose.

– Laisse-moi deviner. À Brynne peut-être ? l'interrogea-t-il avec un sourire moqueur. T'as rendez-vous avec elle ?

Nick ne comprendrait jamais comment Jamie pouvait croire un seul instant qu'il était attiré par quelqu'un comme Brynne. Mais aujourd'hui il n'eut pas le courage de le contredire.

– Et alors ? répliqua-t-il en ignorant son air narquois.

– J'espère bien que tu me donneras des détails demain.

– Oui. Enfin, je ne sais pas. Peut-être.

# CHAPITRE 3

L'appartement était glacial lorsque Nick rentra. Sa mère avait dû partir en catastrophe, une fois de plus, car elle avait oublié de fermer les fenêtres. Il garda sa veste sur lui, boucla tout et monta le radiateur de sa chambre au maximum. Alors seulement, il exhuma le paquet de sa poche et l'ouvrit.

Erebos. Nick esquissa une grimace : ce nom lui faisait penser à « Eros ». Il s'agissait peut-être d'un programme de rencontres ? Ça ne l'aurait pas étonné de la part de Brynne. Si c'était ça, elle pouvait toujours courir.

Il alluma l'ordinateur. En attendant qu'il démarre, il alla se chercher une couverture de laine dans le salon, dans laquelle il s'enveloppa.

Il avait au moins quatre heures de tranquillité devant lui. Par habitude et pour faire monter le suspense, il commença par consulter ses mails : trois pubs, quatre spams et un message aigri de Betthany qui menaçait de conséquences terribles tous ceux qui s'aviseraient de manquer encore l'entraînement.

Au moment où il s'apprêtait à ouvrir sa page Facebook, Finn se manifesta sur MSN.

– Salut, frérot ! Tout va comme tu veux ?

– Oui, ça baigne ! répondit-il en souriant involontairement.

– Comment va maman ?

– Elle est débordée, mais ça va bien. Comment tu te portes, toi ?

– Pareil. Les affaires roulent.

– Cool, commenta Nick en se retenant de creuser davantage.

– Écoute, Nicky. Le tee-shirt que je t'ai promis... Tu vois de quoi je veux parler ?

Nick se souvenait parfaitement. Un tee-shirt de Hell Froze Over, le meilleur groupe du monde, selon son frère.

– Oui, eh bien ?

– Je n'arrive pas à l'avoir dans ta taille. Impossible avant quatre semaines. Tu es trop grand, frérot. Je l'ai commandé à la boutique de fans, mais ça va prendre du temps. Tu patienteras ?

Sur le coup, Nick ne comprit pas pourquoi il était aussi déçu. Vraisemblablement parce qu'il s'était déjà imaginé au concert avec Finn, tous deux arborant le tee-shirt HFO avec la tête de diable bleue sur la poitrine et braillant ensemble *Down the line*.

– C'est pas grave, tapa Nick.

– Je continue à chercher, promis. Tu viens bientôt me voir ?

– Bien sûr.

– Tu me manques, petit frère, tu sais ?

– Toi aussi.

Et comment ! Mais il préférait ne pas s'étendre là-dessus, sinon son frère se sentirait encore coupable d'être parti.

Après avoir fini de « chatter », Nick fit un tour sur le site *artManiak*, mais il n'y avait rien de nouveau depuis hier. C'était logique, pensa-t-il, un peu honteux d'être aussi accro, puis il se déconnecta.

La voix de sa conscience lui conseillait de s'atteler à son essai d'anglais avant de passer à Erebos. Mais c'était sans espoir ; elle ne faisait pas le poids. La curiosité de Nick était trop forte. Il ouvrit le boîtier, s'agaça en revoyant l'écriture de Brynne et mit le DVD dans le lecteur. Une fenêtre s'ouvrit au bout de quelques secondes.

Pas de film, pas de musique. Un jeu.

La fenêtre d'installation montrait une image sinistre. À l'arrière-plan se dressait une tour en ruine au milieu d'un paysage calciné. Devant la tour, une épée était fichée dans la terre nue. Une étoffe rouge nouée à la poignée flottait au vent, ultime souvenir de la vie dans un monde disparu. Au-dessus, en rouge aussi, se déployait l'inscription « Erebos ».

Nick sentait la fièvre monter en lui. Il tourna le volume à fond, mais il n'y avait pas de musique, juste un grondement lointain comme le souffle d'une tempête qui approche.

Il ne se décidait pas à appuyer sur le bouton d'installation. Il avait la vague sensation d'avoir oublié quelque chose. Bien sûr... l'antivirus. Il vérifia les données du DVD avec deux logiciels différents et fut soulagé de constater qu'aucun n'avait détecté de menace. Il pouvait y aller maintenant.

La barre d'installation bleue progressait avec une lenteur mortelle, par sauts microscopiques. Plusieurs fois, il eut l'impression que l'ordinateur était planté. Cependant, quand Nick agitait la souris, le pointeur se déplaçait. Avec des tressautements, certes, mais tout de même. Nick n'en pouvait plus d'attendre et se tortillait sur sa chaise. Vingt-cinq pour cent : c'était insupportable ! Il avait le temps d'aller dans la cuisine se chercher quelque chose à boire.

Lorsqu'il revint quelques minutes plus tard, on en était à trente et un pour cent. Il se laissa tomber sur sa chaise en jurant. Quelle merde !

Une heure plus tard, les cent pour cent étaient atteints. Nick jubilait déjà quand l'écran devint soudain noir, et le demeura.

Rien n'y fit. Ni les coups sur le caisson de l'ordinateur, ni les combinaisons de touches, ni les insultes. L'écran s'obstinait à rester noir.

Au moment où Nick allait abandonner et appuyer sur la touche « Reset », il se passa enfin quelque chose. Des lettres rouges se dessinèrent sur fond de ténèbres. Des mots se formèrent, qui palpitaient comme si un cœur caché leur apportait le sang et la vie.

« Entre.

Ou fais demi-tour.

Voici Erebos. »

Il était temps ! Nick était au comble de l'excitation. Il sélectionna « Entre ».

L'écran redevint noir durant plusieurs secondes. Nick se renfonça dans son siège. Pourvu que le jeu ne soit pas toujours aussi lent ! Ça ne pouvait pas tenir à son ordinateur, il était à la pointe de la technologie : le processeur et la carte graphique étaient super rapides et tous ses jeux tournaient sans problème.

Peu à peu, l'écran s'éclaircit et révéla une clairière très réaliste, baignée d'une lune blafarde. Une silhouette vêtue d'une chemise déchirée et d'un pantalon élimé se tenait accroupie au centre. Sans arme, avec juste un bâton dans la main. Ce devait être son personnage. Nick cliqua à côté de lui : il se redressa d'un bond et se déplaça pile à l'endroit désigné. Bon, les commandes étaient d'une simplicité enfantine. Quant au reste, il aurait vite fait de comprendre. Il n'en était pas à son premier jeu.

Allez ! Zou ! Oui, mais dans quelle direction ? Il n'y avait ni chemin ni indication. Une carte, peut-être ? Nick essaya de faire apparaître un inventaire ou un menu. En vain. Il n'y avait rien. Pas la moindre mention de quêtes ou d'objectifs ; aucun autre personnage en vue. Juste une barre rouge pour les points de vie et, en dessous, une bleue pour l'endurance. Nick tenta diverses combinaisons de touches qui avaient été efficaces par le passé, mais elles ne furent d'aucun effet ici.

*Ce truc doit être bourré d'erreurs de programmation*, pensa-t-il, déçu. Il cliqua directement sur le personnage. L'inscription « Anonyme » apparut au-dessus de sa tête.

Il le fit d'abord courir tout droit, puis à gauche, puis à droite. Toutes les directions semblaient mauvaises, et il n'y avait personne à qui demander.

Il entendait encore la voix de Brynne lui susurrer : « C'est carrément génial, tu verras. » Génial, tu parles ! D'un autre côté, Colin semblait lui aussi emballé par le jeu. Et Colin était plutôt un expert en la matière.

Nick décida de laisser son personnage courir tout droit. C'est ce qu'il ferait, lui, s'il était perdu : il suivrait une direction.

Il finirait bien par rencontrer quelque chose ; toutes les forêts ont une fin.

Il se concentra sur son Anonyme, qui évitait habilement les arbres et écartait, avec son bâton, les branches qui entravaient sa progression. On entendait chaque pas du personnage, chaque craquement de petit bois sous ses pieds, chaque crissement de feuilles mortes. Lorsque la créature escalada un rocher, de petites pierres se détachèrent et dévalèrent la pente.

Plus loin, le sol devint marécageux. L'Anonyme n'avançait plus aussi vite, parce que ses pieds s'enfonçaient jusqu'aux chevilles. Nick était impressionné par le réalisme de l'ensemble. Aucun détail ne manquait, pas même le bruit d'aspiration et de succion des pas dans la boue.

L'individu sans nom marchait encore, mais il commença à haleter d'épuisement. La barre bleue avait diminué et ne faisait plus qu'un tiers de sa longueur initiale. Au rocher suivant, Nick accorda une pause à son personnage. Celui-ci posa les mains sur ses cuisses et pencha la tête en avant, comme s'il cherchait à reprendre son souffle...

Il devait y avoir un ruisseau quelque part, car Nick entendait un gargouillement. Il mit fin à la halte et envoya l'Anonyme un peu vers la droite : il y avait bel et bien un petit cours d'eau. Toujours hors d'haleine, il resta devant sans bouger.

– Allez, bois donc ! dit Nick.

Il appuya sur la touche du clavier avec la flèche descendante et fut content de voir la créature se baisser et prendre de l'eau dans le creux de sa main pour se désaltérer.

Après cet intermède, le personnage retrouva une allure plus rapide. Le sol redevint sec et les arbres se firent moins denses. Cependant, il n'avait toujours aucun point de repère pour s'orienter, et Nick commençait à craindre que sa tactique du « droit devant » ne s'avère un fiasco. Si seulement il avait une meilleure visibilité, une carte peut-être ou...

Une vue d'ensemble, voilà ce qu'il lui fallait ! Nick esquissa un petit sourire. Il fallait voir, peut-être que son moi virtuel était capable non seulement de se pencher, mais aussi de grimper. Il choisit un arbre au tronc massif avec des branches basses, plaça son avatar devant et appuya sur la touche avec la flèche montante.

L'Anonyme posa soigneusement son bâton sur le sol et se hissa de branche en branche. Il s'arrêtait dès que Nick relâchait la touche et reprenait son ascension lorsqu'il l'enfonçait à nouveau. Nick le fit monter le plus haut possible jusqu'à ce que les branches deviennent trop minces pour le porter et qu'il risque de tomber. Nick s'assura qu'il avait une posture stable avant de tenter un coup d'œil panoramique. Le spectacle était fantastique.

La pleine lune était haute dans le ciel. Elle éclairait un océan d'arbres d'un vert argenté qui s'étendait à perte de vue. Sur la gauche, on distinguait les contreforts d'une chaîne de montagnes et, à droite, une plaine. Devant lui se déployait un paysage de collines, où des points de la taille d'une tête d'épingle révélaient la présence d'habitations.

*C'est bien ce que je pensais. Il faut aller tout droit.*

Il s'apprêtait à appuyer sur la touche descendante lorsqu'il remarqua une lueur jaune entre les arbres, non loin de l'endroit où il se trouvait. Ça l'intrigua. En corrigeant sa trajectoire légèrement vers la gauche, il ne tarderait pas à atteindre la source de lumière. Une maison peut-être ? Impatient, il fit redescendre l'Anonyme, qui reprit son bâton et sa course dans les bois. Nick se mordillait la lèvre, espérant qu'il ne s'était pas trompé dans l'estimation de la direction.

Peu après, il crut distinguer une faible clarté entre les troncs. Mais son personnage arriva devant un obstacle, une crevasse bien trop large pour qu'il puisse la franchir en sautant. Zut ! Elle s'étirait de chaque côté et disparaissait dans les arbres et l'obscurité. La contourner ferait perdre un temps considérable à son Anonyme, qui risquait de ne pas retrouver son chemin.

Il commença par jurer copieusement avant de découvrir un tronc d'arbre tombé à terre. Si on pouvait le mettre dans la bonne position...

La barre d'espace permit de résoudre le problème. Le personnage de Nick tira, traîna et poussa le tronc dans toutes les directions que lui indiquait le pointeur de la souris. Lorsque l'arbre eut enfin été disposé en travers de la crevasse, l'Anonyme était à bout de souffle et sa barre de vie avait encore diminué.

Nick dirigea son avatar sur le pont improvisé avec une extrême prudence. Au cinquième pas, le tronc roula un peu vers la droite et Nick ne parvint à mettre son héros en sécurité qu'au prix d'un bond périlleux.

Il remarqua que la lueur était devenue plus intense et vacillante. Devant lui s'ouvrait une minuscule trouée dans la forêt où brûlait un feu de camp. Un homme était assis devant, regardant les flammes. Nick releva son doigt de la souris : l'Anonyme s'arrêta net.

L'individu devant le feu ne bougeait pas. Il ne portait pas d'arme visible, mais cela ne signifiait rien. Ce pouvait être un magicien, à en juger par son long manteau noir. Peut-être en saurait-on plus en cliquant sur sa silhouette ? À peine le pointeur de la souris l'eut-il effleuré qu'il leva la tête, révélant un visage en lame de couteau avec une toute petite bouche. Une fenêtre de dialogue s'ouvrit alors en bas de l'écran, affichant des lettres gris argent qui se détachaient sur le fond noir :

– Salut, Anonyme ! Tu as été rapide.

Nick fit avancer son personnage dans la direction de l'homme. Celui-ci ne réagit pas ; il se contenta de regrouper les bûches enflammées à l'aide d'une longue branche. Le garçon était déçu : enfin, il croisait quelqu'un dans cette forêt reculée et il n'y avait pas moyen d'en tirer plus qu'une vague salutation.

En voyant le curseur clignoter au début de la ligne suivante de la fenêtre de dialogue, il comprit qu'on attendait une réponse de sa part. Il tapa :

– Salut !

L'homme au manteau noir hocha la tête et sa réponse s'afficha :

– C'était une bonne idée de grimper dans l'arbre. Rares sont les marcheurs anonymes qui y pensent. Tu es un grand espoir pour Erebos.

– Merci, tapa Nick.

– Crois-tu que tu veuilles continuer ?

La petite bouche de l'homme se fendit en un large sourire.

Le joueur s'apprêtait à répondre « Bien sûr ! » quand il vit que son interlocuteur n'avait pas terminé.

– Ce n'est qu'en t'alliant avec Erebos que tu pourras réussir. Tu dois le savoir.

– D'accord.

L'homme baissa la tête et tisonna le brasier avec son bâton. Des étincelles crépitèrent. *Tout ça semble réel, tellement réel.*

Nick attendit. L'autre ne faisait pas mine de vouloir poursuivre la conversation. Il avait sans doute déroulé la totalité du texte qui lui était imparti.

Curieux d'observer s'il réagissait quand on prenait l'initiative de s'adresser à lui, le garçon saisit « p #434<3xxq0jolk-<fi0e8r » dans la zone de texte. Le geste sembla amuser son interlocuteur virtuel. Il leva la tête et lui adressa un sourire.

*Il me regarde droit dans les yeux. Comme s'il pouvait voir à travers l'écran.* Nick éprouvait un vague sentiment de malaise.

Puis l'homme retourna à la contemplation des flammes.

L'adolescent remarqua qu'une musique douce se faisait entendre maintenant. La mélodie, ténue mais envoûtante, le touchait étrangement.

– Qui es-tu ? saisit-il dans la zone de texte.

Zéro réponse, bien sûr. L'homme inclina la tête de côté comme s'il devait réfléchir. Cependant, quelques secondes plus tard apparurent des mots dans la fenêtre de dialogue.

– Je suis un mort.

Il le fixa comme s'il voulait vérifier l'effet produit par ses paroles. Une nouvelle phrase s'afficha :

– Je ne suis qu'un mort. Toi, tu es vivant. Un vivant anonyme, certes, mais plus pour longtemps. Bientôt, tu pourras choisir ton nom, ton métier et une nouvelle vie.

Les doigts de Nick glissèrent du clavier. C'était bizarre. Non, c'était effrayant. Le jeu avait donné une réponse sensée à la première question venue.

C'était un hasard peut-être ?

– D'habitude, les morts ne parlent pas, écrivit-il, puis il se renfonça dans son siège.

C'était moins une question qu'une objection. L'homme au feu de camp n'aurait pas de réplique adaptée dans son programme.

– Tu as raison. C'est ce qui fait toute la puissance d'Erebos.

Il avait plongé sa branche dans le brasier et la retira en flammes.

Bien qu'il refuse de se l'admettre, Nick était troublé. Il s'assura que son ordinateur était bien déconnecté et que personne ne lui faisait de mauvaise blague. Non. Il n'était pas sur Internet. La branche dans la main de l'homme mort brûlait et le reflet des flammes dansait dans ses yeux.

La phrase suivante échappa à Nick :

– Quel effet ça fait d'être mort ?

Le revenant partit d'un rire sifflant.

– Tu es le premier anonyme à me poser cette question ! répondit-il avant de jeter au feu les restes de son bâton. On se sent seul. Ou entouré de fantômes. Qui peut le dire ?

Il se passa la main sur le front puis reprit :

– Si je te demandais comment c'est d'être vivant, que dirais-tu ? Chacun vit sa vie à sa guise. De la même façon, chacun a sa propre mort.

Comme pour souligner son propos, il rabattit la capuche de son manteau sur sa tête, plongeant ses yeux et son nez dans l'ombre. Seule la petite bouche restait visible.

– Tôt ou tard, tu le découvriras.

Tôt ou tard... Nick essuya ses mains moites sur son pantalon. Le sujet le mettait mal à l'aise.

– Comment dois-je continuer à avancer ? tapa-t-il, se surprenant à constater qu'il s'attendait à une réponse sensée.

– Veux-tu continuer ? Je te préviens : il serait préférable que tu ne le fasses pas.

– Bien sûr que je veux.

– Alors prends à gauche et suis le ruisseau jusqu'à ce que tu arrives à un ravin. Traverse-le. Ensuite… Tu verras.

Le revenant se recroquevilla dans son manteau comme s'il avait très froid.

– Et prends garde au Messager aux yeux jaunes !

# Chapitre 4

Il suivit le ruisseau, dont le clapotis l'accompagnait sur sa gauche. Il courait en petites foulées pour ménager son endurance. Nick se rendait compte que la résistance n'était pas le point fort de son Anonyme. À la moindre côte, il se mettait à haleter et s'arrêtait pour reprendre haleine jusqu'à ce que la barre dans la partie inférieure droite de l'écran redevienne bleue. Puis il repartait, escaladait des rochers, sautait par-dessus des obstacles, scrutait le paysage à la recherche du ravin. Et toujours aucune trace d'un messager aux yeux jaunes.

Les berges du ruisseau devinrent progressivement plus pentues. Le tapis mousseux de la forêt fit place à un sol dur et pierreux. La caillasse qui jonchait le chemin ralentissait la course de l'Anonyme et provoqua sa chute à plusieurs reprises. Quand les rives escarpées s'apparentèrent à de véritables parois deux fois plus hautes que son personnage, Nick comprit qu'il était enfin arrivé dans le ravin. Il remarqua aussi qu'il n'était pas seul. Des feuilles bruissaient dans les broussailles qui bordaient le sentier. Quelque chose bougeait là-dedans. Des créatures qui ressemblaient à des crapauds en jaillirent soudain et se jetèrent sur lui. Avec leurs pattes palmées terminées par des griffes, les bestioles firent de sérieux dégâts. Surpris par l'attaque, Nick mit quelques secondes à se rappeler l'existence du bâton que son personnage avait en main, avant de commencer à se défendre.

Deux des amphibiens prirent la fuite, un troisième périt au pied de l'Anonyme, d'un coup bien envoyé.

– Strike, murmura Nick.

Mais un dernier animal se cramponnait à la jambe gauche de l'Anonyme et une tache de sang s'élargissait sous ses griffes. Nick constata avec inquiétude que son personnage avait perdu une bonne moitié de sa barre de vie. Il appuya sur la barre d'espace, ce qui eut pour effet de lui faire faire un saut, sans pour autant parvenir à décrocher le crapaud.

La touche « Échap » fut plus efficace. L'Anonyme effectua une rotation éclair : l'agresseur lâcha prise et il l'expédia dans les fourrés avec son bâton.

Ses points de vie avaient encore baissé : ils étaient passés largement au-dessous de la moitié. Nick s'assura qu'il n'y avait pas d'autres agresseurs en vue, puis il passa le pointeur de la souris sur les cadavres de crapauds. L'information « 4 unités de viande » s'afficha.

– C'est déjà ça, grommela-t-il en relevant son personnage épuisé.

Il lui fit ramasser la viande avant de poursuivre son chemin à travers le ravin. Tous ses sens étaient en alerte et il se tenait prêt à accueillir avec son bâton le prochain crapaud griffu qui se présenterait. Mais il n'eut pas à s'en servir. En revanche, il détecta dans le lointain un claquement répété, réverbéré par les falaises. Un bruit de sabots.

Il ralentit l'allure de l'Anonyme, qui redoubla de prudence en abordant le tournant suivant. Il ne découvrit rien d'autre que des roches et des éboulis.

Un instant plus tard, le bruit de sabots cessa. Nick plaqua son personnage contre le rocher, lui faisant longer des buissons épineux jusqu'à ce qu'il se trouve au pied d'une nouvelle paroi. À mi-hauteur, une avancée saillait dans le mur de pierre et on apercevait, derrière, l'entrée étroite d'une caverne. Là, obstruant le passage et juchée sur un immense cheval caparaçonné, une silhouette décharnée vêtue d'une blouse grise faisait signe à

Nick et à l'Anonyme d'approcher. Le garçon remarqua vaguement le crâne chauve et pointu et les longs doigts osseux de la créature. Mais ce furent surtout les yeux jaunâtres qui retinrent son attention.

– Tu t'es plutôt bien débrouillé jusque-là.

– Merci.

– En revanche, tes points de vie sont au plus bas.

– Je sais.

– Il va falloir être vigilant dorénavant.

Le ton très impersonnel du Messager contrastait étrangement avec son apparence terrifiante.

– Il est temps que tu reçoives un nom et que tu passes au premier rituel, poursuivit-il en montrant d'un geste tranquille la grotte derrière lui. Je te souhaite d'avoir de la chance et de prendre les bonnes décisions. Nous nous reverrons.

Sur ces mots, il fit tourner bride à sa monture et disparut.

Le joueur attendit que le bruit des sabots se soit évanoui avant de faire escalader la paroi à son personnage. Un escalier raide taillé dans la pierre montait jusqu'à la plateforme. « Il est temps de passer au premier rituel », avait dit le cavalier. Pourquoi Nick avait-il de nouveau les mains moites ? Avec la touche gauche de la souris, il cliqua sur la zone sombre de l'entrée de la caverne. L'Anonyme marcha dans cette direction et s'évanouit à son tour. L'instant d'après, l'écran devint noir.

L'obscurité totale. Le silence. Nick se tortillait sur sa chaise. Pourquoi cela durait-il si longtemps ? Il tapa sur les touches de son clavier, mais rien ne bougea.

– Allez ! dit-il en encourageant son ordinateur d'un petit coup affectueux sur le caisson. Ce n'est pas le moment de mollir.

L'obscurité perdurait et la nervosité de Nick augmentait. Il pouvait sortir le DVD du lecteur et le remettre ou appuyer sur la touche « Reset », mais c'était risqué. Il serait peut-être obligé de tout recommencer à zéro. Ou alors le jeu refuserait de redémarrer.

Soudain, il entendit un son. *Toc toc ! Toc toc !* Cela ressemblait aux battements d'un cœur. Nick ouvrit le premier tiroir de son bureau, en sortit son casque et le brancha sur l'ordinateur. Le son était plus net et il crut entendre encore autre chose dans le fond. Des cors jouaient une succession de notes. Comme les signaux qu'on s'envoie lors d'une chasse. Intéressant... On aurait dit que le jeu continuait à se dérouler à l'arrière-plan, sans lui. Il monta le volume au maximum, se reprochant de ne pas avoir pensé au casque plus tôt. Peut-être avait-il raté des informations importantes, des mises en garde, des indices qui lui auraient permis de savoir comment poursuivre le jeu !

Plus par impatience que dans l'espoir d'accélérer le processus, Nick appuya sur la touche « Entrée ».

Les battements cessèrent et les lettres rouges se détachèrent à nouveau sur le fond noir.

– Voici Erebos. Qui es-tu ?

Nick ne réfléchit pas longtemps. Il prendrait le pseudonyme qu'il avait déjà utilisé dans d'autres jeux vidéo.

– Je suis Gargouille.

– Donne-moi ton nom.

– Gargouille !

– Ton vrai nom.

Nick sursauta. Pourquoi donc ? Bon, d'accord, il donnerait un prénom et un nom pour que le jeu se décide à continuer.

– Simon White.

Le nom s'affichait en rouge sur fond noir et, pendant quelques secondes, il ne se passa rien. Seul le curseur clignotait.

– J'ai dit : ton vrai nom.

Incrédule, Nick regarda l'écran avec l'impression que quelqu'un le fixait. Il prit une profonde inspiration et tenta un nouvel essai.

– Thomas Martinson.

Pendant un moment, le nom resta inscrit à l'écran sans commentaire, puis le jeu répondit :

– Thomas Martinson est incorrect. Si tu veux jouer, donne-moi ton vrai nom.

Nick ne voyait pas d'explication rationnelle à ce phénomène. Il s'agissait sans doute d'un bug du logiciel : le jeu n'accepterait aucun nom. L'inscription disparut. Nick craignit soudain que le programme ne soit planté ou qu'il ne se soit verrouillé à la troisième mauvaise réponse, comme un téléphone portable lorsqu'on a tapé trois fois de suite un code PIN incorrect.

– Nick Dunmore.

Il tapa son nom, espérant secrètement que le système refuserait aussi la bonne réponse.

Cependant, il n'en fut rien. Le programme se mit à lui susurrer son nom à l'oreille : « Nick Dunmore. NickDunmore. Nick. Dunmore. » Les deux mots étaient répétés comme un leitmotiv que se murmuraient de furtives créatures. Les paroles de bienvenue d'une communauté invisible.

Nick se sentait observé et cette sensation était terrifiante. Il porta les mains à son casque pour l'enlever. Mais l'inscription disparut. Les chuchotements firent place à une mélodie suave qui résonnait comme une promesse de mystère et d'aventure.

– Bienvenue, Nick ! Sois le bienvenu dans le monde d'Erebos. Avant de commencer à jouer, tu dois te familiariser avec ses règles. Si elles ne te plaisent pas, tu es libre d'arrêter à tout moment. D'accord ?

Nick ne pouvait quitter l'écran des yeux. Le jeu l'avait pris en flagrant délit de mensonge. Il connaissait son vrai nom. Et maintenant, avec le clignotement du curseur qui s'accélérait, on aurait dit qu'il attendait sa réponse avec impatience.

– Oui, tapa Nick, qui craignait que l'écran ne redevienne noir.

Il réfléchirait plus tard.

– Très bien. Voici la première règle : Tu as une chance et une seule de jouer à Erebos. Si tu la gâches, c'est fini. Si ton avatar meurt, c'est fini. Si tu enfreins les règles, c'est fini. D'accord ?

– D'accord.

– Deuxième règle : Quand tu joues, assure-toi que tu es seul. Ne communique jamais ton vrai nom dans le jeu. Ne communique jamais le nom de ton avatar en dehors du jeu.

*Pourquoi tous ces interdits ?* se demanda Nick. Puis il se souvint que même Brynne – que l'on ne pouvait pas taxer d'un excès de discrétion – ne lui avait rien dévoilé d'Erebos.

– D'accord.

– Bon. Troisième règle : Le contenu du jeu est secret. Tu ne dois en parler à personne. Et surtout pas à ceux qui ne sont pas inscrits. Quand tu joues, tu peux discuter avec d'autres joueurs, autour des feux de camp. Tu n'as pas le droit de diffuser des informations dans ton cercle d'amis ou dans ta famille, ni sur Internet.

*Comme si tu avais un moyen de le savoir !* Nick tapa néanmoins :

– D'accord.

– La quatrième règle est la suivante : Garde le DVD d'Erebos en sécurité. Tu en as besoin pour démarrer le jeu. En aucun cas, tu ne dois le copier, sauf si le Messager te le demande.

– D'accord.

Dès que Nick eut appuyé sur la touche « Entrée », le soleil se leva. En tout cas, c'est l'impression qu'il eut. Le noir de l'écran se mua en un rouge délicat, qui vira au jaune. L'Anonyme de Nick se dessina d'abord en ombre chinoise, puis sa silhouette et son environnement se précisèrent. Il se trouvait dans une clairière inondée de soleil, au sol couvert d'un tapis d'herbes hautes. Un chemin serpentait jusqu'à une tour couverte de mousse. Sa porte ne tenait plus que par un gond et battait contre le mur. Assis sur un rocher, sur la gauche, l'Anonyme fermait les yeux, offrant son visage à la caresse du soleil. Nick se sentit soudain jaloux, comme devant les belles photos de vacances d'un ami. Un court instant, il crut sentir l'odeur de résine des arbres et le parfum des herbes en fleurs alentour. Les cigales chantaient et une brise légère agitait les hautes tiges.

Le personnage, encore vêtu de ses guenilles, s'étira et se leva. Portant la main à son visage, il l'ôta comme un masque, découvrant une peau lisse et nue telle une coquille d'œuf.

Un coup de vent déploya le drapeau planté au sommet de l'édifice, faisant apparaître un chiffre 1 délavé.

*Le donjon doit mener au premier niveau.* Nick y dirigea son personnage, dont l'absence de visage le perturbait plus qu'il ne voulait l'admettre.

À l'intérieur, tout était calme : le vent s'était tu et la porte avait cessé de claquer. Au milieu de la paille et des ossements qui jonchaient le sol, il découvrit des coffres en bois aux ferrures rouillées. Des plaques de cuivre accrochées au mur attirèrent son attention. Des inscriptions y étaient gravées qui commençaient toutes par le même mot : « Choisis ».

Il les déchiffra l'une après l'autre.

« Choisis ton sexe », ordonnait la première.

Sans hésiter, il choisit « homme ». Après coup, il se dit que le jeu avec un personnage féminin aurait pu avoir son intérêt. Tant pis, c'était trop tard.

« Choisis ta race », lut-il sur la deuxième plaque.

Il s'attarda plus longuement sur le choix de races qui lui était proposé. Il élimina le barbare et le vampire après avoir testé leur apparence. La musculature luisante des épaules du barbare lui arracha une grimace dégoûtée. Il se laissa tenter quelques minutes par l'homme-lézard, avec son corps recouvert d'écailles chatoyantes. Il élimina d'emblée l'être humain. Trop commun. Trop faible.

Restaient le nain, le loup-garou, l'homme-chat ou l'elfe noir. Il essaya le corps du nain : petit, noueux et puissant. Pas mal ! La petite taille lui plaisait bien. Les jambes arquées et le visage grimaçant, moins.

Il finit par opter pour l'elfe noir. De taille moyenne, mais élégant et mystérieux. Il enregistra ces données.

« Choisis ton apparence », commandait le troisième panneau.

Comme il tenait à être le plus différent possible de son apparence réelle, il opta pour des cheveux blonds et courts, hérissés, un nez pointu et des yeux verts en amande. Son nouveau personnage n'avait plus rien à voir avec l'Anonyme. Il choisit soigneusement sa tenue : une veste verte aux reflets dorés, un pantalon sombre, des bottes à revers. Une capuche en cuir qui le protégerait mieux que rien. Un casque eût été préférable, mais il n'en existait pas pour les elfes noirs, hélas.

Il peaufina les traits de son visage : agrandit les yeux et l'espace entre la bouche et le nez. Il remonta les sourcils, se dessina des pommettes plus saillantes. Il était satisfait du résultat : il avait la noblesse d'un fils de roi déchu.

« Choisis ta classe », ordonnait la quatrième plaque de cuivre.

Assassin, Barde, Magicien, Chasseur, Éclaireur, Gardien, Chevalier, Voleur. Le choix était large. Il étudia les talents des différentes races. Il apprit ainsi que les loups-garous faisaient d'excellents magiciens, tandis que les vampires étaient prédisposés à être assassins ou voleurs. Les elfes noirs tels que lui étaient des voleurs hors pair.

Il hésitait. Il sursauta en entendant soudain la porte grincer et quelqu'un entrer dans la tour. Une ombre difforme. Un gnome bossu aux jambes courtes, doté d'un nez rouge en patate et d'une grosseur bleuâtre au cou. La créature se rapprocha en boitillant, s'assit à cheval sur une des malles en se pourlèchant les babines.

– Tiens donc, encore un elfe noir ! On dirait qu'ils sont à la mode, en ce moment.

– Vraiment ?

La remarque déplut à l'intéressé. Il n'avait aucune envie d'être un numéro parmi d'autres.

– Oui, tu peux me croire. Tu as déjà choisi ta profession ?

Il regarda la liste.

– Peut-être voleur. Ou gardien. Ou bien chevalier.

– Et pourquoi pas magicien ? Ils sont puissants, les sorciers.

Il réfléchit à cette possibilité, mais il était plutôt tenté par les combats d'épée.

– Non, pas magicien. Chevalier.

– Tu es sûr ?

Oui. Chevalier, ça fait noble. Presque autant que prince.

– Chevalier, répéta-t-il avec conviction.

« Choisis tes aptitudes », proclamait la cinquième plaque de cuivre. Suivait une longue liste de qualités.

Il sélectionna les caractéristiques suivantes : Bonne vue, Force, Endurance, Faculté de camouflage, Capacité de faire du feu, Rapidité, Agilité. Il pesa chaque décision, car il se doutait que son choix était limité, et chaque qualité retenue lui fermait d'autres possibilités. Ainsi, lorsqu'il cocha « Capacité de soigner », l'option « Sort de mort » disparut.

Au dixième choix, tout s'arrêta. Les propositions s'effacèrent.

– Tu ne vas pas tarder à regretter certaines compétences que tu as rejetées, commenta le gnome en ricanant.

L'elfe noir se serait volontiers passé de ce témoin.

Le sixième panneau l'attendait : « Choisis tes armes ». En dessous, une malle ouverte exhibait tout un arsenal d'épées, de lances, de boucliers, de masses terminées par une boule à pointes, de lames terrifiantes équipées de crochets, de fouets et de fléaux.

– Tu veux un conseil ? demanda le gnome.

*Pour que tu puisses me rouler dans la farine, certainement pas !*

– Non, merci.

Il préférait décider par lui-même. L'une après l'autre, il tira les épées du coffre et les aligna contre le mur. Il testa la maniabilité de chacune, la vitesse avec laquelle il pouvait les brandir. Il sélectionna une épée longue, dotée d'une lame mince et d'une poignée rouge, qui produisait un sifflement grisant lorsqu'il fendait l'air avec.

Les boucliers, tous en bois, ne lui inspiraient guère confiance. Plus ils étaient grands, plus ils étaient lourds et plus ils ralentissaient le guerrier dans ses mouvements. Il prit donc le plus petit du lot : un bouclier rond, garni de bronze et décoré de peintures bleues.

– Tu peux te l'attacher dans le dos, conseilla le gnome, goguenard, assis sur une des malles.

L'elfe noir ne daigna pas répondre. Il se dirigea vers la septième et dernière plaque.

« Choisis ton nom. »

Nick se rappela, étonné, qu'il avait l'intention de s'appeler Gargouille, quelques instants auparavant. Soudain, le nom ne lui convenait plus. Il chercha en vain un coffre ouvert qui contiendrait des rouleaux de papier avec des suggestions. Mais, pour ça, il devait se débrouiller seul. Enfin presque, car le gnome prétendait l'aider, à sa façon très personnelle.

– Croupion d'elfe, Trognon d'elfe, Cubitus minus, Bougre d'âne, Face de rat. Ou plus classique : Momos, Eris, Ker ou Ponos. Sans oublier Moros ! Y a un nom qui te plaît, dans ma liste ?

Il fut tenté de saisir son épée et de tailler le gnome en pièces. Ça lui aurait permis d'avoir la paix pour réfléchir. Mais, à la pensée des hurlements suraigus que pousserait la créature agonisante et des flaques de sang sur le sol, il préféra s'abstenir.

*Classique, voilà le mot. Il me faut un nom à consonance latine. Marius. Non, Sarius.*

Il ne chercha pas plus longtemps. Le nom correspondait exactement à ce qu'il souhaitait. Il le saisit et le valida.

– Sarius, Ssssarius, Sa-ri-us. Bienvenue, Sarius !

Son nom résonna dans l'édifice.

– Sarius ? Quel nom ennuyeux ! Les êtres ennuyeux périssent plus vite. Le savais-tu, Sarius ?

Le gnome sauta au bas de sa malle en tirant une interminable langue verte, qui lui arrivait à la poitrine, puis s'enfuit de la tour clopin-clopant. Sarius s'élança à sa poursuite dans la prairie inondée de soleil. Mais il avait déjà disparu dans la forêt. Sarius s'attacha le bouclier dans le dos et renonça à rattraper le gnome.

# CHAPITRE 5

Tels de petits rubis ronds, les baies scintillent au milieu des feuilles veloutées. Sarius les a découvertes à l'orée de la forêt, dans l'ombre des arbres. Il se baisse pour les regarder de plus près. Peut-il les cueillir ? Oui, il peut. À sa grande satisfaction, il constate qu'il dispose d'un inventaire dans lequel toutes ses possessions sont répertoriées. Il y retrouve la chair de crapaud. Mais à part ça l'inventaire est vide.

En se redressant, il croit entendre un bruit. Y aurait-il des serpents dans les fourrés ? Il jette un coup d'œil rapide autour de lui : non, il n'y a rien. Ni personne. Sarius se penche à nouveau sur les baies. Elles ne poussent certainement ici que pour lui permettre de faire des réserves de nourriture.

L'attaque est tellement soudaine que Sarius n'a pas le temps d'avoir peur. Deux individus se jettent sur lui par derrière et le plaquent au sol. L'un lui enfonce son genou entre les omoplates et lui ligote les bras dans le dos. L'autre lui pointe sous le menton un poignard couvert de cheveux et de sang séché.

Sarius tente de résister, mais il ne parvient qu'à gigoter lamentablement, incapable d'empêcher le plus grand des deux hommes de le soulever et de le balancer comme un sac sur son épaule.

C'en est donc déjà fini de lui ! Sarius, elfe noir et chevalier, enlevé en pleine cueillette ! Avec un peu de chance, ses agresseurs vont lui trancher la gorge, et l'aventure sera terminée.

Zut ! C'est trop idiot ! La bourde typique ! Il est sûrement le seul à s'être laissé prendre aussi bêtement.

Ils marchent dans la forêt. Soucieux de ne pas le perdre en chemin, celui qui le porte vérifie, de temps à autre, si son « paquet » est bien calé. Pourtant, il ne tarde pas à s'en délester. Arrivé au bord d'un talus, il le jette à terre et, d'un coup de pied, l'envoie bouler au bas de la pente.

Les trois individus qui le réceptionnent ressemblent comme des frères à ses ravisseurs : vêtements en loques, peau figée par la crasse, cicatrices partout. L'un n'a qu'un œil, le deuxième est bossu. Seules leurs armes paraissent en bon état.

– D'où il sort, celui-là ? demande le bossu.

– On l'a trouvé à quatre pattes près de la tour. Ça a été du gâteau de le cueillir.

Le bossu saisit Sarius par le col de sa veste et l'assied en l'adossant à un tronc d'arbre.

– On doit le garder, d'après vous ? Vous croyez qu'on peut le recruter comme brigand ?

Le borgne tourne la tête pour mieux observer Sarius.

– Non, décrète-t-il. Celui-là ne fait pas l'affaire. Il n'est pas des nôtres, ça se voit rien qu'à ses vêtements. Il serait plutôt de ceux qui combattent Ortolan.

– Alors, égorgeons-le ! propose le bossu avec une mine gourmande.

Sarius voudrait objecter qu'il ne connaît pas d'Ortolan, qu'il serait ravi de se joindre à une bande de brigands si c'est la condition pour rester en vie. Mais c'est impossible. Avant, avec le gnome, il pouvait parler. Maintenant, il est muet. Les événements autour de lui se déroulent comme dans un film.

Le troisième homme, dont le visage est caché à l'ombre d'un grand couvre-chef, n'a rien dit jusque-là. Il s'approche d'un pas.

– Non, nous n'allons pas le tuer. Celui-ci n'est pas comme les autres.

Il se penche et fouille dans les poches de Sarius.

– Regardez ! Pas de cadeaux, pas de lettres de chasseur de primes, pas d'or. Celui-ci, on peut le laisser filer.

– Comme ça, tout simplement ? proteste le bossu, déçu. Ça n'a pas de sens ! C'est pas drôle !

Le type au grand chapeau coupe court à la contestation :

– J'aimerais que ce soit un comme lui qui gagne, à la fin. Malheureusement, Sarius, ce sont généralement les petits qui perdent. Ceux comme toi. Quoi qu'il en soit, ce n'est pas à eux que je m'attaque.

Il écarte le bossu, qui tente de vider les poches de Sarius.

– Je vais même te donner un conseil. Sais-tu ce qui serait le mieux pour toi ?

« Non », voudrait répliquer Sarius. Mais son interlocuteur n'attend pas de réponse. Il lui attrape les bras et défait ses liens.

– Tu devrais quitter Erebos. Va-t-en et ne reviens jamais ! Fais comme si tu n'avais jamais été ici. Oublie ce monde. Tu feras ce que je te dis ?

*Certainement pas*, pense Sarius. Sous le large bord du chapeau, il essaie d'identifier le visage, mais il ne voit même pas un œil.

– Si tu veux quitter Erebos, prends tes jambes à ton cou et retourne à la tour ! Maintenant.

Est-ce l'occasion de s'évader ou un piège ? Sera-t-il exclu d'Erebos s'il saisit cette possibilité d'échapper à ses kidnappeurs ? Il ne sait à quoi se résoudre. Le brigand interprète son silence comme une réponse.

– C'est ce que je craignais, reprend-il avec un soupir. Alors, écoute-moi bien : personne ici n'est ton ami. Même si tu as parfois l'impression que c'est le cas. Personne ne t'aidera, parce que tous veulent accéder au Cercle Intérieur, et rares sont ceux qui y parviennent.

Sarius ne comprend pas un mot. Quel Cercle Intérieur ?

– À la fin, il n'en reste qu'un petit nombre. Quelques élus triés sur le volet pour combattre Ortolan. Il s'agit de tuer le monstre, de trouver le trésor. Tous ne sont pas faits pour ça.

Il est difficile de dire si le brigand plaisante ou pas, et Sarius ne peut pas poser la question.

– Ne révèle rien aux autres de ce que je vais te dire. Ne te prive pas de ton avantage : il n'est déjà que trop mince. Débrouille-toi pour trouver des cristaux magiques. Ils te faciliteront la vie. La vie, tu comprends ?

– Ne lui parle pas de ça, l'interrompt le bossu.

– Pourquoi pas ? Il en aura besoin. Les cristaux magiques sont l'un des plus grands secrets d'Erebos, Sarius. Ils sont à ton service. Ils rendent possible l'impossible. Ils réalisent tes rêves.

– Si le Messager apprend tout ce que tu révèles au p'tit gars, il va t'arracher les yeux, insiste le bossu.

– Il le fera de toute façon si je tombe entre ses mains.

L'homme au grand chapeau – ce doit être le chef – s'éloigne lentement à travers les taillis. Les autres lui emboîtent le pas. Le borgne ne peut s'empêcher de cracher à la figure de Sarius avant de s'en aller. Mais c'est tout ! Personne ne lui fait de mal. Aucun ne lui indique non plus ce qu'il doit faire maintenant.

Il remonte donc au sommet du talus et essaie de s'orienter. La tour doit être sur la gauche, mais il ne souhaite pas y retourner. Il regarde autour de lui, à la recherche d'un point de repère. Soudain il perçoit un léger cliquetis, provenant du coin le plus sombre de la forêt.

Sarius part dans cette direction. Le bruit se précise au fur et à mesure qu'il avance : on tape avec du fer sur du métal, du bois ou de la pierre. Entre deux martèlements, il distingue des cris étouffés et quelque chose qui ressemble à des hurlements de douleur. Ce doit être une bataille. Il continue à se rapprocher du vacarme, étreint par un sentiment d'excitation dû à la curiosité ou à la peur, ou aux deux. Jusqu'à ce qu'il arrive devant un obstacle. Il ralentit le pas et fixe, incrédule, un gigantesque mur noir qui s'étire à travers tout le paysage et s'élève bien au-dessus de la cime des arbres. Il brille comme du goudron.

Impossible de franchir le mur en l'escaladant : il faut chercher un passage ou contourner l'obstacle. Il opte pour la gauche, là d'où viennent les bruits de bataille. Il court jusqu'à l'épuisement de ses points d'endurance. Il n'y a pas de porte. Furieux, il donne de grands coups d'épée dans le mur. Sous l'impact, le noir s'écaille et laisse apparaître deux lettres : « ns ».

Persuadé qu'un message se cache sous la couche brillante, il se remet à frapper le mur de son arme, en priant pour qu'elle ne se brise pas. Son intuition est la bonne : l'épée résiste et, en quelques minutes, il met au jour une phrase complète. Une phrase à double sens : « Va dans la toile. »

Il rit, content de lui. *Je ne suis pas trop mauvais*. Et il se connecta à Internet. Au même moment, un pan de la muraille s'effondre, découvrant un combat acharné. Deux barbares, une femme-chat, un loup garou, plusieurs nains, trois vampires et deux elfes noirs affrontent quatre trolls d'une laideur repoussante. L'un d'eux a déjà le cou percé de trois flèches, décochées sans doute par la femme-chat, puisqu'elle est la seule à posséder un arc. Un autre tient un rocher à bout de bras et le lance sur le loup-garou, qui l'esquive d'un grand bond. Deux nains s'acharnent sur les jambes du troisième avec leurs haches, tandis que le plus grand des barbares le roue de coups avec son gourdin.

Une lueur ovale bleuâtre plane au-dessus du champ de bataille. Elle scintille tel un saphir géant et tourne mollement sur son axe. S'agit-il d'un de ces fameux cristaux magiques ? Celui-ci est trop grand pour que Sarius puisse le glisser dans sa poche. Les autres protagonistes, occupés à s'entretuer, ne semblent d'ailleurs pas s'intéresser à la chose.

Sarius porte la main à sa ceinture pour vérifier si son épée est là. Elle lui paraît soudain bien petite et inoffensive. Il devrait se jeter dans la mêlée, mais il n'ose pas. Un des nains a du sang qui coule de son casque jusque dans sa barbe, pourtant ça ne l'empêche pas de se battre comme un beau diable.

Sarius prend une profonde inspiration et entreprend de se raisonner. Aucune des blessures qu'il pourrait subir sur ce champ de bataille virtuel ne risque de le faire souffrir, malgré leur réalisme apparent. Il fait un pas en avant et recule aussitôt pour mettre au point sa tactique. Le quatrième troll est à sa portée. Il a coincé une femme-vampire qui essaie de se défendre contre sa redoutable masse d'armes à l'aide d'une longue épée très fine. Il n'a pas encore repéré Sarius.

Sus au troll ! D'un geste vif, Sarius ramène son bouclier par devant. Il brandit son arme et, surmontant son appréhension, se jette dans la bataille.

Son épée atteint la peau du troll, mais ne l'entame pas. Le monstre pousse un rugissement de mépris. D'une main, il saisit la femme-vampire et l'envoie valdinguer au-dessus de sa tête. Balayant l'air de ses bras, elle lâche son épée et retombe avec un vilain bruit. L'écharpe rouge qu'elle portait à la taille vire au gris foncé. Seule clignote encore une minuscule touche rouge. Sarius remarque que tous les combattants sont équipés d'un accessoire de cette couleur. Pour la plupart, il s'agit d'une sangle autour de la poitrine ou, comme lui, d'une ceinture.

La femme-vampire doit se savoir en danger de mort, car elle se réfugie en rampant dans un taillis, traînant, comme un corps étranger, sa jambe gauche bizarrement désarticulée.

Le troll fait alors volte-face. La bave aux lèvres, il mesure Sarius de ses yeux bovins.

Celui-ci recule instinctivement. « Tu as une chance et une seule de jouer à ce jeu. » Il n'a pas oublié cette règle et ne tient pas à ce que la partie s'achève trop vite.

Le troll s'avance lourdement vers lui et Sarius l'esquive en souplesse. Il doit toucher au plus vite une partie sensible. Il vise les tendons des pattes du saurien et frappe de toutes ses forces.

Le troll rugit encore, mais de douleur, cette fois. Un sang rouge sombre, épais comme du sirop, jaillit de la blessure. Sarius fixe, ébahi, le ruisseau rouge qui s'écoule de la plaie et remarque trop tard la masse d'armes de son adversaire qui siffle en tournoyant au-dessus de sa tête. Quand elle s'abat, il se jette de côté.

Mais la boule hérissée de pointes érafle son épaule, tandis qu'un crissement assourdissant le transperce jusqu'à la moelle.

Il s'écroule. Loin au-dessus de lui, le troll lui jette un dernier regard de ses yeux vides. De nouveau, il lève son arme. Malgré le sifflement infernal qui résonne dans sa tête, Sarius croit soudain entendre une déflagration. Le troll vacille. Derrière lui, surgi d'on ne sait où, le plus grand des barbares s'emploie à réduire en bouillie la colonne vertébrale de la créature.

Le premier coup a porté : le monstre se cabre. Au suivant, il tombe à genoux. Il ne hurle plus ; il gémit maintenant. Un dernier coup sur la nuque, et le voilà qui s'effondre.

Sarius cherche à s'asseoir, mais à chaque nouvelle tentative l'effroyable vacarme dans son cerveau redouble d'intensité. C'est moins douloureux quand il fait des mouvements lents. Environ un quart de sa ceinture est encore rouge. Peut-être aurait-il intérêt à rester tranquille pour augmenter ses points de vie ? Il s'allonge dans l'herbe. Ce qu'il voit suffit à le rassurer : la bataille est presque terminée. Deux trolls gisent à terre ; le troisième s'enfuit. Quant au quatrième, il est encore debout, mais les deux barbares s'acharnent sur lui, et tous ceux qui sont encore valides leur viennent en renfort. Devant leur supériorité numérique, le troll n'a aucune chance. Il chancèle, assène encore quelques coups autour de lui et s'écroule, la hache d'un nain plantée entre les omoplates.

– Victoire ! proclame une voix sans corps.

Le Messager paraît à l'orée de la forêt. Il tire sur la bride de son cheval.

– Vous avez conquis l'ovale, dit-il en effleurant le disque de ses doigts osseux. Vous avez mérité une récompense. BloodWork !

BloodWork ? Le plus grand des barbares s'avance et s'incline devant le cavalier aux yeux jaunes.

– Tu as joué un rôle de premier plan dans cette bataille. En récompense, je te fais don d'un casque de puissance 27. Il te protégera du poison, de la foudre et du sort de fièvre.

Ce disant, il tend au barbare un heaume doré, orné de cornes de bélier, que le géant s'empresse de poser sur sa tête à la place de sa modeste calotte de fer. Ainsi coiffé, il paraît encore plus gigantesque.

– Keskorian !

L'autre barbare s'avance vers le Messager.

– Tu as fait de ton mieux, mais tu te montres encore trop hésitant. Cependant, tu recevras une gratification. Prends le vieux casque de BloodWork : il est meilleur que le tien.

Keskorian obtempère.

– Sarius ! s'exclame le Messager.

Déjà ? Cela l'étonne. Il n'est pourtant intervenu que tardivement dans le combat et ne s'est pas couvert de gloire.

L'elfe noir se redresse péniblement. Le moindre mouvement amplifie le son qui le torture. Son épaule s'est remise à saigner et il constate qu'une nouvelle partie de sa ceinture a viré au noir.

– C'était ta première bataille et tu as fait preuve de courage, alors que tu aurais pu te contenter d'un rôle d'observateur. C'est une qualité que j'estime. Aussi, je te donne ce dont tu as le plus besoin : la guérison. Prends cette boisson : elle te rendra la santé et accroîtra ta capacité de résistance. À ta santé, mon ami !

Une bouteille d'un jaune d'or luisant apparaît devant Sarius. Il s'en empare, l'ouvre et boit.

Aussitôt, les traces de sang se volatilisent. Sa ceinture retrouve une belle teinte rouge vif et le sifflement qui lui vrillait l'oreille s'arrête net. Il fait place à la musique céleste qu'il avait entendue dans la tour. La mélodie promet tout ce qu'il a toujours rêvé d'avoir.

– Pour Sapujapu qui a tenu bon jusqu'au bout pour la première fois, voici une nouvelle hache.

Le nain fait trois pas en avant, attrape la hache et se retire. Pendant quelques instants, le silence s'installe. Le Messager fixe les combattants dans les yeux, l'un après l'autre, comme s'il réfléchissait.

– Golor ! lance-t-il à un vampire.

Il lui fait cadeau de 25 minutes d'invisibilité et gratifie le deuxième vampire, LaCor, de 50 pièces d'or.

Nurax, le loup-garou, reçoit son lot de félicitations et un plastron de cuirasse. La femme-chat se voit attribuer une épée en acier doublement trempé. À chacun, le Messager attribue petits et grands présents : un bouclier avec un sortilège runique pour le deuxième nain, une rapière empoisonnée pour Vulcanos, l'elfe noir. Il ne reste plus qu'un seul elfe noir et la femme-vampire blessée, qui gît dans l'herbe à côté de Sarius.

– Lelant, tu es resté en retrait. Tu as fait preuve de lâcheté et tu n'as donné que trois coups d'épée inefficaces. Tu n'auras pas de récompense et j'envisage même de te retirer un niveau.

Lelant, l'elfe noir à la chevelure sombre, n'a pas quitté la lisière de la clairière où il s'est replié à l'abri des arbres, pendant toute la bataille.

Sarius éprouve une étrange satisfaction. Il n'a pas été particulièrement bon, il le sait, mais un autre a été plus mauvais que lui.

– Je te préviens, Lelant, la peur est mauvaise conseillère. J'entends que tu participes au prochain combat avec ta volonté, ta vigueur et tout ton cœur.

Enfin, il se tourne vers la femme-vampire.

– Jaquina, tu es quasiment morte. Si je te laisse ici, tu vas rendre l'âme dans peu de temps. Si c'est ce que tu souhaites, allonge-toi pour attendre la délivrance. Sinon, suis-moi !

Le femme-vampire rassemble ses dernières forces pour se mettre à genoux. Le sang qui coule de ses plaies est noir. Elle rampe jusqu'au Messager, qui la soulève et l'installe derrière lui sur son cheval.

– Vous êtes libres d'allumer un feu, dit-il avant de faire faire demi-tour à sa monture et de disparaître au galop.

Sapujapu est plus rapide que les autres. À peine a-t-il rassemblé trois branches qu'une étincelle jaillit de ses doigts et que déjà un feu crépite au beau milieu de la clairière. Tous font cercle autour de lui.

– Que pensez-vous qu'il va faire de Jaquina ? demande Nurax.

– Comme d'habitude, répond Keskorian. Quelle importance ? Quand elle reviendra, elle sera au niveau 4.

– *Si* elle revient, ajoute Sapujapu.

Tous s'assoient. Sarius hésite à en faire autant. Il se sent étranger et mal à l'aise. Il est pourtant fort possible qu'il connaisse certains de ses compagnons. Peut-être même tous, qui sait...

– Nous avons un nouveau : Sarius, constate Samira.

– Oui, encore un elfe noir, répond BloodWord d'un ton sarcastique. C'est comme les mouches ; ils sont partout.

– Mais ils sont quand même moins laids que les barbares, fait remarquer Lelant.

– Toi, tu la fermes, espèce de froussard !

Lelant se le tient pour dit, et BloodWork peut revenir à Sarius :

– Pourquoi un elfe noir ? Ils ne t'ont pas dit que nous en avions déjà trop ?

– Qu'est-ce que ça peut bien te faire ?

– En plus, je parie que tu es un éclaireur, poursuit le barbare avec aigreur, comme tous ceux de ta clique.

– Je suis un chevalier. Tu vois un inconvénient à ce que je t'appelle Bloody ?

Le vampire LaCor ironise :

– Un chevalier ! Tu vas mordre la poussière avant d'avoir pu dire « ouf », surtout si tu t'amuses à taquiner BloodWork.

*Qu'est-ce qu'ils ont, les chevaliers ? C'est quoi, leur problème ?* La question lui brûle les lèvres, mais il juge plus malin de ne pas dévoiler davantage son ignorance. Le gnome le lui aurait peut-être dit, s'il s'était résolu à le consulter.

– Où le Messager emmène-t-il Jaquina ? préfère-t-il demander.

– Tu t'en rendras compte par toi-même, le rembarre Sapujapu.

– Pourquoi ne pas me le dire tout simplement ?

– Je n'ai pas le droit. Tu es au niveau un.

Niveau un, bien sûr. Il vient juste de commencer et les autres n'attendent qu'une chose : le voir se casser le nez. Ou mordre la poussière, comme LaCor l'a si joliment exprimé. Il observe avec attention Sapujapu et Samira, mais nulle part il ne voit d'indice de leur niveau. Comment ont-ils repéré qu'il était débutant ?

Entre-temps, le sujet de la conversation a changé :

– Quelqu'un sait-il où se trouve Drizzel, aujourd'hui ?

– Pas la moindre idée. Peut-être qu'il s'est joint à un autre groupe ?

– À moins qu'il ne mène une quête en solo.

– Je crois qu'il a un truc à faire à l'extérieur.

L'intérêt pour Sarius est retombé : tant mieux ! Il se demande qui est Drizzel et ce que signifie avoir un truc à faire « à l'extérieur ». Bien qu'il ne comprenne pas tout ce dont il est question, il commence à se détendre, bercé par la musique envoûtante qui coule dans ses veines tel du miel. Il se sent satisfait et envahi par une saine fatigue comme s'il venait déjà de remporter la prochaine bataille.

Depuis le début de la conversation, Samira est restée près de lui. Sarius a l'impression qu'elle aimerait lui adresser la parole, mais qu'elle ne sait comment s'y prendre.

– Le vieux casque de Blood est nul, maugrée Keskorian. J'aurais préféré une bonne épée.

– Pour ça, il aurait fallu que tu mettes un peu plus d'ardeur au combat, réplique Nurax.

– C'est ça, vante-toi avec ton plastron ! Mais, moi, je te dis qu'il est nul aussi. Il a combien de points de défense ? 14 ? Autant en avoir un en papier.

– N'importe quoi ! s'indigne le loup-garou. 14, ça permet d'arrêter les flèches d'orcs. Elles ont failli me coûter tous mes points de vie, hier !

Sarius se tient à l'écart des discussions. Il vient de comprendre que son pourpoint pourrait lui causer des soucis. Il n'a que 5 points de défense. Pourvu qu'il n'y ait pas d'orcs dans les parages !

– Regarde l'armure de Blood ! Elle a combien de points de défense ?

BloodWork se laisse un peu de temps avant de répondre :

– 52.

– Je ne veux pas savoir ce qu'il a dû faire pour l'obtenir, commente Sapujapu.

– Ça tombe bien, parce que ça te regarde pas. Occupe-toi de tes fesses ! siffle le géant entre ses dents.

– Faites gaffe ! Il n'y a pas longtemps, le Messager a puni quelqu'un qui avait eu le malheur de prononcer des gros mots. Il lui a donné un avertissement. C'était un nain. Je m'en souviens, j'y étais.

Tandis que Nurax parlait, une nouvelle silhouette s'est approchée du feu. C'est une elfe noire, elle aussi, et elle porte un arc à l'épaule. La longue natte noire qui danse dans son dos évoque Emily à Nick. Elle s'appelle Fille d'Arwen.

– Salut, FA, dit Nurax. Waouh, tu es déjà au niveau trois ! Félicitations !

– Merci. Oh, c'était une bagatelle ! Y a pas de combat aujourd'hui ?

– C'est fini, l'informe Keskorian. On a affronté quatre trolls. Ça n'a pas été une partie de plaisir. Tu connais tout le monde, ici ? Au moins BloodWork, n'est-ce pas ?

– Oui, nous avons recherché ensemble un alchimiste. Salut, Blood !

Le barbare ne répond pas et continue de fixer le feu, imperturbable.

– Mais je ne connais pas LaCor, ni Sapujapu, ni Samira, ni Sarius. On dirait que la mode est aux noms qui commencent par « Sa », en ce moment ?

– C'est mieux que d'aller chercher le sien dans *Le Seigneur des anneaux* ! réplique Sarius, chaleureusement applaudi par Samira.

La Fille d'Arwen s'approche de Sarius :

– Tu es niveau un ?

– Oui.

– Y en a-t-il d'autres ici ?

– J'en ai déjà vu quatre aujourd'hui, dit Lelant.

Sarius l'avait oublié, celui-là. Vêtements noirs, cheveux noirs et visage couleur café au lait, il fait tout pour passer inaperçu. Instinctivement, Sarius se demande si Colin ne se cache pas derrière cet avatar.

– Il y en a de plus en plus aujourd'hui. En comptant Sarius, nous avons déjà eu deux elfes noirs, une femelle loup-garou et un être humain.

– Les humains sont très rares, constate Sapujapu.

– Et superflus, ajoute BloodWork.

Le novice aimerait profiter de la pause dans la discussion pour poser quelques questions : la pierre ovale au-dessus de leurs têtes est-elle un cristal magique ? Comment faire pour survivre au prochain combat quand l'équipement qu'on possède est insuffisant ? Comment monter au niveau supérieur, puisqu'il semble qu'on soit nul quand on est niveau un ?

– Avez-vous des tuyaux à me donner ? demande-t-il à la ronde.

– Oui, essaie de rester en vie, suggère Nurax. Tant que tu es aussi faible, il vaut mieux que tu restes à proximité d'un costaud, pendant les batailles.

– Mais ne t'avise pas de te coller à moi, prévient BloodWork. Sale engeance d'elfe !

– On peut savoir pourquoi tu donnes des conseils au nouveau ? grommelle Keskorian. Nous sommes concurrents, t'as oublié ? Tu veux gagner la récompense, au bout du compte, ou tu veux que ce soit lui ? En ce qui me concerne, les nouveaux peuvent crever. Nous sommes déjà trop nombreux, de toute façon.

– Bien parlé, réplique BloodWork.

– Trop nombreux pour quoi ? demande Sarius.

Après s'être fait rappeler à l'ordre si vertement, Nurax se tait. Mais Sapujapu fait fi des critiques des barbares.

– Ben, pour le dernier combat. Le grand affrontement avec Ortolan. Seules cinq ou six personnes pourront y participer et elles remporteront... une espèce de jackpot. Tu n'imagines pas à quel point BloodWork y tient.

Le barbare envoie Sapujapu valdinguer d'un coup de poing. Une partie de la ceinture du nain vire au noir.

– Maintenant, fermez-la, bande de crétins ! Vous ne savez pas de quoi vous parlez.

Sur ces mots, BloodWork s'éloigne du feu et va se poster à la lisière de la forêt. Keskorian le suit comme un toutou.

– Il a le droit de faire ça ? C'est permis ? demande Nurax, furieux, tandis que Sapujapu se relève.

– Il semblerait que oui. Sinon, il y a belle lurette qu'un des gnomes du Messager serait apparu pour lui donner un avertissement. Ils se montrent à la moindre entorse aux règles, explique la Fille d'Arwen.

À ce moment précis, une créature surgit des buissons. C'est un gnome qui ne se distingue de celui de la tour que par sa peau orange.

*Ah, le grand balèze va avoir des ennuis !*

Cependant le gnome ne s'attarde pas à commenter les indélicatesses de BloodWork.

– Message de votre Maître : des profanateurs de sépultures pillent les lieux sacrés. Débarrassez-vous d'eux, et leur butin est à vous. Séparez-vous et déployez-vous. Plus vite que ça !

D'un geste de la main, il éteint le feu et s'évanouit dans les fourrés.

*« Qu'est-ce qu'on fait maintenant ? »*

Sarius voudrait poser la question mais sans feu, impossible de discuter ! Les autres savent-ils où se trouvent les lieux sacrés ? Manifestement non, car ils s'éparpillent dans différentes directions. BloodWork s'enfonce dans le sous-bois à gauche, Keskorian sur les talons. LaCor et la Fille d'Arwen s'élancent vers la droite. Nurax, Golor et Lelant emboîtent le pas aux barbares.

Pour ne pas rester à la traîne, Sarius s'attache aux pas de Sapujapu. Il devrait réussir à le suivre car le nain n'est pas particulièrement agile et l'elfe noir a opté pour la compétence de rapidité. Droit devant, le chemin plonge dans la forêt. Il y fait sombre et les taillis bourdonnent de bruits menaçants. Le nouveau ne lâche pas son compagnon d'une semelle, cependant son endurance faiblit à chaque pas. Est-ce dû au fait qu'il est niveau un ? Le nain avance tranquillement, mais à un rythme soutenu. Si Sarius doit faire une pause, il ne l'attendra pas. Pourquoi le ferait-il, d'ailleurs ?

Sa barre d'endurance diminue de plus en plus. Il est à bout de forces, il trébuche souvent. Si seulement il pouvait reprendre haleine ! Mais Sapujapu file comme une locomotive et Sarius ne tient pas à se retrouver seul. Il continue donc à marcher, les yeux rivés sur la barre bleue. Ils arrivent bientôt au bas d'une côte. Elle n'est ni longue ni particulièrement raide, mais l'effort est trop rude pour lui. Il s'effondre sur le sol, la poitrine soulevée par des soubresauts, tandis que le nain disparaît dans le sous-bois.

Dans le lointain, la rumeur d'une bataille lui parvient : il semblerait que BloodWork ait choisi la bonne direction et qu'il fasse honneur à son nom[1]. Sarius se redresse lentement. Il n'a pas recouvré ses forces et tient à peine sur ses jambes. Du moins, il connaît la direction. Il lui suffira de s'orienter d'après le bruit des combats. S'il reste des pilleurs de tombes pour lui, tant mieux. Sinon, tant pis. Il ne peut pas faire plus.

Soucieux de se ménager, il reprend prudemment sa marche. Soudain, la grande muraille noire se dresse de nouveau sur sa gauche. Il s'arrête et assène quelques bons coups d'épée sur les pierres luisantes, dans l'espoir de faire apparaître des mots qui pourraient l'aider.

Le noir s'effrite, mais reste noir en dessous. Sarius longe le mur. Il essaie encore et encore, mais a beau faire, il ne trouve que des pierres. Au comble de l'exaspération, il cogne sur un arbre, pour se défouler, provoquant un envol dans la cime.

Son geste n'a pas fait fuir que l'oiseau. À quelques pas de là, dans les épais fourrés, des craquements retentissent. Entre les feuilles, quelque chose brille.

---

1. Littéralement, *Bloodwork* signifie « travail de sang » en anglais.

Brandissant son épée, l'elfe se précipite dans les broussailles et frappe à l'aveuglette. Un cri retentit, accompagné d'un cliquetis d'objets métalliques. Puis une créature ressemblant à un kobold en surgit. Sa peau est jaune et fripée comme un parchemin. Il saigne abondamment à l'épaule, mais se cramponne aux trésors qu'il serre entre ses bras.

Sarius s'élance à sa poursuite, bien décidé à le rattraper. Dans sa fuite, le gnome perd une sorte de plat en argent, mais ne s'arrête pas. Sarius frappe encore et lui inflige une profonde blessure à la jambe. Le kobold s'écroule, sans pour autant lâcher son butin. Sarius n'hésite pas : il le roue de coups jusqu'à ce qu'il cesse...

– Nick ?

... de bouger. Ses bras glissent sur le côté. Un casque roule à terre, ainsi qu'un poignard, une...

– Nick, à quoi tu joues ?

– Je t'expliquerai plus tard.

... une amulette et des espèces de jambières. Sarius ramasse tout précipitamment. Pourtant il est sûr qu'il y avait un autre objet. Il y avait...

– C'est nouveau ? D'où ça te vient ?

– Attends, O.K. ? Donne-moi encore une minute !

Bien sûr ! Le plat que le voleur avait laissé tomber. Où est-il ? Il a dû rouler dans les taillis. On doit pouvoir le retrouver. Il fouille dans les buissons.

– Tu as déjà mangé ?

– Bon sang ! Tu ne peux pas me laisser tranquille une minute ?

Voilà le plat ! Il avait dégringolé jusqu'à une grosse souche. Derrière lui, soudain, un bruit effroyable. Il se retourne d'un bond.

Ce n'était que sa mère qui venait de claquer la porte.

# CHAPITRE 6

Dans la cuisine, de l'eau frémissait dans un grand faitout. Sa mère lui tournait le dos. Accoudée au plan de travail, elle feuilletait un magazine féminin. Son verre de vin rouge était presque vide.

– Je suis désolé pour tout à l'heure, dit Nick en l'observant.

Elle s'était teint deux mèches en orange dans ses cheveux noirs. C'était nouveau, et il n'aimait pas.

– Il y a des pâtes avec une sauce toute prête, annonça-t-elle sans lever la tête. Je n'ai pas eu le courage de faire plus, aujourd'hui.

Puis elle poursuivit, avec un bâillement :

– Qu'est-ce que c'était que ce truc dans lequel il ne fallait manifestement pas te déranger ?

– Ah, rien. Je suis désolé, j'ai réagi comme un crétin.

– C'est bien vrai.

Sa mère se tourna vers lui avec un sourire :

– Ça avait l'air drôlement prenant !

– Oui.

Puis, se sentant obligé d'être un peu plus explicite, il ajouta :

– On me l'a donné aujourd'hui. Un jeu d'aventures. Il est vraiment pas mal.

Sa mère versa les pâtes dans l'eau bouillante et reprit :

– J'espère que tu as fait ton travail.

– Bien sûr, répondit Nick en masquant sa mauvaise conscience derrière un sourire.

23 heures. Le bourdonnement imperceptible de l'ampoule électrique qui éclairait le bureau. Une voiture se gara dans une rue avoisinante. Le calme était revenu dans l'appartement imprégné d'une odeur de sauce tomate parfumée à l'ail en poudre.

Après le dîner, Nick s'était dépêché de bâcler son essai d'anglais. Puis il avait rallumé l'ordinateur et lancé Erebos. En proie à une extrême nervosité, il avait attendu plusieurs minutes que l'écran noir fasse place à l'inscription en rouge. Lorsque le jeu démarra, il constata qu'il avait retenu son souffle pendant tout ce temps.

*

* *

Le paysage nocturne lui est inconnu. Ce n'est ni la forêt dans laquelle il a abattu le kobold ni l'endroit où il a affronté le troll. C'est une lande légèrement vallonnée avec quelques arbres, de loin en loin.

Les pilleurs de tombes ! Sarius se rappelle soudain qu'il n'a pas vérifié si ses trésors étaient toujours là. Il jette un coup d'œil à son bagage et pousse un soupir de soulagement. Le plat est là, ainsi que le casque, le poignard et l'amulette. Il veut mettre le casque, mais celui-ci n'est malheureusement pas à sa taille.

Il avance à l'aveuglette, foulant l'herbe de la lande qui crisse sous ses pas. Il aimerait entendre de la musique ou des voix, mais il ne perçoit que le souffle léger de la brise et… un grondement dans le lointain. Sans une hésitation, il se précipite dans la direction d'où il provient. Il arrive bientôt au bord d'un fleuve aux reflets bleutés suspects. Sarius cherche un feu de camp. Car sans feu, pas de discussions. Et sans discussions, pas d'informations. Il pourrait en allumer un lui-même, puisqu'il possède cette aptitude. La lumière finirait peut-être par attirer quelqu'un. Trop de questions se bousculent dans sa tête. Puis il se rappelle que Sapujapu n'a allumé son feu qu'après en avoir reçu l'autorisation du Messager aux yeux jaunes. Mieux vaut ne pas transgresser les règles.

Il marche longuement. Au bout d'un certain temps, il croit apercevoir une lueur. Au contentement se mêle une crainte indéfinie : seul dans la forêt, il se sent très vulnérable. Il dégaine son épée, se trouve ridicule et la rengaine aussitôt. Il a l'impression que chacun de ses pas le trahit.

Lorsqu'il arrive enfin en vue du feu de camp, son soulagement est immense. La scène semble paisible. Seules deux silhouettes se tiennent dans la lumière tremblotante : un elfe noir et un vampire. Il ne connaît ni l'un ni l'autre.

– Salut ! Il y a encore une place, ici ?

L'elfe noir, qui se nomme Xohoo, recule d'un pas :

– Bien sûr qu'il y a de la place, même pour un niveau un. Comment t'appelles-tu ? Sarius ? Merde, ça me rappelle le latin.

– Eh, pas d'allusions au monde extérieur ! le met en garde le vampire, qui répond au nom de Drizzel. Sinon, tu vas te faire méchamment taper sur les doigts par le Messager, au point que tu ne pourras même plus tenir ton épée.

Drizzel. Sarius a déjà entendu ce nom-là, mais il ne se souvient plus dans quel contexte. Pensif, il contemple le fleuve.

– Dites-moi ! Je peux vous poser une question ?

Drizzel montre ses canines :

– Certainement. Quant à savoir si tu obtiendras une réponse, c'est une autre affaire.

Sarius prend le temps de réfléchir avant de demander :

– À quoi voyez-vous que je suis au niveau un, alors que je ne peux pas identifier le vôtre ?

– Parce que nous sommes plus avancés que toi, répond Xohoo. On ne repère que le niveau des plus faibles.

– Alors, quand je serai au niveau deux, je reconnaîtrai ceux qui sont au niveau un ?

– Exactement.

Enfin une information utile ! Ragaillardi, Sarius pose sa question suivante :

– Et comment je fais pour passer au niveau deux ? Je ne vois mes points nulle part et aucune indication de mes progrès.

– Ce n'est pas comme ça que ça marche. Tu dois attendre jusqu'à ce qu'il t'estime prêt.

– Qui, il ?

Xohoo ne répond rien, au grand soulagement de Drizzel :

– Tu te décides enfin à la boucler ! C'est pas trop tôt ! Tu sais bien que nous ne devons pas parler autant.

– Je n'ai pas trahi de secrets, se défend l'elfe.

C'est alors qu'on entend des pas approcher et qu'une barbare se joint à leur petit groupe. Dépassant Sarius d'une tête, elle est affublée d'une jupette ridiculement courte qui dévoile des cuisses musculeuses. Sur l'épaule, elle porte une énorme cognée. Sarius regarde son nom : Tyrania. Tout un programme...

– Il se passe rien, ici ! dit-elle en guise de salut. On n'a pas de quête ?

– Non, tu vois bien, répond Xohoo.

– O.K. Qui a envie d'un petit duel ?

Prenant sa hache, elle la fait tournoyer, évitant de peu la poitrine de Sarius.

Drizzel l'envoie promener sans ménagement :

– T'es givrée ? Nous ne sommes pas en ville, ici, et encore moins dans une arène ! Pour que je me batte en duel avec une barbare, il faudrait vraiment que j'aie un petit pois à la place de la cervelle, comme ceux de ton engeance. Bagarre-toi donc avec un autre de ces paquets de muscles. Peut-être qu'un jour vous comprendrez que l'énergie vitale ne tombe pas des ar...

L'attaque survient de l'eau, sans crier gare. Plus exactement, c'est l'eau elle-même qui attaque. Les flots aux scintillements bleutés enflent et se déchaînent. Des vagues hautes comme des tours prennent la forme de gigantesques silhouettes de femmes. D'un bond, elles sont sur la rive et nimbent tout ce qui les entoure d'une lumière bleue irréelle.

Sarius dégaine son épée, mais, s'il pouvait, il prendrait ses jambes à son cou. *Ce n'est que de l'eau.*

Ses frappes n'ont aucun effet sur le corps des attaquantes. Elles sont sept et bénéficient d'une supériorité numérique écrasante face à Tyrania, Drizzel et lui. Quant à Xohoo, il a dû prendre la tangente, car on ne voit plus trace de lui.

Sarius affronte la plus petite des ondines géantes. Il brandit son épée, cherchant à atteindre une zone vulnérable. Mais elle n'en a aucune. L'arme fend la jambe, le ventre, la poitrine de son adversaire, produisant un simple bruit de claquement.

*Au moins, nous ne nous faisons pas de mal. Ni moi à elle, ni elle à moi.*

Brusquement, la femme fait un grand pas vers lui. Non, elle est carrément *sur lui*, et elle ne bouge plus. Sa jambe s'entortille autour de lui telle une colonne d'eau bleue scintillante.

Le sifflement insupportable qui l'avait rendu fou lors de la première bataille s'empare de lui à nouveau, lui vrillant les oreilles, lui transperçant le cerveau. L'elfe doit se rendre à l'évidence : il n'aura bientôt plus de points de vie, il est en train de se noyer. Un pas sur le côté, puis encore un. La géante le suit sans effort. Il a beau se déchaîner et cogner comme un fou autour de lui, il est prisonnier, incapable de lui échapper. Tyrania connaît le même sort. Drizzel, en revanche, a réussi à se soustraire à ses agresseurs et à se réfugier à l'abri des arbres. Sarius le voit disparaître dans les ténèbres. Il voudrait le suivre, mais impossible ! Cinq des combattantes retournent dans les flots, faute d'adversaire. Quant au bruit suraigu dans sa tête, il s'intensifie encore, devenant intolérable.

*Sortilège de feu !* Le feu contre l'eau. Mais comment faire ? Sarius n'a jamais allumé de feu de sa vie. Il doit se dépêcher, car sa ceinture est déjà presque entièrement noire. Vite !

Un concert de grésillements, des gerbes de vapeur. L'immense ondine se dégage brusquement avec le fracas de la tempête fouettant les vagues. Elle se décompose et retourne au fleuve pour se fondre en lui. Tyrania ne tarde pas à l'imiter et à se libérer de la même façon. Elle a copié mon stratagème, constate Sarius, un peu vexé.

Ça l'énerve d'autant plus qu'elle est en bien meilleure forme que lui. Elle a perdu à peine la moitié de son énergie. Il n'ose plus faire un geste. Il est de plus tétanisé par le sifflement suraigu qui accompagne sa blessure, comme la fois précédente. Il va sans doute rendre l'âme lorsque la dernière petite touche de rouge à sa ceinture aura disparu. Mais il ne faut pas que ça arrive ! Non, surtout pas. Donc, ne pas prendre de risque. Sarius reste debout, immobile. Qui sait, il suffirait qu'il trébuche pour être envoyé dans l'au-delà.

Il semblerait pourtant qu'il n'ait pas droit au repos. Quelqu'un approche : Sarius entend le bruit des sabots d'un cheval. Y en a-t-il un ou plusieurs ? Il bouge lentement, dégaine son épée et se dirige vers la lisière de la forêt. C'est par là qu'est parti Drizzel. Il veut en faire autant. Il ne peut plus se payer le luxe d'être courageux. Bon sang ! Pourquoi ne s'est-il pas montré d'emblée plus prudent ?

Il a enfin trouvé refuge à l'ombre des arbres quand il reconnaît le cheval caparaçonné.

– Sarius, entend-il murmurer. Viens par ici !

Le cavalier arrête sa monture à l'endroit où se trouvait le feu. Les yeux jaunes sous la capuche fixent la cachette de Sarius.

Il sort à contrecœur de son abri.

– Les Sœurs de l'Eau vous ont mis dans un sale état, constate le Messager. Vous avez été seuls pour les affronter, Tyrania et toi ?

– Oui.

– N'y avait-il personne d'autre dans les parages ?

Sarius se tait, mais Tyrania répond avec complaisance :

– Drizzel et Xohoo étaient là, mais ils ont décampé.

– C'est vrai ?

Le Messager lance un regard vers la forêt, où les deux autres se sont enfuis. Puis il plonge la main dans la poche de son manteau et en ressort une bourse :

– Pour toi, Tyrania, quarante-quatre pièces d'or avec lesquelles tu devrais pouvoir t'acheter un meilleur équipement. En descendant le fleuve, tu parviendras à un petit hameau. Ne te soucie pas de l'heure tardive, réveille le marchand et dis-lui que c'est moi qui t'envoie. Pour te soigner, cherche sur les rives les herbes à feuilles rouges.

Tyrania ne se le fait pas dire deux fois : elle saisit l'escarcelle et se met en route.

– Sarius ? appelle le Messager en lui tendant une main osseuse. Tu es bien mal en point. Tu devrais venir avec moi.

Sarius ne peut s'empêcher d'éprouver un certain malaise devant cette paume tendue : elle a quelque chose d'avide.

– Tu veux bien m'aider ? demande-t-il.

Mais il regrette aussitôt sa question, à la fois puérile et stupide.

Il n'a pas le choix, cependant. Comme l'homme ne fait pas mine de lui donner de potion de guérison, il se résout à serrer ses doigts osseux. Le Messager le hisse sur sa monture, qui hennit, fait demi-tour et s'élance au galop.

L'elfe se sent mieux aussitôt. Le sifflement dans ses oreilles a disparu et la musique suave est revenue. Elle lui susurre que tout ira mieux, qu'il ne peut rien lui arriver. C'est lui le héros de cette épopée. Il est fier d'avoir affronté les sept Géantes des eaux et de ne pas s'être enfui comme ces lâches de Drizzel et Xohoo.

Le coursier galope à bride abattue. Il suit un sentier qui monte en pente douce dans la forêt. Sur la droite, les arbres laissent place peu à peu à de grands rochers sombres. Le Messager guide son cheval hors du sentier, vers les rochers. En approchant, Sarius découvre, gravés dans la pierre, des signes qu'il ne parvient pas à déchiffrer. Ils s'arrêtent devant l'ouverture d'une grotte et descendent de selle. Le Messager invite son compagnon à entrer. Le trouble ressenti en enfourchant le cheval caparaçonné a disparu. Il n'est pas inquiet non plus lorsqu'il pénètre dans l'imposante caverne, où résonne chacun de leurs pas.

– Tu t'es battu comme un lion ! le félicite le Messager.

– Merci. J'ai essayé en tout cas.

– Dommage que tu sois si gravement atteint. Tu ne survivras pas à un autre combat.

Ça, Sarius est bien placé pour le savoir ! Mais c'est dit sur le ton du constat, comme si on ne pouvait rien y changer. À croire que l'elfe est condamné à mourir. Il ne sait trop comment répondre et opte pour une question.

– Je croyais que nous devions nous aider ?

– Oui. Voilà ma proposition. J'estime que tu n'es plus un débutant. Tu devrais être prêt pour le deuxième rituel.

Il n'en espérait pas tant. À l'issue de cette épreuve, il va sans doute passer au niveau deux.

– Je te propose donc de te guérir et de te donner davantage de force et d'endurance, ainsi qu'un meilleur équipement, poursuit l'homme aux yeux jaunes. Cela te convient-il ?

– Bien sûr.

Mais quel prix aura-t-il à payer pour tout ça ? Le Messager se tait cependant, croisant ses phalanges interminables. Il attend.

– Et que puis-je faire pour toi ? finit par demander Sarius, voyant que la pause s'éternise.

Les yeux jaunes de son interlocuteur lancent un soudain éclat :

– Juste une bricole, mais elle est importante. J'ai besoin que tu te charges d'une course pour moi.

Lui qui s'imaginait devoir vaincre un monstre ou affronter un dragon hésite entre le soulagement et la déception.

– Volontiers.

– J'en suis ravi. Voici ta mission : tu te rendras demain à Totteridge, à l'église St Andrews. Là-bas, il y a un if centenaire. À ses pieds, tu découvriras une caisse portant l'inscription « Galaris ». Elle est fermée à clé. Tu ne l'ouvriras pas. Tu la mettras dans ton sac et tu la porteras au viaduc Dollis Bridge, à l'endroit où il enjambe Dollis Road. Tu la déposeras dans les fourrés, sous l'une des arches proches de la route. Cache-la bien de façon qu'elle soit à l'abri des regards indiscrets. Puis va-t'en sans te retourner. Tu as bien compris ?

Sarius fixe le Messager, incapable de dire un mot. Non, il ne comprend rien du tout. Totteridge et Dollis Road ? C'est à Londres. Pas dans le monde d'Erebos. Ou peut-être que si ? Il finit par poser la question pour en avoir le cœur net.

– Tu veux dire que je dois accomplir ta mission à Londres ? Dans la réalité ?

– C'est exactement ce que je te demande. Quoi qu'on appelle « réalité ».

Le Messager semble suspendu à ses lèvres, mais la réponse ne vient pas. Sarius ne sait que dire. Cette histoire n'a pas de sens ! Comment pourrait-il trouver une caisse à St Andrews ? Néanmoins, rien ne l'empêche de promettre, ni de déclarer qu'il a exécuté la course qu'on lui a commandée.

– D'accord ! Je vais le faire.

– Très bien ! N'attends pas trop. Nous nous verrons demain, avant midi. D'ici là, tu devras avoir accompli ta mission. Mais si tu me déçois...

Pour la première fois depuis que Sarius le connaît, un sourire fugace éclaire les traits du Messager, comme s'il connaissait les arrière-pensées qui trottent dans la tête de son interlocuteur.

– ... si tu me déçois, ceci sera notre dernière rencontre dans des circonstances amicales.

Le saluant de la main, l'homme aux yeux jaunes tourne les talons et s'éloigne. L'ouverture de la grotte se referme derrière lui. Et Sarius se retrouve dans le noir. L'obscurité est tellement impénétrable qu'il ne sait plus s'il fait partie des ténèbres ou s'il a tout simplement cessé d'exister.

*

*   *

*Nous sommes tous appelés à mourir. Que la mort vienne plus tôt ou plus tard, rien ne sert d'en faire toute une affaire. Pareil à l'eau du fleuve, le temps s'écoule et nous entraîne, quels que soient nos efforts pour aller contre le courant.*

*Comme il est bon de renoncer à ce combat, de laisser filer les jours et les nuits, de ne plus voir ni entendre ni sentir la marche du monde. De vivre dans un univers à part, régi par des règles qu'on a soi-même définies. De ne plus courir après d'innombrables objectifs, mais d'en suivre un seul, avec constance et cohérence.*

*Oh, oui. De la cohérence. Je ne suis plus grand-chose, mais je suis cohérent. Ce que je crée est bon. C'est même bien meilleur que je ne le suis. Le seul objectif qui ait encore du sens pour moi, c'est de concevoir une création qui me dépasse. Et ma création est appelée à croître et prospérer.*

*Je n'ai pas été sincère – je le reconnais – en prétendant que la durée de l'existence des individus qui m'entourent m'indifférait. Ce n'est pas ça. Je n'ai pas à cœur de la prolonger. Bien au contraire. Je suis ici et j'affûte mon outil pour raccourcir ce qu'il y a à raccourcir.*

# CHAPITRE 7

Il avait beau actionner toutes les combinaisons de touches sur le clavier, rien ne se passait. Nick se résolut à appuyer sur la touche « Reset » et, à son grand soulagement, l'ordinateur redémarra. Le temps que son bureau s'affiche de nouveau lui parut interminable. En trépignant, il jeta un coup d'œil à sa montre : 1 h 48. Heureusement, on était samedi. Le lendemain, il pourrait jouer encore un peu. À condition qu'il parvienne à relancer Erebos. Mais ça marcherait, il n'y avait pas de raison. Dans le pire des cas, il pourrait toujours se créer un nouveau personnage. C'était une bonne idée. Cette fois, il choisirait peut-être un barbare ou un vampire. Les barbares possèdent une résistance exceptionnelle.

Il chercha sur le bureau l'icône d'Erebos, un simple E majuscule rouge, et cliqua dessus. L'espace d'une demi-seconde, le curseur se mua en sablier avant de reprendre sa forme habituelle de flèche. Puis rien d'autre. Nick double-cliqua à nouveau sur le E. Rien. Il sortit le DVD du lecteur et le remit dedans. Toujours rien.

Après deux redémarrages de l'ordinateur, il finit par renoncer. Tous les autres programmes fonctionnaient à la perfection. Seul Erebos se refusait à tourner. Quelle vacherie !

Nick était bien trop énervé pour aller se coucher. Pendant qu'il était ici à se tourner les pouces, les rives du fleuve bleu ou les abords de la muraille noire devaient être le théâtre de sanglantes batailles. Et, même si ce n'était pas le cas, on pouvait toujours faire halte autour d'un feu et discuter avec les autres.

Il faut croire que sa copie du jeu était défectueuse.

C'est alors qu'il se rappela Colin se roulant par terre devant Dan, l'implorant pour qu'il lui donne des conseils, qu'il n'avait pas obtenus, d'ailleurs. Le jeu s'était-il aussi planté sur son poste, ce jour-là ?

Écœuré, Nick lança Minesweeper, le jeu du démineur. Il explosa trois fois et jura comme un charretier. Décidément, il n'y avait rien d'autre à faire que d'aller se coucher !

À moins qu'il n'aille sur la page d'Emily ?

Non, il n'était pas dans l'ambiance. Pas assez détendu. Pas assez romantique

Pas assez curieux.

Contrairement à son habitude, Nick se réveilla à sept heures du matin, en proie à une extrême nervosité, comme avant un examen. Ses paupières étaient collées, ses yeux le brûlaient. À l'idée de se lever, il se sentit de nouveau épuisé. D'un autre côté... il n'était pas obligé de se lever. En tout cas pas encore. Et même pas du tout. Enfouissant sa tête dans l'oreiller, il essaya de faire le vide et de ne penser à rien. Il se surprit bientôt à répéter les raccourcis et les combinaisons de touches qu'il avait découverts la veille dans Erebos : « Ctrl+f » pour Faire du feu, « b » pour Bloquer, « Espace » pour Sauter, « Échap » pour Faire tomber. Il se demandait si Colin était en train de jouer en ce moment. N'importe quoi ! Il devait dormir. Colin alias... ? Nick avait bien un soupçon. Comment s'appelait donc l'elfe noir qui s'était soigneusement tenu à l'arrière durant le combat contre les trolls ? Lelant, oui, c'est ça ! Pendant la bataille, il était resté à l'écart comme Colin avait coutume de le faire lors des matches de basket, quand il croyait la partie perdue.

Dans son for intérieur, il inscrivit le nom de Colin à côté de celui de Lelant. En revanche, il serait beaucoup plus intéressant de savoir qui se cachait derrière BloodWork. Vraisemblablement une des ces brutes qui traînaient toujours vers les poubelles, dans la cour du lycée, et s'amusaient à terroriser les plus jeunes. Il ne connaissait même pas leurs noms.

Et Dan ? Dan était sûrement un nain grassouillet, comme Sapujapu. À moins qu'il ne se soit fait spécialement svelte et beau. Et qu'il ait pris l'apparence d'un vampire, par exemple. En tout cas, Nick l'identifierait à une de ses formules à l'emporte-pièce et sa suffisance chronique. Il se ferait alors un plaisir de lui flanquer un grand coup d'épée.

Il ne fallait plus espérer se rendormir, avec le jeu qui lui trottait dans la tête. Il s'étira et s'apprêta à se lever.

Totteridge n'était pas loin. La Northern Line était son trajet quotidien en métro. Pourquoi ne pas faire un saut à l'église St Andrews, juste pour voir ? Même si le jeu ne démarrait plus.

Nick s'assit devant son ordinateur et refit la manipulation, pour en avoir le cœur net. Mais il obtint le même résultat que la veille.

Internet fonctionnait très bien, par chance, ce qui permit à Nick de localiser en quelques minutes l'église St Andrews par Google Maps, et même de voir une photo du fameux if. On le disait âgé de deux mille ans, ce qui en faisait l'organisme vivant le plus vieux de Londres. Waouh ! Sur la photo, ses branches descendaient tellement bas que l'arbre ressemblait plutôt à un énorme buisson.

Son père était parti prendre son service depuis une heure et sa mère ferait certainement la grasse matinée jusqu'à dix heures. Nick s'attacha les cheveux et enfila ses vêtements de la veille. Il pourrait en profiter pour rapporter le petit déjeuner. Des muffins au chocolat surtout. Sa mère le bénirait ! Il attrapa un vieux sac de gym, le plia dans la poche de sa veste et laissa un mot à sa mère, sur la table de la cuisine : « Je passe chez Colin lui porter un truc. Serai bientôt de retour. »

Il referma tout doucement la porte derrière lui. Sa mère n'appellerait pas son copain pour vérifier ses dires. Quand bien même elle le ferait, voilà des jours qu'il ne décrochait plus son téléphone.

Nick descendit à la station Totteridge & Whetstone, où il attendit le bus qui devait le conduire à l'église en suivant Totteridge Lane.

Il repéra facilement l'if. Malheureusement il n'était pas aussi isolé que Nick se l'était imaginé, car le cimetière était très fréquenté. Un couple de personnes âgées, deux femmes poussant un landau, un jardinier. Certes, aucun d'eux ne lui prêtait attention, mais il se sentait idiot de chercher au pied de l'arbre gigantesque quelque chose qui ne s'y trouvait sûrement pas.

Il prit brutalement conscience de l'absurdité de la situation. Pourquoi était-il là ? Parce qu'un personnage de jeu vidéo lui avait donné pour mission de chercher un objet sous un arbre. C'était d'un ridicule achevé !

Au moins, personne n'était au courant. Il pouvait tout simplement rentrer à la maison, oublier l'affaire, prendre son petit déjeuner avec sa mère, puis se balader dans le quartier avec Jamie ou jouer tranquillement sur son ordinateur.

Le seul problème était que le jeu ne démarrait plus. Cette saleté de jeu de merde !

Pour s'occuper et justifier son excursion matinale, Nick entreprit de faire le tour de l'église. En observant la construction en brique avec son clocher carré, il prit une résolution : c'était idiot de repartir à la maison sans avoir examiné l'if, ne serait-ce que rapidement.

D'antiques pierres tombales, certaines de guingois, se dressaient à l'ombre de son feuillage. Très romantique. D'un geste respectueux, Nick caressa l'énorme tronc. Quatre personnes suffiraient-elles pour en faire le tour ? Plutôt cinq. On aurait aussi pu aisément cacher des trucs à l'intérieur. Mais il n'y avait rien, en tout cas à première vue. Le garçon introduisit sa main dans une large fente du bois et toucha la terre qui s'y était accumulée. Il balaya du regard le sol à sa base. Là non plus, rien. Comment aurait-il pu en être autrement ?

Il poursuivit son exploration, se pencha pour passer sous les branches et se glissa derrière l'arbre.

Il distinguait une forme carrée, marron clair, au milieu de l'entrelacs de plantes et de mauvaises herbes qui avaient poussé contre l'écorce de l'arbre. Nick écarta les tiges.

La caisse avait à peu près la taille d'un gros livre et ses coins étaient renforcés par du ruban adhésif noir. Incrédule, Nick la souleva. Il constata qu'elle était lourde. Perdu dans ses pensées, il nettoya la terre qui y restait collée.

« Galaris », pouvait-on lire sur le bois et, en dessous, une date : « 18/03 ». Nick n'arrivait pas à le croire ! Brutalement, les frontières entre le jeu et la réalité se brouillaient.

Le 18 mars était la date de son anniversaire.

Tenant sur les genoux le sac qui contenait l'objet, Nick regardait par la fenêtre du train. Une partie de son esprit se concentrait sur la nécessité de ne pas rater l'arrêt. L'autre essayait de comprendre ce qui se passait. Il était près de deux heures du matin, cette nuit, lorsque le Messager l'avait chargé d'aller chercher la boîte. Se trouvait-elle alors déjà sous l'arbre ? Et surtout comment y était-elle arrivée ? Pourquoi la date de son anniversaire était-elle inscrite dessus ? Que signifiait le mot « Galaris » ?

Plus que jamais il aurait voulu interroger Colin. Celui-ci était sûrement plus familier de l'univers d'Erebos. Avait-il déjà été expédié en mission vers l'if ?

Nick descendit à West Finchley. Il avait quinze bonnes minutes de marche. Il connaissait ce coin ; il était souvent venu se promener ici avec sa famille. C'était le paradis des joggers et des propriétaires de chiens. Tandis qu'il empruntait un petit pont qui passait au-dessus de la rivière Dollis Brook, il sortit son portable de sa poche de pantalon et composa son numéro. Colin décrocha avant la deuxième sonnerie. Pour Nick, la surprise fut telle qu'il faillit oublier la raison de son appel.

– Écoute, je suis occupé, dit son ami. Si tu appelles juste pour bavarder, on peut attendre d'être au lycée, O.K. ?

– Attends ! Je voulais te poser une question au sujet d'Erebos. Tu sais, j'ai reçu une mission tellement bizarre, je devais...

– Ferme-la, d'accord ! l'interrompit Colin d'un ton sans appel. T'as lu les règles, non ? Tu n'as pas le droit de diffuser des informations dans ton cercle d'amis. Tu ne dois pas parler du contenu du jeu. T'es débile ou quoi ?

Nick resta sans voix pendant un instant. Puis il se ressaisit :

– Mais... mais... tu prends ça tellement au sérieux ?

– C'EST sérieux. Garde tes commentaires pour toi, sinon, tu vas te faire jeter en moins de deux.

Nick se tut. L'idée de se faire éjecter était très désagréable. Elle avait même quelque chose d'humiliant.

– Je... Je pensais juste... Oublie ! se reprit-il.

Lorsque Colin continua, son ton était nettement plus amical :

– Désolé, ce sont les règles, vieux. Et crois-moi, ça vaut le coup de les respecter. Le jeu est tellement génial. Et plus tu avances, mieux c'est.

Le sac contenant la mystérieuse caisse pesait lourd dans la main de Nick.

– Tant mieux, dit-il. Puisque c'est comme ça...

– Ça ne fait pas longtemps que tu es dedans, ajouta Colin avec une expression de ferveur dans la voix, mais tu verras. Il faut juste que tu respectes les règles. Et elles interdisent de parler.

Nick profita du radoucissement de son ami pour lui poser une dernière question :

– Est-ce qu'il t'est arrivé que le jeu se plante ?

Colin éclata de rire :

– Qu'il se plante ? Non, mais je vois ce que tu veux dire. Parfois... il ne veut pas, répondit-il en baissant la voix comme s'il craignait qu'on ne l'entende. Il attend. Il te met à l'épreuve. Tu sais quoi ? Parfois, j'ai l'impression qu'il est vivant.

Nick laissa derrière lui les jardinets colorés qui bordaient le chemin. Il longeait la rivière.

*« Parfois, j'ai l'impression qu'il est vivant. » Très drôle, Colin !*

Le soleil surgit derrière les nuages au moment où le sentier s'enfonçait dans les bois. Le garçon s'arrêta et offrit son visage aux caresses des rayons. Et s'il se cherchait un petit coin reculé dans la forêt pour ôter très soigneusement le ruban adhésif de la caisse... Juste pour jeter un coup d'œil ? Juste pour savoir ce qui pesait si lourd, là-dedans ?

Il attendit que trois joggers l'aient dépassé, puis regarda autour de lui. Personne ne l'observait. Une promeneuse avec son chien était en vue, mais elle était encore assez loin.

Avec un frisson d'excitation, Nick sortit le paquet du sac. Il n'était pas plus gros qu'une boîte de cigares, mais son contenu n'avait certainement rien à voir avec ça. Il l'inclina et le truc qu'il y avait à l'intérieur bascula.

Ce devait être en métal, et pas très volumineux. Compte tenu du temps qu'il lui fallait pour glisser d'un bord de la caisse à l'autre, on pouvait supposer qu'il occupait à peine la moitié du contenant.

Nick passa un ongle sous le bord du scotch. Il était bien collé. Il faudrait du temps pour l'enlever et l'opération laisserait des traces. Ce n'était pas une bonne idée.

Un concert d'aboiements furieux l'arracha à ses pensées. À quelques mètres de lui, un labrador et un chien de chasse avaient fait connaissance et ne semblaient pas s'apprécier. Leurs propriétaires respectifs tiraient furieusement sur leurs laisses pour les séparer.

Nick fourra la caisse dans le sac et pénétra dans la forêt, suivi par le jappement d'un des animaux.

Trouver le viaduc ne présentait pas de difficulté, car il s'élevait largement au-dessus de la cime des arbres et des constructions de la rue. La Northern Line passait dessus. On ne pouvait pas le manquer, avec le métro qui filait en pleine lumière. L'espace en dessous, en revanche, était humide et plongé dans l'ombre.

Le Messager avait dit : « Une des arches près du pont »... « Près », c'était une notion toute relative. Nick opta pour la deuxième pile du pont et enfouit la caisse dans l'herbe, qui était particulièrement haute et foisonnante. Elle serait facile à trouver, mais personne ne risquait de tomber dessus par hasard.

Satisfait, il jeta un regard circulaire autour de lui, puis il se rappela les paroles de l'homme aux yeux jaunes : « Va-t'en sans te retourner. »

Pourquoi avait-il dit ça ? Était-ce une menace ? En toute logique, il ne pourrait rien se produire : le jeu n'était pas en mesure de savoir s'il avait accompli sa mission ni comment. D'un autre côté, Erebos connaissait son nom, la cachette de la caisse et l'inscription Galaris...

Au-dessus de la tête de Nick, un train passa dans un fracas d'enfer. Maintenant, il suffisait qu'il parte sans se retourner. D'ailleurs, il n'avait aucune raison de le faire. Sauf à être atteint de paranoïa aiguë, et ce n'était certainement pas son cas.

Il replia le sac de gym et le rangea dans la poche de sa veste. Ensuite, il s'éloigna sans regarder derrière lui.

Il n'était pas loin de midi lorsque Nick arriva à la maison, un sachet de muffins tout frais à la main. Sa mère en était déjà à son deuxième café.

– On a bavardé et on n'a pas vu le temps passer, bredouilla Nick en disposant les gâteaux sur une assiette.

Il mourait de faim.

– Tu veux un café ?

– Avec plaisir. Si ça va vite.

Sa mère s'activa à la machine à expresso sans cesser de lorgner l'assiette :

– Est-ce que c'est ceux avec des pépites de chocolat ?

– Oui, les deux plus foncés. Pas touche à ceux à la noix de coco : ils sont pour moi !

Sa mère posa devant lui une grande tasse de cappuccino débordant de lait mousseux.

Nick dévora le premier muffin comme s'il en allait de sa survie et avala d'un trait la moitié de son café.

– Je vais chez l'oncle Hank, cet après-midi. Il refait la peinture de son appartement. Ce serait sympa que tu m'accompagnes. Ton père doit remplacer un collègue et tu es le seul qui soit assez grand pour atteindre le plafond sans échelle. Et il faut bien que quelqu'un s'en charge.

Nick avait la bouche pleine, ce qui lui laissa quelques précieuses secondes de réflexion.

– J'aimerais beaucoup, dit-il en prenant son ton le plus désolé. Mais tu sais, j'ai un devoir de chimie super dur que je dois rendre dans quelques jours. Il faut vraiment que je m'avance, sinon je vais être mal. J'avais prévu de plancher dessus cet après-midi...

Sa mère lui lança un regard amusé :

– Ah bon ! Tu veux faire de la chimie ? T'es sûr que tu ne veux pas plutôt aller au stade ou au cinéma ?

– Je te le jure ! Pas question de ça aujourd'hui, répondit-il à sa mère avec un sourire désarmant.

Sa conscience était parfaitement tranquille : la dernière phrase était vraie mot pour mot.

# CHAPITRE 8

Allumer l'ordinateur. Insérer le DVD. Mettre le casque. Plusieurs secondes de suspense en attendant que le programme se lance.

– Sarius, susurre une voix fantomatique.

Il se trouve dans la grotte où il a rencontré le Messager, la nuit précédente. Mais, à la différence de la veille, elle est inondée de lumière. Celle-ci provient des parois, qui sont lumineuses et taillées dans du cristal. Est-ce du *cristal magique* ?

Sarius se penche pour ramasser quelque chose qui ressemble à une pièce d'or, lorsque l'entrée de la caverne s'ouvre, livrant passage au Messager. De ses yeux jaunes, il toise Sarius :

– Tu as accompli la mission que je t'avais confiée ?

– Oui.

– Simple curiosité : qu'était-il inscrit sur la caisse, à part « Galaris » ?

– Des chiffres : « 18/03 ».

– Parfait. Voici un nouvel équipement pour toi. Un plastron de cuirasse, un casque et une épée digne de ce nom, poursuit-il en désignant une roche plaquée contre la paroi de cristal qui fait office de table. Je suis content de toi.

Sarius s'y précipite, incapable de contenir sa curiosité. Le casque, qui brille avec des reflets cuivrés, est orné d'une tête de loup montrant ses crocs. L'elfe est ravi : c'est son animal préféré. Il enfile le plastron – 9 points de force – et empoigne l'épée, qui est plus longue et coulée dans un métal plus sombre que la précédente. Ça va tout de suite mieux avec ça ! Pour couronner le tout, il met le casque.

– Es-tu satisfait ? demande le Messager.

Ravi, Sarius fait oui de la tête. Il est passé au niveau deux et il a fière allure.

– Ce n'est pas tout, déclare l'homme aux yeux jaunes en resserrant son manteau autour de son corps décharné. Nous sommes dans Erebos. Tu vas voir que les services rendus sont payés de retour. Dis à Nick Dunmore qu'il doit faire en sorte qu'aucun non-initié ne pénètre ici. Puis il ira dans la cour intérieure de l'immeuble voisin. La grille d'un des conduits d'aération n'est pas fixée, juste posée. S'il l'enlève, il trouvera quelque chose.

Trouver quelque chose ? À vrai dire, la seule chose que demande Sarius en ce moment, c'est de ne plus être interrompu. Il veut démarrer dès que possible et tester sa nouvelle épée.

– Là maintenant ?

– Bien sûr. J'attends.

Et, pour illustrer ses propos, il s'appuie contre la paroi de cristal et croise les bras sur sa poitrine.

Une fois de plus, on l'empêchait de jouer ! Nick retira son casque. Il allait devoir fermer sa chambre à clé. Mais, si sa mère le remarquait, elle poserait des questions. Et puis... il faudrait qu'il passe devant elle. Elle lui demanderait forcément où il allait, et il n'aurait pas d'explication valable à donner.

Le mieux était qu'il se débarrasse de la corvée au plus vite. Il se faufila à l'extérieur de sa chambre, ferma la porte sans bruit et tendit l'oreille, à l'affût des bruits de l'appartement. De la cuisine parvenait la voix de sa mère, occupée à téléphoner. C'était une chance inespérée ! Nick marcha à pas de loup jusqu'à la porte d'entrée, enfila en vitesse ses baskets et prit sa veste au passage. En un clin d'œil, il fut sur le palier.

La cour intérieure de l'immeuble voisin témoignait d'un laisser-aller de bon aloi quant à son entretien. Des années auparavant, quelqu'un avait tenté de planter des fleurs dans la minuscule plate-bande, mais la plupart s'était desséchée. Ce qui avait survécu poussait désormais de façon anarchique.

Nick compta trois grilles d'aération, toutes à hauteur des genoux. La première tenait solidement. Il la secoua un peu : elle ne bougea pas. Il tenta de regarder à travers les trous, mais il ne vit que du noir et sentit seulement une odeur prononcée de moisi.

Avec la deuxième grille, les choses se présentaient déjà mieux. Elle n'était pas très bien fixée et n'opposa qu'une faible résistance lorsque Nick la tira.

Jusque-là, il ne s'était pas intéressé à ce qui l'attendait derrière la grille. Brusquement, ça l'intriguait. Serait-ce une nouvelle mission ? Ou la récompense à laquelle le Messager avait fait allusion ?

Nick introduisit timidement la main dans l'ouverture carrée et la retira aussitôt.

*Espèce de froussard !* pesta-t-il intérieurement. *Tu as peur des rats ? Allez ! Tu es dans la vraie vie, ici !*

Un frisson le parcourut malgré tout lorsqu'il replongea sa main dans le conduit. D'abord, il ne trouva rien, si ce n'est de la poussière et des saletés. Puis il sentit du plastique sous ses doigts. Il attrapa et tira vers lui un sac du grand magasin Selfridges. À l'intérieur, c'était mou. Dans un premier temps, il pensa qu'il s'agissait d'un genre d'uniforme Erebos, que les joueurs auraient le droit de porter à partir du niveau deux. Ce qui était absurde, mais toujours moins que ce qu'il sortit effectivement du sac.

« Hell Froze Over », proclamait l'inscription bleue sur le tee-shirt noir, sous laquelle grimaçait une face de diable enserrée par les glaces.

Pendant quelques secondes, il y eut un grand blanc dans sa tête. Ça, c'était carrément impossible ! HFO était un truc entre son frère et lui. Seuls Finn et lui étaient au courant pour le tee-shirt. Nick était archicertain de ne pas en avoir soufflé un mot au Messager, ni à qui que ce soit d'autre. Il jeta un coup d'œil à l'étiquette : taille XXL. Il faut croire que sa taille était disponible, en fin de compte.

Il allait l'appeler. Il y avait forcément une explication : c'était sans doute Finn qui avait caché le tee-shirt.

Se pouvait-il que son frère joue à Erebos ? Pourquoi pas ? À tous les coups, c'était l'explication. Il y avait parfois des coïncidences incroyables.

– Où étais-tu ? l'apostropha sa mère lorsqu'il entra en trombe dans l'appartement.

Il avait été bien inspiré de cacher le tee-shirt sous sa veste.

– J'suis juste sorti m'acheter des chewing-gums à la supérette.

Il avait même un paquet entamé dans sa poche, au cas où sa mère aurait voulu une preuve. Mais elle n'insista pas.

De retour dans sa chambre, Nick s'assura que le Messager n'avait pas quitté son poste avant d'attraper son portable sur la table de nuit.

– Salut, frérot ! C'est sympa d'appeler. Quoi de neuf ?

– Finn, t'as fini par mettre la main sur le tee-shirt HFO ?

Silence.

– Non, je te l'ai écrit. Il n'est pas disponible en ce moment, mais je fais tout ce que je peux, O.K. ? J'savais pas que c'était aussi important pour toi.

– Non, non. T'inquiète ! Ça va.

Finn disait la vérité, c'était sûr. Pourquoi aurait-il menti ?

– Ne m'en veux pas, Nicky, il faut que je retourne bosser. Y a plein de monde dans la boutique.

– Bien sûr. Attends, juste une dernière question : est-ce que tu joues sur ordi, en ce moment ? Des jeux d'aventures ?

– Oh là, j'ai pas le temps, tu sais. C'est ça, la vie d'entrepreneur ! répondit Finn en riant.

Il raccrocha, laissant Nick encore plus désemparé.

*
* *

Le Messager n'a pas l'air de s'impatienter, au contraire. Lentement, comme s'il avait l'éternité devant lui, il s'éloigne de la paroi dès que Sarius se remet en mouvement.

– As-tu trouvé ta récompense ?

– Oui, merci.

– J'espère qu'elle te plaît et que tu es content.

– Oui. Elle me plaît même beaucoup. Je peux vous poser une question ?

Le Messager semble hésiter brièvement.

– Bien sûr. Que veux-tu savoir ?

– Comment savez-vous ce dont j'ai envie ?

– C'est le pouvoir d'Erebos. Tu peux te féliciter de l'avoir de ton côté.

L'homme aux yeux jaunes incline la tête et un sourire grimaçant déforme ses traits décharnés.

– Si tu ne nous déçois pas, il restera avec toi. Maintenant, dis-moi comment tu veux continuer. Tu as le choix entre participer à la destruction d'un village d'orcs – ça peut rapporter beaucoup d'or – ou chercher un passage secret permettant de pénétrer dans la Ville Blanche. Des combats d'arène s'y déroulent demain. L'occasion rêvée de passer du niveau deux au niveau trois, voire quatre.

– C'est possible ?

– Et comment ! Dans les combats d'arène, on voit de quel bois un guerrier est fait. Tu peux tout gagner ou tout perdre. Il va de soi qu'il vaut mieux gagner ! Des cristaux magiques, des armes, des niveaux. La dernière fois, un vampire du nom de Drizzel a pris trois niveaux à un autre vampire, Blackspell. En un seul combat.

– C'est possible ? répète Sarius, ébloui par les perspectives qui s'ouvrent à lui.

– Bien sûr.

La décision de Sarius est prise. Au diable le village d'orcs !

– Je vais chercher la ville.

– C'est un choix judicieux. Il reste juste à espérer que tu la trouveras à temps. L'inscription aux combats se termine demain, quand l'horloge de la tour sonnera trois heures. Bonne chance !

Partout des arbres et des buissons en fleurs. Mais Sarius a beau tourner sur lui-même et regarder alentour, pas la moindre indication d'une ville blanche. Il décide d'avancer droit devant. La technique a déjà fait ses preuves.

Le gazouillis des oiseaux lui tape sur les nerfs. On rêve du grand frisson de l'aventure et on vous sert l'ambiance départ en pique-nique. Aucun passage secret en vue non plus. Pas même une taupinière !

Encore que... Là-bas dans l'herbe, il y a quelque chose. Ça pourrait être un bout de tissu, un drapeau peut-être. Il s'approche, se penche et s'arrête, glacé d'effroi. L'étoffe qu'il ramasse est trempée de sang qui goutte encore. Une chemise.

Il perçoit au loin une espèce de grognement étouffé. Ni animal ni humain. Un terrifiant mélange des deux. Sarius lâche le tissu et prend ses jambes à son cou. Il court dans la direction opposée à celle d'où vient le bruit. En grimpant en haut d'une petite colline, il constate avec satisfaction que son endurance s'est nettement améliorée.

Il s'arrête. Bien lui en prend, car il n'avait pas vu le cratère qui s'ouvre traîtreusement sous ses pieds. Il examine le précipice. Abrupt et hérissé de roches déchiquetées, il n'est pas engageant. Derrière lui, la menace se rapproche. Il a beau être curieux, il préfère ne pas se trouver nez à nez avec la créature qui pousse ces grognements. À quelques pas de là, sur la droite, il repère une échelle rouillée qui serait la solution idéale pour échapper au monstre. Le problème est qu'elle ne lui inspire aucune confiance. Néanmoins, il repense à la chemise ensanglantée et pose un pied prudent sur le premier barreau. Un craquement sinistre se fait entendre. Heureusement, il est immédiatement couvert par la musique envoûtante, qui conforte Sarius dans sa conviction d'être sur le bon chemin. Il ne peut pas se tromper. Sans tergiverser, il descend, porté par la mélodie et impatient de découvrir ce qui l'attend dans le fond du cratère. Il fait de plus en plus sombre. Lorsqu'il arrive en bas, la lumière vacillante dispensée par des torches accrochées au mur ne permet de distinguer que des murs taillés grossièrement dans la roche et un entrelacs de sentiers, de couloirs et d'embranchements. Sarius est tombé dans un labyrinthe ! Il part à l'aveuglette et, en quelques secondes, il est perdu.

Son inventaire ne contient aucun objet susceptible de marquer la pierre. Il ne possède ni craie ni fil. Il pourrait tenter de faire des entailles dans la roche, mais il s'en garde bien, de peur d'endommager sa nouvelle épée.

En regardant vers le haut, il constate qu'il s'est déjà beaucoup éloigné de l'échelle. La lumière du jour ne pénètre plus dans cette partie du cratère. Seules des torches installées à intervalles irréguliers apportent un peu de clarté. Entre deux flambeaux, l'obscurité est parfois profonde.

Sarius poursuit sa progression, accompagné par l'écho inquiétant de ses pas. N'entend-il que les siens ? Il arrête de marcher : l'écho se tait.

La musique l'encourage à avancer. Au premier croisement, il opte pour la gauche et ne tarde pas à le regretter, car la torche suivante est loin devant. Il se hâte de rejoindre la zone éclairée, mais s'arrête avant de l'atteindre. Quelque chose brille sur le mur. Un cristal magique ? Sarius approche la main. Beurk ! Sous ses doigts, la substance luisante se décompose et dégouline le long du mur en laissant une trace visqueuse. Dégoûté, il s'éloigne et marche jusqu'à la prochaine torche. Un nouvel embranchement se présente. Droite ou gauche ?

À gauche, le tunnel est mieux éclairé. Sarius passe le tournant en redoublant de prudence, serrant fermement son épée dans son poing. Chacun de ses pas est répété à l'infini par l'écho. S'il y a des monstres dans ce labyrinthe, ils ont largement eu le temps d'être avertis de sa présence.

Sarius arrive à une autre bifurcation. L'inquiétude commence à le gagner. Il doit avoir encore assez de temps pour s'inscrire aux combats dans l'arène, mais comment s'orienter ? Ici, tout se ressemble : il n'y a que des roches noires, des torches et des flaques d'eau à l'infini. Sinon rien. Pas de combattant en vue non plus. C'est alors qu'il trébuche sur un corps et s'étale de tout son long. Pris de panique, il se relève en vitesse et pointe son épée sur ce qui l'a fait chuter.

C'est une femme-chat. Sarius remarque son nom : Aurora. À l'exception de quelques traces rouges, sa ceinture n'affiche plus que du noir. Elle n'est donc pas morte tout à fait. Il la touche et elle remue légèrement la main. Il ne comprend pas immédiatement ce qu'elle lui demande. Il allume un feu.

– Merci. Je vais crever... Tu peux m'aider ?

– Qu'est-ce qui t'a fait ça ?

– Un scorpion géant. Il y en a trois ou quatre qui traînent dans le coin. Saletés de bestioles. S'ils te piquent, t'es cuit.

Un scorpion géant ? Ça ne dit rien qui vaille à Sarius.

– Et nous sommes les seuls dans ce souterrain ?

– Tu rigoles ! Y a des tas de gens. Écoute-moi, est-ce que tu as le pouvoir de guérir, par hasard ?

Sarius ne répond pas tout de suite. Étant donné la gravité de sa blessure, Aurora doit avoir les oreilles vrillées par un sifflement horriblement douloureux.

– Oui, j'en suis capable. Mais je ne l'ai jamais fait.

– Zut ! Moi, j'ai pas la compétence et je sais pas comment ça marche.

Ça doit être comme pour le feu, pense Sarius en décidant de tester son pouvoir. Très vite, un éclair déchire la pénombre. La ceinture d'Aurora reprend des couleurs. En revanche, la force vitale de Sarius s'effondre. Il n'avait pas prévu ça. Il a pourtant besoin de toute son énergie pour sortir vivant de ce trou.

– Tu aurais pu me prévenir ! fulmine-t-il.

– Te prévenir de quoi ?

La femme-chat a retrouvé suffisamment de force pour se relever et prendre son arme. Un chat à neuf queues. Ça s'impose, pour elle.

– Que ta guérison se ferait au détriment de mes propres points de vie !

– T'énerve pas comme ça. Ils vont se reconstituer. C'est pas comme avec les vraies blessures.

Toujours furieux, Sarius scrute sa ceinture. De fait, il se passe quelque chose : le gris redevient rouge, un millimètre après l'autre.

– Tu t'es lancé dans la quête de la ville ? demande Aurora.

– Oui, je n'avais pas envie de me battre contre des orcs.

– Moi non plus. Pourtant, ils auraient été plus agréables que des scorpions. J'ai eu la trouille de ma vie, si tu savais !

Instinctivement, Sarius se demande s'il connaît Aurora. En dehors d'Erebos.

– Tu as entendu les grognements, tout à l'heure. En haut, sur la colline ?

– Forcément.

– Tu sais ce que c'était comme bestioles ?

– C'étaient pas des bestioles. C'étaient des zombies. J'ai dû en zigouiller deux avant d'atteindre l'échelle. C'était dégueulasse : ils se décomposent lorsque tu les dégommes.

Sarius se réjouit de ne pas en avoir rencontré. Il a certainement fait le bon choix en descendant dans le souterrain, ne serait-ce que pour la quête. Pourtant, il croit entendre un bruit. Une cavalcade qui résonne sur le sol de pierre.

– Tu n'es qu'au niveau deux, hein ? demande Aurora.

– Oui. Et toi, t'es à quel niveau ?

Le grondement s'intensifie, comme un orage qui se prépare.

– J'ai pas le droit de te dire. Tu connais les règles, non ?

Le vacarme se rapproche. On dirait qu'Aurora ne l'entend pas. Peut-être qu'il ne faut pas s'inquiéter ?

– Tu peux me dire au moins qui se trouve ici, à part nous ?

– Tu ne vas pas tarder à le constater par toi-même. Il y a quelques têtes que je ne connais pas, et d'autres qui sont toujours là. J'ai vu Nodhaggr, Duke et Nurax, et aussi une Samira que je n'avais encore jamais rencontrée, et un vampire.

– Je connais Samira, répond Sarius avec empressement.

– Ah bon ? En tout cas, elle a déguerpi quand...

Soudain, un scorpion noir surgit derrière Aurora. Il est gigantesque. Sarius comprend maintenant d'où venait le bruit de claquement. D'un bond, il esquive le dard qui s'apprête à le frapper, et brandit son épée. Si le monstre s'attaque à lui, il essaiera de lui trancher une pince. Mais ce n'est pas à lui que l'insecte géant s'intéresse. Il s'approche d'Aurora, qui a réagi trop tard. Il se met en position et pique. Aurora s'effondre. Reste-t-il du rouge sur sa ceinture ? Sarius n'a pas le temps de vérifier, et aucune envie de gaspiller son énergie vitale à soigner la femme-chat. D'autant plus qu'il soupçonne un deuxième scorpion d'arriver par l'autre côté. Si c'est le cas, l'insecte va lui couper la route et il sera obligé de faire demi-tour...

L'elfe n'attend pas. Il lève son épée et l'abat sur la pince gauche. Métal contre métal. Le scorpion recule. Sarius vise alors la minuscule tête de son ennemi, qui distribue de furieux coups de pinces et dresse de nouveau son dard très haut. La substance – sang, poison ou les deux – qui s'en égoutte forme une flaque fumante sur la pierre.

Maintenant, Sarius dirige ses coups contre le dard qui se balance au-dessus de sa tête. Au deuxième essai, il l'atteint. Le scorpion recule et rebrousse chemin à toute vitesse, disparaissant dans les galeries obscures du labyrinthe.

Sarius jette un dernier regard au corps sans vie d'Aurora et se remet en route. *Je l'ai aidée une fois ; ça suffit.* En avançant, il reste particulièrement attentif à tout ce qui l'entoure. Pourquoi Aurora n'a-t-elle pas entendu le scorpion ? Il a bien une vague idée : elle était grièvement blessée et elle a peut-être voulu s'épargner le sifflement douloureux en coupant le son. Du coup, elle n'a pas senti arriver le scorpion. *Grave erreur.*

Raison de plus pour être à l'affût du moindre bruit. Il n'est pas prêt à mourir au niveau deux.

Un scorpion est à ses trousses, il le flaire. Il l'entend. Ce n'est pas le moment de se passer de l'un de ses sens ! Pour autant, il ne sait toujours pas comment il va pouvoir sortir entier de ce dédale.

Il prend le temps de faire une halte et tend l'oreille : aucune rumeur de combat. Même le clac-clac des pattes du scorpion s'est évanoui. C'est inquiétant. Lentement, Sarius continue sa progression. Il suit un chemin à droite avant de parvenir à un autre embranchement. Peut-on mourir de faim dans cet enfer ?

Il se laisse guider par son instinct, prend à gauche et tombe face à un scorpion ventousé à la paroi. Son dos noir luisant reflète la lueur de la torche. Il est encore plus gros que le précédent. L'insecte agite son dard venimeux comme s'il voulait hypnotiser Sarius. En moins de temps qu'il ne faut pour le dire, celui-ci brandit son arme et frappe de toutes ses forces en visant le milieu de la carapace, là où les plaques dorsales s'articulent...

On entend un vilain craquement. La lame s'enfonce profondément dans le corps de l'animal, qui, rendu fou furieux, tente d'atteindre son adversaire. Mais, cloué au mur par l'épée, il ne parvient pas à bouger. Sarius sent ses bras commencer à trembler. Il préfère ne pas imaginer ce qui se passerait si son endurance venait à l'abandonner.

*Crève donc ! Vas-tu bien crever ?*

Au bout d'un moment – qui semble une éternité à Sarius –, l'insecte cesse de bouger. Il devient flasque et sa queue retombe sur le côté. Sarius peut enfin retirer son arme. En revanche, ce qu'il n'a pas prévu, c'est qu'un scorpion mort ne peut plus se maintenir accroché au mur. Lorsqu'il s'en rend compte, il a juste le temps de sauter de côté pour ne pas se trouver enterré sous l'animal.

Sarius s'assied contre le mur et contemple le cadavre de la bête. De rares soubresauts agitent encore l'une ou l'autre patte. Il tend l'oreille pour s'assurer qu'un de ses congénères ne s'apprête pas à l'attaquer. Mais il n'entend rien, juste une petite musique suave. Elle est nouvelle et familière à la fois, et persuade Sarius qu'aucun péril ne le menace pour l'instant. Il peut prendre le temps d'observer plus en détail son adversaire. Il constate notamment qu'il peut le disloquer sans peine. Détacher ses pinces, par exemple. Sarius les fourre dans son sac, avec un morceau de la carapace. Pour ce qui est du dard venimeux, il hésite. Qui sait si le simple contact ne risque pas d'être toxique ?

Il le touche avec une prudence extrême, le saisissant par son extrémité la plus large. Il ne se passe rien. Il le détache délicatement et le range dans son inventaire.

Lorsqu'il se redresse, il constate qu'il n'est pas seul. Un elfe noir est là, à quelques pas. Il le reconnaît d'emblée : c'est Lelant, qui a dû gagner un nouvel équipement au combat. Il agite une masse d'armes hérissée de piques redoutables.

Tous deux se mesurent brièvement du regard, mais aucun n'allume de feu de camp. Sarius ne tient pas à faire le premier pas. Il se sent encore trop novice, n'étant qu'au niveau deux. La seule chose qui l'intéresse, c'est de savoir si c'est Colin. Ou plutôt d'en être sûr. Mais celui-ci ne le lui dira jamais, quand bien même il déclencherait dix feux.

Tel qu'il l'a démantibulé, le scorpion offre un spectacle répugnant avec sa chair humide, d'un rose grisâtre, et Sarius n'a aucune envie de le toucher. Il s'approche de Lelant qui n'a pas bougé, se fondant avec le mur.

Qu'attend-il ? Veut-il faire route avec lui ? Ce ne serait pas une mauvaise idée, parce que les combats ont repris, non loin de là, comme l'indique le tumulte de chocs métalliques qui résonne dans les galeries.

Sarius vérifie sa force vitale. De ce côté-là, tout va bien : il a récupéré la quasi-totalité de ce que lui avait coûté la guérison d'Aurora. Et il est sorti indemne de la lutte avec le scorpion. En route donc pour la prochaine bagarre ! Il jette un dernier coup d'œil à Lelant qui s'est accroupi près du cadavre. Si ça le tente de piocher dans ces provisions dégoûtantes, grand bien lui fasse ! Le cadavre fournit sept unités de viande : Sarius les lui cède volontiers !

Le vacarme de la bataille monopolise toute son attention. En suivant le bruit, il découvre une galerie obscure très étroite qui débouche sur un chemin plus large, dont les murs semblent couverts d'une moisissure d'un bleu sombre. À l'embranchement suivant, il prend à droite et aboutit dans une impasse. Saleté de labyrinthe ! Il fait demi-tour. Le seul passage accessible est sans lumière. Pourvu qu'aucun scorpion ne soit à l'affût !

La direction doit être bonne, car il entend la bataille plus distinctement. Il brandit son épée et s'engage prudemment dans l'obscurité, prêt à frapper.

De toute façon, il n'a pas le choix. Serrant le bouclier contre lui, les doigts crispés sur la poignée de son arme, il s'enfonce à tâtons dans les ténèbres.

Plus il progresse, plus il a l'impression que les murs se rapprochent. Dans le lointain, il aperçoit un minuscule point lumineux. Voilà où il doit aller ! Il accélère le pas... et s'étale par terre. Pris de panique, il agite son épée, croyant à une attaque. Il s'attend à des coups, au supplice du sifflement. Mais rien ! Il se relève. La faible lueur lui révèle qu'il est seul dans le tunnel, mis à part l'obstacle sur lequel il a trébuché.

Il se penche et identifie des os, quelques touffes de cheveux roux, un arc et deux flèches tordues. Le crâne a roulé plus loin, contre la paroi rocheuse.

Est-ce l'un des nôtres ? Peu importe, il est temps de décamper ! Sarius jette un dernier coup d'œil au squelette, puis reprend sa course. La bataille se joue là-bas.

Où est passée la lumière ? Il ne peut pas s'être trompé, alors pourquoi se trouve-t-il à nouveau devant un mur ? Il se retourne. *Tu ne sortiras jamais de cet enfer.* Il repense à la chemise sanguinolente qu'il a trouvée dans l'herbe. S'il était resté en haut, il aurait affronté des zombies, mais en plein jour au moins.

Maintenant, un vague halo est revenu. Il dessine contre la paroi une ombre inquiétante. Sarius lui assène un grand coup puis constate, penaud, que c'est la sienne.

À en juger par le bruit si proche, les protagonistes doivent se trouver de l'autre côté du mur. Sarius le longe à tâtons. Enfin une porte apparaît. Fermée, bien sûr ! Il se jette de toutes ses forces contre le bois vermoulu. La lumière s'engouffre par l'étroite ouverture qu'il parvient à ménager. Le vacarme est assourdissant. Il entrevoit des jambes chaussées de bottes mêlées à des pattes de scorpions.

Une grande part de lui est tentée de se cacher aussitôt et d'attendre la fin de la bataille. Personne ne l'a vu, n'est-ce pas ? Sauf peut-être le Messager, qui sait tout...

L'évocation des yeux jaunes suffit à le décider. Sarius se fraye un passage et se jette dans la mêlée. Il compte trois scorpions et six, non, sept combattants. Les connaît-il ? Il n'a pas le temps de répondre. Déjà, un des insectes se précipite sur lui.

Son dard est relevé, en position d'attaque. Il oscille au-dessus de Sarius, prêt à fondre sur sa proie. L'elfe frappe et touche son flanc. Il dirige son deuxième coup vers le dard venimeux. Cette manœuvre avait fait battre en retraite le premier scorpion, mais pas celui-ci, hélas. Peut-être Sarius n'a-t-il pas visé le bon endroit ? Le monstre repasse à l'attaque de plus belle.

Sarius fait un bond sur la droite, l'évitant de peu. Il en profite pour frapper à nouveau l'animal, qui chancelle enfin. Sarius veut le transpercer, mais une des redoutables pinces l'effleure. Cette fois, c'est sûr, il n'échappera pas à l'atroce sifflement. Cependant, la pince l'a juste frôlé. Sarius abat alors son épée de toutes ses forces : la carapace cède. L'ennemi bascule sur le côté. Sarius charge de nouveau, visant cette fois le ventre, sans protection. Il fait mouche. Soudain, quelqu'un surgit à ses côtés et se met à cogner sur le scorpion avec sa hallebarde.

Autant Sarius souhaitait de la compagnie quand il était seul dans le tunnel, autant il peut s'en passer maintenant. De quoi se mêle cette abrutie d'elfe noire qui s'immisce dans leur duel, alors qu'il a fait le plus dur ? Mais pas moyen de l'écarter. Son arme doit être plus puissante, car elle achève la bête en trois coups.

Sarius bout intérieurement. Sa lame est couverte de glaires auxquelles il se ferait un plaisir d'ajouter le sang de l'elfe noire qui lui a volé la victoire. Il s'en serait parfaitement sorti tout seul.

Il regarde son nom. Feniel. Quelle idiote ! Qu'est-ce qui lui prend, maintenant ? Elle se jette sur le scorpion mort et le transforme en chair à pâté. Cependant elle ne s'intéresse ni au dard ni aux pinces. Non, elle se roule dans les chairs éventrées du cadavre. Elle est folle !

– Victoire, chuchote une voix à son oreille.

Il se retourne et contemple le champ de bataille. Le succès leur est acquis, cependant les autres combattants d'Erebos sont encore bien occupés. À l'instar de Feniel, ils s'emploient à découper les scorpions morts en petits morceaux. Curieux ! Sarius se demande ce qui lui a échappé.

Dès qu'il entend un bruit de sabots, il devine la suite. Le cheval caparaçonné surgit et le Messager salue ses troupes d'un geste.

– Vous avez fait du bon travail et, une fois de plus, vous recevrez votre récompense. Je crois que je vais commencer par Drizzel.

Le vampire, encore occupé à farfouiller à pleines mains dans les entrailles d'un des insectes, se redresse lentement.

– Tu t'es bien battu, mais tu ne t'es pas donné au maximum. Voici un nouveau bouclier. Il est bon, mais pas extraordinaire.

Drizzel s'empare de sa récompense et jette l'ancien, qui atterrit avec fracas dans une des galeries du labyrinthe.

– Feniel !

L'elfe noire passe devant Sarius.

– Je constate avec satisfaction que tu ne t'embarrasses pas de scrupules déplacés et que tu prends ce dont tu as besoin. Tu vas pouvoir en faire autant avec ton équipement. Voici 50 pièces d'or. Décide toi-même de ce que tu souhaites acheter avec ça.

Sarius doit se retenir pour ne pas passer Feniel au fil de l'épée. Elle lui a volé la victoire et, en plus, elle obtient une gratification pour ça ? C'est le monde à l'envers !

– Sarius !

Il fait un pas en avant. *J'ai été grandiose. Allez, reconnais-le ! Carrément bon pour un niveau deux !*

– Tu es sorti du combat sain et sauf. Mes compliments ! Cependant, tu t'y es engagé plus tard et tu n'as pas achevé le scorpion toi-même. Je veux tout de même te récompenser. Je renforce ton pouvoir de guérison. Désormais, tu pourras donner davantage de ta force aux autres.

Un grésillement, puis plus rien. Plus rien ? Sarius fixe le Messager sans en croire ses yeux. Qu'est-ce que c'est que cette récompense ? Quand il guérit quelqu'un, c'est au détriment de sa propre force vitale. Et, là, on voudrait qu'il se mette encore plus en danger pour les autres ? Il n'utilisera plus ce sort, c'est fini. Il n'est pas fou.

– Blackspell !

Le vampire qui répond à ce nom est couvert de louanges et reçoit une épée translucide d'un rouge sombre. Sarius aimerait en avoir une pareille.

Il en veut à la terre entière. À Nurax, le loup-garou, à qui le Messager offre une paire de bottes particulièrement résistantes. À Grotok, le premier être humain qu'il rencontre dans le jeu, et qui se voit gratifié de rouleaux de parchemin.

Sarius connaît la prochaine sur la liste : c'est la Fille d'Arwen. Comme elle est légèrement blessée, elle reçoit une potion de guérison et 10 pièces d'or. Tout ça vaut mieux que le truc nul qu'il a eu.

– Gagnar ! appelle l'homme aux yeux jaunes.

Un homme-lézard en haillons apparaît derrière un cadavre de scorpion. Il rampe jusqu'au messager, grièvement blessé.

– Gagnar, si tu restes ici, tu vas mourir. Viens avec moi !

Gagnar essaie de se relever. Sur son pourpoint en lambeaux, Sarius distingue le chiffre un, marqué au fer dans l'étoffe. L'homme-lézard est tellement mal en point qu'il a besoin d'aide pour monter sur le cheval. Sarius est fasciné par le malheureux. Enfin quelqu'un qui en sait moins que lui !

– Vous êtes autorisés à faire un feu, déclare le Messager avant de s'éloigner sur sa monture.

Sarius prend tout le monde de vitesse : il allume son feu avant que les autres aient eu le temps de réagir. La Fille d'Arwen et Blackspell s'approchent lentement, tandis que les autres retournent aux cadavres pour fouiller leurs entrailles.

– Que cherchent-ils exactement ? commence Sarius.

Blackspell ne dit mot, mais la Fille d'Arwen se fait un plaisir de le renseigner.

– Des cristaux magiques, bien sûr.

– Dans les scorpions morts ?

Sarius est interloqué. C'est bien le dernier endroit où il aurait pensé à les chercher. Il comprend mieux le zèle de Drizzel et de toute la bande.

– Tu en as déjà trouvé ? demande-t-il à l'elfe noire.

– Non, jamais. Ils sont très rares. En fait, c'est ce qu'il y a de plus précieux ici. J'étais là le jour où BloodWork en a trouvé un dans une araignée géante. Il était bleu. Je n'ai aucune idée de ce qu'il en a fait.

Songeur, Sarius contemple les hautes flammes. Quand la musique a-t-elle recommencé ? Il n'a pas remarqué. Toujours est-il qu'il l'entend maintenant et qu'elle lui redonne des forces. Il se sent regonflé à bloc, prêt à affronter la prochaine bataille et, cette fois, il ne se laissera pas évincer par Feniel.

– Sais-tu à quoi servent les cristaux ?

La Fille d'Arwen prend le temps de réfléchir.

– On dit qu'ils peuvent exaucer tes vœux les plus chers. Sauf, peut-être, ressusciter les morts. Ils ne te permettent pas non plus de pénétrer dans le Cercle Intérieur.

– C'est quoi, le Cercle Intérieur ? demande Sarius.

Il n'a même plus honte de son ignorance. C'est l'effet de la musique. Grâce à elle, il se sent le roi. *Tu es la personne la plus importante, ici. Les autres ne sont que des figurants.*

Il n'obtient pas de réponse, car Blackspell intervient sèchement :

– Débrouille-toi pour le découvrir par toi-même ! C'est ce que nous avons tous fait.

– C'est bon. Je demandais juste.

Drizzel et Nurax ont abandonné leurs recherches dans les cadavres et les ont rejoints autour du feu.

– Vous pourriez au moins vous laver. Vous êtes répugnants ! s'indigne la Fille d'Arwen en s'écartant d'eux.

Drizzel ne prend même pas la peine de lui répondre.

– Tiens donc, Sarius ! Je pensais ne plus te revoir. Les géantes bleues du fleuve ne t'ont pas fait la peau ?

– Comme tu vois.

– Alors, la bataille a été sanglante ?

– Tu le saurais, si tu ne t'étais pas sauvé.

– T'as une bien grande gueule pour un niveau deux !

Sarius ne trouve rien à répliquer. Les autres peuvent voir son niveau et lui non. D'un coup, il se sent nu.

– Laisse-le tranquille, sinon je vais lui raconter deux ou trois bricoles que je sais sur toi, intervient la Fille d'Arwen.

– Te gêne pas. Tu sais combien le Messager apprécie les pipelettes, riposte Drizzel.

À ce moment surgit Lelant. Il s'arrête net et tire sa masse d'armes de sa ceinture.

– Et merde ! Invasion d'elfes ! gémit Blackspell.

– Ferme-la ! rétorque Sarius.

Lelant est un de ceux qu'il est le plus content de voir. *Je sais qui tu es, vieux*. Avec un geste engageant, il s'écarte légèrement pour lui faire une place à côté de lui. Mais l'autre ne réagit pas. Il reste à distance du brasier. Puis il remarque Feniel et Grotok, toujours aux prises avec les cadavres des scorpions. Il fait quelques pas dans leur direction avant de se raviser. Il finit par s'approcher du feu, mais demeure le plus loin possible de Sarius.

– Salut, Lelant, dit celui-ci.

– Les deux là-bas cherchent des cristaux magiques ? demande-t-il en guise de salut.

– Faut croire, répond Blackspell. Mais ils n'ont pas de veine. Y a rien dans les bestioles.

– Dommage pour eux ! J'ai eu plus de chance, moi.

L'elfe exhume de son sac un cristal qui diffuse une lumière verte :

– Top, non ?

– D'où vient-il ? veut savoir la Fille d'Arwen.

– Ça ne te regarde pas.

Sarius fixe la pierre qui scintille et il sent la colère monter en lui. Inutile de demander d'où vient le cristal. C'était *son* scorpion, *sa* proie. Il a laissé Lelant là-bas, et celui-ci en a profité. C'est dégueulasse.

– Tu es conscient que la pierre m'appartient, n'est-ce pas ?

– Je ne vois pas pourquoi.

– Parce que j'ai liquidé le scorpion tout seul, comme un grand. Si t'es réglo, tu me le rends !

– Tu peux toujours rêver. J'suis pas tombé sur la tête.

Sarius dégaine plus vite qu'il ne pense. Et le voilà bien embarrassé, l'épée à la main. À vrai dire, il n'a pas l'intention d'attaquer Lelant. Il veut juste récupérer le cristal. *Si tu savais qui je suis, tu me le donnerais sans faire d'histoires.*

– Attention, vous deux, pas de duels en dehors des villes ! proclame Drizzel.

– Oh là là, qu'est-ce que j'ai peur ! Le niveau deux veut m'attaquer ! ironise Lelant. Touche-moi avec ton épée, et le Messager va te régler ton sort. Vas-y ! Fais-moi plaisir !

Pour la forme, Sarius garde encore son épée pointée vers la poitrine de l'autre avant de la ranger dans son fourreau, secrètement soulagé de s'en tirer sans bagarre.

– Tu sais parfaitement que la pierre ne te revient pas.

– Pourquoi donc ? Qu'est-ce que j'y peux si tu te tires en emportant seulement le dard et les pinces ? Vous auriez dû voir ça, les mecs ! Il coupe les pinces de la bestiole et il en remplit son inventaire. Qu'est-ce que tu veux en faire, au juste ? Une collection pour ton atelier de travaux manuels ?

Sarius regarde Lelant, médusé. Le visage sombre, les cheveux bruns coiffés en pétard, les yeux noirs brillants. *Tu me le paieras, espèce de chacal !*

– Eh bien, garde-le. Tu n'es qu'un lâche.

– Oui, mais un lâche avec un cristal magique. Est-ce que l'un de vous sait dans quelle direction se trouve la ville ?

– Demande donc à ton cristal, persifle Sarius. Ou décarcasse-toi, pour une fois.

Puis, sans attendre, il tourne le dos au feu de camp et s'engage dans le premier passage venu. Il préfère partir seul plutôt que de rester avec de pareils crétins.

Dire qu'il a failli avoir un cristal magique ! Il retrouve les galeries. Les ténèbres sont toujours aussi profondes, mais le souvenir de cet enfoiré de Lelant lui donne des ailes. Si un scorpion a le malheur de se mettre en travers de son chemin, il va le réduire en purée. Il continue d'avancer. Il a encore largement le temps d'atteindre son objectif et il est bien décidé à semer les autres.

Le problème c'est qu'ici, une fois de plus, les passages se ressemblent tous. Pas la moindre indication de la Ville Blanche. Il marche toujours à l'aveuglette, sans croiser personne. Personne ne l'attaque non plus. Au bout d'un temps qui lui semble une éternité, il finit par s'arrêter. Sa rage a fondu. Elle n'est plus qu'une petite graine incandescente à l'intérieur de sa tête.

Et maintenant ? Que faire ? Il s'en veut d'être parti sans réfléchir. Pourquoi n'a-t-il pas proposé au moins à la Fille d'Arwen de l'accompagner ? Elle était dans son camp. Il n'aurait pas dû la laisser avec les autres.

Une fois de plus, il essaie de s'orienter. Il doit bien y avoir un indice. Par exemple, de petits cailloux blancs indiquant le bon tunnel ou des cloches qui sonnent aux heures pleines. Il tend l'oreille, scrute l'obscurité, guette les bruits suspects à chaque embranchement. Sa ténacité est récompensée : au troisième croisement, il entend quelque chose. Juste un frémissement.

À peine un murmure, mais c'est déjà un repère. Quelque chose à quoi se raccrocher.

Le gargouillis se précise au fur et à mesure que Sarius se rapproche. Il a relâché sa prudence, car son instinct lui susurre qu'il n'y a pas de danger. Il s'arrête un instant, se demandant d'où lui vient cette soudaine confiance. C'est la musique qui est revenue. Insensiblement, elle a changé de caractère. Elle le rassure et le conforte dans la certitude qu'il est sur le bon chemin.

Quelques minutes plus tard, Sarius découvre la source du clapotis : c'est un fleuve souterrain dont l'eau paraît presque noire à la faible lueur des torches, mais se révèle rouge sang dès qu'on s'approche.

La couleur lui évoque des visions terribles : champs de bataille, cadavres empilés en énormes monticules, sacrifices rituels.

Mais s'agit-il bien de sang ! Ce n'est pas si facile à savoir...

Il se tient sur la rive, au bord de l'eau. Les villes sont souvent bâties sur un fleuve. Pourquoi ne pas suivre celui-ci ? Mais dans quel sens ? Il regarde autour de lui, à la recherche d'indications, n'en trouve pas et décide de le remonter.

Les ténèbres ne tardent pas à s'estomper. Des torchères disposées le long de la rivière éclairent le chemin à intervalles réguliers. D'un coup, le parcours devient un jeu d'enfant. Sarius se met à courir. Il accélère encore quand il aperçoit un large escalier. Mais il doit faire halte pour reprendre haleine, car il a oublié de surveiller son endurance et elle a été sérieusement mise à mal. Il commence ensuite l'ascension, porté par la musique qui l'enveloppe de ses tonalités joyeuses. La lumière du jour inonde le paysage.

Quand il parvient enfin en haut des marches, il découvre un spectacle d'une beauté à couper le souffle. Des remparts, des tours, des arcades, tous de marbre blanc, se dressent devant lui, baignés de soleil. Même la rue qui mène à la ville resplendit de blancheur.

Sarius n'a plus de raison de se dépêcher. La ville semble n'attendre que lui. Il s'imprègne de sa splendeur et s'avance lentement.

Les quatre gardes en faction à l'entrée abaissent leurs lances en signe de bienvenue, tandis qu'une fanfare retentit et que le héraut posté au sommet de la porte claironne la nouvelle : « Sarius est arrivé. Sarius, chevalier de la race des elfes noirs, pénètre dans la Ville Blanche. »

# Chapitre 9

– Tu veux encore du riz ? demanda la mère de Nick en agitant gaiement la cuillère pleine au-dessus de son assiette.

– Non, merci.

– Tu n'aimes pas ? Tu as une drôle de façon de picorer ta viande !

Nick avait du mal à se concentrer sur les paroles de sa mère. Sarius venait à peine de s'installer dans une chambre d'auberge de la Ville Blanche, que le tenancier lui avait froidement prescrit trois heures de repos. Et toc ! Rideau ! Écran noir, une fois de plus.

– Écoute donc ! Ta mère t'a posé une question.

– Oui, papa, désolé. Non, c'est très bon. C'est juste que je suis un peu fatigué.

Son père avala une gorgée de bière en fronçant les sourcils :

– Pourtant, tu n'avais même pas classe aujourd'hui.

– Non, il a révisé sa chimie, intervint sa mère, volant à son secours. Tu peux te féliciter qu'il soit sérieux et qu'il travaille bien au lycée. J'ai discuté hier avec Mrs Falkner : son fils n'est jamais à la maison et il ne fait rien, si ce n'est perturber les cours...

Les pensées de Nick se mirent à dériver de nouveau. Il ne s'était pas encore inscrit aux combats dans l'arène. Il ne savait même pas où aller pour ça. Que se passerait-il s'il ne trouvait pas l'endroit ou s'il devait accomplir d'abord des missions ?

Il risquait d'être pris par le temps. Maintenant, il ne lui restait plus qu'une petite heure avant la fin de sa pause forcée. Sa mère s'endormirait devant la télé et son père filerait sans doute au pub pour sa troisième bière. Il aurait préféré que Sarius soit obligé de se reposer plus tard, après minuit, quand Nick aurait été fatigué. Il se demandait si les autres avaient découvert le fleuve rouge, entre-temps, ou s'ils étaient encore en train d'errer dans le labyrinthe.

Il se frotta les yeux, qui le brûlaient d'être restés rivés à l'écran. L'aubergiste avait vanté les mérites des brillants armuriers de la Ville Blanche, tout en examinant son équipement d'un œil critique. Sarius ne demandait pas mieux que de le renouveler, mais il ne possédait ni or ni cristal magique. Il ne savait même pas comment il allait payer sa chambre, seulement qu'il devait en prendre une. Ordre écrit du Messager.

Ce fourbe de Lelant ! Dès lundi, Nick prendrait Colin entre quatre z'yeux et lui expliquerait sa façon de penser, à ce chacal.

– ... pour la semaine prochaine ?

Le silence soudain qui suivit cette question fit supposer à Nick qu'elle lui était adressée.

– Euh, pardon. Tu peux répéter ?

– Je t'ai demandé si ton devoir de chimie était pour la semaine prochaine. Bon sang, Nick ! Qu'est-ce que tu as ?

Son père se pencha vers lui, l'air furieux, son ventre proéminant heurtant le bord de la table :

– Je ne trouve absolument pas normal que tu te tiennes à l'écart de la conversation. C'est pourtant de toi qu'il s'agit !

– Oui, je suis désolé.

Pitié ! Qu'on lui épargne les « pourquoi » et les « comment » !

– On doit le rendre la semaine prochaine mais c'est bon, je crois que je maîtrise, reprit-il. Et toi, p'pa, comment s'est passée ta journée ?

Rien de tel que de poser des questions sur son boulot. Son père était infirmier et avait toujours quelque chose à raconter. Aujourd'hui, c'était un patient obèse qui lui avait donné en douce un billet de 5 livres pour qu'il aille lui acheter des *fish and chips*.

– Et pourtant c'est un type qui a un taux de cholestérol délirant ! commenta son père en se resservant largement. On pourrait croire que ça ferait réfléchir les gens, le fait d'atterrir à l'hôpital parce qu'ils ont trop forcé sur la nourriture. Mais non !

Nick eut un petit sourire mécanique, mais il ne pensait qu'à retourner dans la Ville Blanche :

– Je peux sortir de table ?

– Bien sûr, répondit sa mère.

– Aide-ta mère à débarrasser la table, marmonna son père entre deux bouchées.

Nick rapporta la vaisselle sale dans la cuisine, rangea verres et assiettes dans le lave-vaisselle et monta quatre à quatre les marches qui menaient à sa chambre. Bien que ce ne soit pas encore l'heure, il tenta de démarrer le jeu. En vain, évidemment.

Il restait 45 minutes, qu'il pouvait mettre à profit pour bosser sa chimie. Mais l'idée le déprimait. Il tenta de se motiver.

Au moment précis où il ouvrait son livre à contrecœur, son père fit irruption dans sa chambre.

– J'ai complètement oublié de te demander si demain tu... Hé, tu travailles vraiment !

– Eh oui !

– C'est dur ?

– Ça, tu peux le dire.

Son père regarda le livre par-dessus son épaule, plein d'une bienveillante curiosité, qui laissa vite place à un aveu d'impuissance, à la vue des formules.

– Nom de nom ! Là, je ne peux vraiment plus t'aider, Nick.

– C'est bon, p'pa. T'as pas à le faire. Je me débrouille.

Son père lui posa la main sur le bras :

– Je suis désolé de t'avoir interrompu. Je suis sacrément fier de toi, tu sais ? Y a au moins un de mes gars qui deviendra quelqu'un, dans la vie.

Cette main lui pesait ; Nick se mordit les lèvres. Le poids se retira.

– Je vais faire un tour au pub. Ne veille pas trop tard.

La porte se referma.

Encore 43 minutes. Il se replongea dans le livre, fixant les formules sans comprendre. S'il arrivait à rédiger quelques phrases pour commencer son devoir, ce serait assez pour aujourd'hui. Nick ferma les yeux et répéta ce qu'il venait de lire. Dommage qu'il n'existe pas de cristaux magiques dans la vraie vie ; ils lui auraient été bien utiles en chimie. Jamais il n'aurait 16/20, jamais de la vie.

Il prit une feuille de papier et inscrivit le titre : « L'identification des acides aminés par la chromatographie sur couche mince ».

Voilà, il avait le début. Maintenant, il lui fallait une introduction. Encore que... Ça ne valait pas le coup de travailler par petits bouts, comme ça. Quitte à rédiger, autant rédiger pour de bon, en prenant le temps qu'il faudrait. Par exemple, demain, après le petit déjeuner. Il n'aurait pas de scorpions qui lui trotteraient dans la tête et sa colère contre Colin serait retombée, du moins l'espérait-il.

Nick jeta un dernier coup d'œil à son manuel, puis il alluma l'ordinateur. Par habitude, il alla sur *artManiak*, la page web d'Emily, où il n'y avait rien de neuf. Il en ressentit une légère déception, puis il eut une idée. Pourquoi n'y avait-il pas pensé plus tôt ? Sur Google, il tapa « Erebos » dans la barre de recherche. Il devait bien exister un site de la société qui avait conçu le jeu, peut-être même des mises à jour, des conseils, des codes, les trucs habituels, quoi !

Le premier résultat qu'il trouva était un article de Wikipédia. Tiens, tiens ! Le jeu était donc connu. Il cliqua sur le lien et lut :

Erebos, Érèbe (Ἔρεβος du grec ἔρεβος : « sombre ») est le dieu des ténèbres infernales dans la mythologie grecque et leur personnification. Selon le poète Hésiode, il est fils du Chaos, qui engendra aussi Gaia, la Nuit, le Tartare et Éros. D'après Hésiode, le Chaos vint d'abord (l'espace vide et creux), d'où naquit le gouffre insondable des profondeurs, Erebos. La Nuit et l'Érèbe s'accouplèrent, et de leur union naquirent le sommeil et les rêves, mais aussi les maux du monde – la désolation, la vieillesse, la mort, la discorde, la colère, la misère et le renoncement, la Némésis, les Parques et les Hespérides, qui incarnent les aspects menaçants de la déesse Lune – ainsi que la joie, l'amitié (*Philotes*) et la pitié.

Selon des légendes postérieures, Erebos ou l'Érèbe était une région du monde souterrain. C'était le lieu de passage que traversent les trépassés quand survient la mort. Erebos fut souvent employé comme synonyme d'Hadès, le souverain de l'empire des morts, le dieu grec du monde souterrain.

Nick lut le texte deux fois avant de refermer la fenêtre. C'était peut-être captivant quand on se passionnait pour les dieux grecs, mais pour lui c'était sans intérêt. Pas de conseils, pas de tuyaux, rien.

Il continua de chercher. Une foule de liens sur la mythologie grecque, quelques-uns concernant un groupe de metal. Seul le dernier lien de la page répondait à ses attentes : « Erebos, le jeu ». Sinon rien. Plein d'espoir, Nick cliqua dessus. La page mit quelques minutes à s'afficher. Lettres rouges sur fond noir :

« Ce n'est pas une bonne idée, Sarius. »

« Pourquoi pas ? » fut-il d'abord tenté de demander, puis la situation lui apparut dans toute sa monstruosité. Alors, il ferma la fenêtre et le moteur de recherche comme on se verrouille chez soi pour se protéger d'une intrusion extérieure. Ce n'était pas réel, il l'avait imaginé ! Comment Internet aurait-il pu communiquer directement avec lui ? Peut-être devrait-il afficher de nouveau la page pour s'assurer qu'il s'était trompé ? C'était certainement...

Son téléphone sonna et il crut que son cœur allait s'arrêter de battre. N'aurait-il pas dû fermer la page ? « Jamie », lut-il sur l'appareil, et il poussa un soupir de soulagement.

– Salut ! Je te dérange ? Tu as une drôle de voix.

– Non, tout va bien.

– Tant mieux. Dis-moi, ça te dirait de venir faire un tour en vélo demain avec moi, histoire de prendre l'air ? Ça fait une éternité qu'on ne l'a pas fait, et ils annoncent du beau temps.

Nick dut réfléchir un instant pour trouver une excuse valable :

– C'est une super idée, mais je suis en train de bosser sur mon devoir de chimie. Il faut absolument que je rende quelque chose qui tienne la route. Je ne veux pas me planter.

– Ah bon ! s'exclama son ami, déçu. Tu sais quoi ? Je vais t'aider. Viens à la maison et nous chercherons ensemble des solutions sur Internet. Tu seras plus vite débarrassé.

Merde.

– On verra. Je crois que j'arrive mieux à me concentrer quand je suis seul.

Il n'était pas fier de lui. Sa réponse sentait le mensonge à plein nez. En plus, c'était carrément stupide. À l'autre bout de la ligne, Jamie observait un silence perplexe.

– T'es sérieux ? finit-il par demander. D'habitude, c'est pas ce que tu dis. On... Ah, d'accord, je comprends ! Pourquoi tu me l'as pas dit tout de suite, vieux ? s'écria soudain son ami. T'as un rencart et t'as peur que ton pote te charrie si tu l'avoues.

– N'importe quoi !

– Allez, y a pas de problème ! Amuse-toi bien, et tu me raconteras tout en détail lundi. Avant le week-end prochain, je déclarerai ma flamme à Darleen et, après, nous pourrons faire des virées à quatre.

– Darleen ? s'étonna Nick, plus intéressé qu'il n'aurait cru.

– Oui, la petite blonde craquante de l'orchestre du lycée. Un an de moins que moi. Elle joue de la clarinette, porte des mini-jupes en jeans. Darleen. Tu vois qui je veux dire ?

– Oui, plus ou moins. Écoute, il faut que je raccroche. Ma mère m'appelle.

Ce nouveau mensonge sortit spontanément de sa bouche car l'horloge de l'ordinateur indiquait à présent 8h55. Le jeu allait bientôt pouvoir redémarrer.

*

* *

La chambre est sommaire et éclairée par une minuscule fenêtre qui ne s'ouvre pas. Dès que Sarius fait un mouvement, le lit craque dangereusement, ce qui lui fait craindre qu'il ne s'effondre et que l'aubergiste ne lui fasse payer la note.

Son endurance et sa santé sont au top, comme il le constate avec satisfaction. La pause lui a fait du bien.

Ce n'est qu'en se dirigeant vers la porte qu'il constate qu'il n'est pas seul dans la pièce. Assis sur un petit tabouret, un gnome d'un blanc aussi douteux que les murs de la chambre l'observe, les bras serrés autour des genoux.

– Holà, Sarius. J'ai des nouvelles pour toi. Du Messager. Je suis en quelque sorte le messager du Messager.

Sarius dévisage son visiteur: la face ingrate au nez crochu dégouline d'amabilité. Pourtant ça ne lui dit rien qui vaille.

– Mon maître n'est pas satisfait de ta curiosité, commence le gnome. Je crois que tu saisis de quoi je veux parler. Bien sûr, il comprend que tu veuilles en savoir plus sur Erebos, mais il n'apprécie pas que tu cherches des renseignements dans son dos.

Il s'interrompt et gratte entre ses dents avec un ongle démesurément long. Il en extrait un truc vert, qu'il examine avec intérêt, avant de reprendre:

– En revanche, il est prêt à répondre à tes questions. Et figure-toi que lui aussi souhaite t'en poser.

Sarius regarde avec un léger dégoût son interlocuteur remettre le morceau vert dans sa bouche et le mâcher avec application.

– Quelles questions ?

– Oh, c'est tout bête. Par exemple: Nick Dunmore connaît-il quelqu'un du nom de Rashid Saleh ?

Sarius est surpris. À quoi ça rime, cet interrogatoire ? Enfin, si les questions du Messager sont aussi simples, il veut bien s'y prêter.

– Oui, Nick le connaît.

– Bien. Nick sait-il aussi ce que Rashid aime particulièrement ?

C'était facile.

– Il aime le skateboard, le hip hop et les romans de Stephen King.

Sans cesser de mâchonner, le gnome hoche la tête d'un air satisfait :

– Nick est bien informé. Sait-il aussi peut-être de quoi Rashid Saleh a peur ?

Non. Comment le saurait-il ? Pourtant, si ! Il y a un truc qu'il a remarqué : Rashid a peur du vide. Quand la classe a fait une excursion au London Eye, la grande roue au bord de la Tamise, Rashid est monté dedans, mais il était blanc comme un linge. Il a failli vomir, après.

– Il déteste les tours avec vue panoramique et les lieux en hauteur.

Le gnome lui adresse un sourire satisfait.

– Cela correspond aux informations qui nous ont été données. Je te remercie, Sarius. Mon maître sera disposé à te pardonner ta curiosité excessive. En échange, je vais te faire une révélation.

Il se penche vers lui avec un coup d'œil complice :

– Tu trouveras la liste des participants aux combats dans l'arène à la taverne d'Atropos. Ne manque pas de saluer la vieille de ma part.

Il saute au bas du tabouret, s'incline avec obséquiosité et s'en va. Sarius prend son casque et met le bouclier sur son dos. En gagnant la porte, il se rend compte que le gnome blanc n'a répondu à aucune question. Sarius n'en a pas posé une seule.

Malgré l'heure tardive, les rues de la ville sont très animées. Sarius reste dans les artères principales, préférant éviter les ruelles latérales qui lui rappellent les galeries du labyrinthe. Des torchères disposées à tous les coins de rue baignent les façades blanc crème d'une belle lumière dorée. Au détour des rues, l'elfe noir croise d'autres combattants. Il en reconnaît certains : Sapujapu, par exemple, et LaCor. Il aimerait bien savoir si Drizzel, Blackspell et Lelant sont déjà arrivés. C'est probable. Ils ne peuvent pas avoir mis autant de temps à trouver le fleuve rouge. À moins qu'ils n'aient été éliminés par une horde de scorpions géants ! L'idée lui plaît bien.

Dommage qu'il n'ait pas eu l'occasion de demander au gnome le chemin de la taverne d'Atropos, car il ne l'a pas encore repérée au fil de ses déambulations. Il lui faut demander de l'aide. Mais il doit se rendre à l'évidence : les torchères n'ont pas la même fonction que les feux de camp. Elles assurent juste l'éclairage sans pour autant permettre les échanges.

L'idée d'entrer dans un des magasins qui bordent les rues ne lui effleure l'esprit qu'au moment où il voit un nain ouvrant avec difficulté une lourde porte en bois. « Boucherie », proclame l'enseigne au-dessus.

Quelques instants plus tard, Sarius pénètre dans un bazar dont les rayons débordent d'un bric-à-brac de bon aloi. Son regard se pose sur un crâne de vampire sur les canines duquel sont embrochées des bobines de fil. Il est à la bonne adresse ! On doit aussi pouvoir en monter sur des piques de scorpions.

Du coin le plus sombre de l'échoppe surgit un homme à la barbe grise.

– Tu veux acheter ou vendre ? demande-t-il abruptement.

– Vendre, répond Sarius.

Il ouvre son inventaire et dépose sur le comptoir les deux pinces, les plaques dorsales et le dard. En repensant au cristal magique, il sent de nouveau la colère monter en lui. Dire qu'il pourrait en avoir un maintenant !

– Tiens, un scorpion découpé ! constate le marchand. Ça ne vaut pas grand-chose. Sauf peut-être le dard, s'il contient encore du venin.

À l'aide de sa loupe, il l'examine attentivement.

– Tu m'en donnes combien ? demande Sarius. Je suis intéressé par un cristal magique.

L'homme relève la tête :

– Les cristaux magiques ne s'achètent pas. Il faut que tu les trouves ou qu'on te les offre. Pour le dard, je paie 3 pièces d'or et pour le reste 2.

Ça ne doit pas être beaucoup. Après le combat contre les Sœurs des Eaux, Tyrania a récupéré 40 pièces d'or.

– C'est pas assez, réplique-t-il, obéissant à une inspiration subite. Je veux 10 pièces d'or, sinon je remporte mon matériel.

Le regard du barbu va des bouts d'insecte à Sarius :

– Pas plus de 6.

Ils transigent à 7 et l'elfe noir quitte le magasin avec la fierté d'avoir finement négocié. Son enthousiasme retombe aussitôt lorsque, dans une des vitrines suivantes, il voit un dard de scorpion affiché à 55 pièces d'or. En plus, dans l'ardeur de la discussion, il a oublié de demander le chemin de la taverne. Dans le magasin suivant – une cordonnerie qui propose des bottes antipoison, d'autres équipées de lames et des modèles qui lancent des éclairs –, on lui donne volontiers l'information.

Suivant les indications, il prend à gauche, au troisième croisement, et arrive devant une porte de guingois dont la peinture s'écaille. L'enseigne qui la surmonte représente des ciseaux ouverts avec, en dessous, l'inscription « À la dernière coupe ».

À l'intérieur, l'obscurité semble encore plus profonde que dans la rue, où la nuit est tombée. Les petites lanternes éclairent juste les tables sur lesquelles elles sont posées. Les visages restent dans la pénombre.

Sarius s'installe au comptoir, derrière lequel officie une très vieille femme, qui ne lui prête aucune attention. Avec son index tordu, elle suit les lignes dessinées dans le bois en marmonnant à voix basse.

– Je veux m'inscrire aux combats.

La vieille lève la tête brièvement, mais sans répondre.

– Où puis-je trouver la liste pour m'inscrire aux combats dans l'arène ? insiste-t-il. Vous êtes bien Atropos, n'est-ce pas ?

La mention de son nom semble réveiller la patronne :

– Oui, c'est moi. Tu trouveras la liste dans la cave.

Elle examine l'elfe noir des pieds à la tête :

– Tu veux vraiment participer à la compétition ?

– Oui.

– En étant seulement au niveau deux ? C'est pas très malin. Mais vas-y ! Ça ne me regarde pas.

Elle se désintéresse de Sarius et revient aux nervures du bois. Il prend l'escalier qui descend. Dans la cave, on y voit plus clair que dans le bar, car un feu brûle dans la cheminée. La liste est en évidence, placardée au mur et gardée par un soldat. Celui-ci apostrophe Sarius dès qu'il approche :

– Tu viens pour t'inscrire ?

– Oui.

– Comment t'appelles-tu ?

– Sarius.

Curieux, il examine la liste par-dessus l'épaule du soldat. Il connaît quelques-uns des noms qui figurent dessus : BloodWork, Xohoo, Keskorian, Sapujapu, Tyrania. Il ne voit pas Lelant, ni aucun de ceux qu'il a croisés dans le labyrinthe.

– Avec quelle arme comptes-tu te battre ?

– Une épée.

Le soldat le note dans un registre.

– Tu n'es qu'au niveau deux, à ce que je vois.

Sarius en a marre qu'on lui renvoie toujours son niveau à la figure :

– Oui. Et alors ? Ça ne fait pas longtemps que j'ai commencé. C'est pour ça que je veux participer aux batailles : pour rattraper mon retard.

Un bruit provient alors du fond de la cave voûtée et un homme élancé, à la longue chevelure noire, s'avance dans la lumière du foyer.

– Si tu es pressé de progresser, pourquoi ne pas te mesurer à moi ? Battons-nous en duel !

Un trouble étrange s'empare de lui à la vue de son challenger. Il y a quelque chose qui cloche. Il lui rappelle quelqu'un, mais qui ? Son sang se glace quand il comprend : le guerrier inconnu ressemble à Nick Dunmore dans dix ans. Les cheveux noirs et lisses, les yeux en amande, la fossette au menton. Le même visage trait pour trait, mais en plus mûr, et avec un soupçon de barbe. Il porte le nom de LordNick. Ça ne peut pas être un hasard.

– Alors, qu'est-ce qu'on fait ? Duel ou pas ?

– Si on a le droit, ici...

C'est trop bête qu'il ne connaisse pas le niveau de LordNick ! Que se passera-t-il s'il est niveau sept ou huit ? Mais peut-être n'est-il qu'au niveau trois ? Dans ce cas, Sarius pourrait avoir ses chances. Il repense au combat qu'il a mené contre le scorpion, à la façon dont il lui a réglé son sort, et il reprend confiance.

– Les duels sont autorisés dans les tavernes, explique le soldat, qui en oublie de garder la liste, émoustillé à la perspective d'une rixe. Cependant, c'est le plus faible qui doit provoquer le plus fort en duel. Dans votre cas, ça signifie que l'initiative revient à Sarius.

L'intéressé n'est pas sûr d'en avoir follement envie. Jusque-là, il n'a affronté que des monstres, jamais des guerriers. D'un autre côté, s'il veut entrer dans l'arène, ça ne peut pas faire de mal de se livrer à un petit entraînement préalable.

– Bien. Je provoque LordNick en duel.

– Bravo, petit ! lui lance son adversaire.

*C'est facile pour toi. Tu vois bien que je ne suis qu'au niveau deux.* Il recule de quelques pas, tandis que LordNick l'examine sous toutes les coutures :

– Quels sont les enjeux ? Ton casque de loup me plaît bien. En échange, je mets en jeu mon bouclier : il a 30 points de défense.

– Pas mon casque, jamais de la vie.

*Je ne te le donnerai pas pour tout l'or du monde, quand bien même tu me révélerais qui tu es et pourquoi tu me ressembles.*

– Alors quoi d'autre ?

Sarius fait le tour de ses richesses et propose :

– 4 pièces d'or.

– Quoi ? Aucun intérêt pour moi !

La haute silhouette si désagréablement familière pivote sur ses talons et regagne sa table dans le fond.

– Mais si, ça vaut tout de même le coup ! intervient le soldat. Tout combat gagné apporte son lot d'expérience et de force vitale. Il ne faut pas le sous-estimer.

LordNick, sur le point de se rasseoir, s'arrête dans son élan :

– Bon, d'accord. 4 pièces d'or.

Ils se mettent en position devant la cheminée. Sarius ne peut détourner le regard du visage de son adversaire, troublé par la détestable impression de se battre contre lui-même. Du coup, celui-ci fait mouche dès le premier engagement. Sarius réagit trop tard pour se protéger de son bouclier. Résultat : l'épée de LordNick l'atteint au flanc. Le sifflement strident se déclenche aussitôt dans sa tête.

Il n'a pas le temps de vérifier sa ceinture. Il espère qu'il possède encore assez de points de vie pour résister à une deuxième touche. Se jetant sur son ennemi, il lui assène un coup sur le casque et un sur la cuisse. Bien vu ! La ceinture de LordNick se teinte de noir.

Son triomphe est de courte durée. L'autre lui arrache son bouclier et lui plante son épée dans le ventre. Sarius s'effondre. Le bruit dans ses tympans devient intolérable.

– Arrêtez ! Sarius est gravement atteint. C'est à lui de décider s'il veut continuer le combat ou reconnaître sa défaite.

Il n'y a plus grand-chose à décider. Le blessé peut à peine se lever et sa tête est martyrisée par une espèce de scie. Il voudrait couper le son, mais il n'ose pas, de peur de manquer un signal de danger, un quelconque indice.

– J'abandonne.

LordNick se penche sur lui, un sourire de triomphe sur le visage :

– Alors, donne les 4 pièces d'or.

L'elfe noir ouvre son inventaire en prenant garde à ne pas faire de mouvement susceptible d'aggraver ses blessures. Il débourse la somme due. Désormais, il ne lui reste que 3 pièces. Il faut qu'il se dépêche de troquer les objets qu'il a arrachés au pilleur de tombes. À condition bien sûr d'avoir encore assez de force vitale pour le faire ! La dernière touche de rouge à sa ceinture est minuscule…

Il jette un regard sur le côté, vers les tables et les chaises noyées dans la pénombre, là où LordNick est retourné s'asseoir. Une silhouette se déploie brusquement. Sous la capuche qui masque le visage, Sarius reconnaît les célèbres yeux jaunes.

– Leçon numéro un, pontifie le Messager. Ne jamais provoquer un adversaire dont on ne sait rien. S'en tenir à ceux qu'on a déjà vus combattre.

Il s'agenouille à côté de Sarius et lui pose la main sur le front. Le bruit de scie devient plus faible.

– Leçon numéro deux : ne s'engager dans une bataille que lorsque le jeu en vaut la chandelle. 4 pièces d'or, c'est dérisoire. Ça ne vaut pas la peine. Et maintenant, mets-toi debout !

Ce disant, il tend à Sarius sa main osseuse, dont les doigts lui rappellent brusquement les pattes de scorpion. Il la saisit malgré tout.

– Nous devons parler. Suis-moi !

Le Messager le conduit dans une petite salle voisine éclairée par une unique bougie.

– Une fois de plus, tu as besoin d'être guéri, commence-t-il. Tu n'as certainement pas oublié les règles qui prévalent dans ce monde ? Tu sais que tu n'as qu'une vie, ici. Une seule. Il me semble que tu n'en prends guère soin.

Ne trouvant pas de réponse appropriée, le blessé se tait. Il n'est pas facile de contenter l'homme aux yeux jaunes.

Il critique autant ceux qui se ménagent que ceux qui jouent le tout pour le tout.

– Ne te méprends pas, j'apprécie ton courage, continue-t-il comme s'il lisait dans les pensées de Sarius. C'est pour ça que je suis ici. Pour t'aider.

Il pose sur la table un flacon plein d'un liquide jaune vif. L'elfe noir reconnaît la boisson qu'il a reçue à l'issue du combat contre les trolls.

– Je voudrais te donner cette potion. Tu sais que les combats dans l'arène ont lieu demain. C'est une occasion rare. Pour ceux qui veulent progresser, il est indispensable d'y participer.

– C'est mon intention, répond Sarius.

– Bien.

Le Messager se penche vers son interlocuteur comme pour lui faire part d'une information confidentielle qu'il souhaite tenir à l'abri des oreilles indiscrètes.

– La manifestation commence à midi. Les inscrits devront se présenter aux arènes à cette heure-là. Alors, fais attention de ne pas manquer le début, sinon tu ne seras pas autorisé à entrer en lice.

– C'est entendu, réplique le blessé en allongeant le bras pour attraper la fiole.

– Un moment.

Une lueur passe dans les yeux jaunes délavés. Le Messager intercepte la main de Sarius tandis que le sifflement lié à sa blessure redouble brutalement d'intensité.

– J'ai dit que je voulais te la *donner*. Je n'ai pas dit que tu devais la prendre.

Docile, Sarius retire sa main en attendant que l'inquiétant personnage veuille bien continuer.

– Je préférerais que tu te lances dans l'arène en étant au niveau trois, et non au deux.

– Niveau trois ? Ce serait génial !

– Alors, nous allons faire comme si nous en étions au troisième rituel. Je vais te confier une mission.

Le Messager semble perdu dans ses pensées, jouant avec le flacon de ses longs doigts osseux.

– Tu as certainement conservé le disque argenté qui t'a ouvert l'accès à Erebos.

Sarius ne comprend pas immédiatement où l'autre veut en venir. Puis il saisit :

– Oui, évidemment.

– Bon. Voici ta mission : tu vas recruter un nouveau guerrier pour nous, ou une nouvelle guerrière. Copie le CD et remets-le à celui ou celle que tu en estimeras digne. Mais veille à bien respecter les règles !

Un éclair rougeâtre passe dans les yeux jaunes.

– Garde-toi bien de trahir Erebos. Pas le moindre détail ne doit être divulgué. Explique au novice que tu lui fais un beau cadeau. Car c'est le cas : tu lui offres un monde. Assure-toi de son silence. Précise-lui qu'il ne doit montrer son présent à âme qui vive et dis-le-lui de façon qu'il obéisse. Fais-lui comprendre qu'il ne doit pénétrer dans Erebos que seul et sans témoin. Exactement comme toi. Et fais en sorte qu'il se présente bientôt ici. Lui ou elle. Tant que le nouveau guerrier ne sera pas arrivé, tu ne pourras pas revenir non plus. Et tu ne veux pas rater le début des jeux, n'est-ce pas ?

Sarius encaisse le coup.

– Mais on est au milieu de la nuit et demain c'est dimanche ! Comment suis-je censé trouver aussi vite...

– Ce n'est pas mon affaire. Tu es un soldat intelligent et tu es motivé pour parvenir au niveau trois. Si ta recherche dure trop longtemps, eh bien, tant pis pour toi ! Les épreuves se dérouleront sans toi.

Sarius est effondré. Comment va-t-il pouvoir s'en tirer dans les délais ? Il est hors de question de rater les combats. S'il passe au niveau trois et qu'il se débrouille bien dans l'arène, il pourrait même accéder au niveau quatre demain !

– As-tu quelqu'un en tête ? s'enquiert le Messager.

– Oui, j'ai une idée.

– Qui est-ce ?

– Un copain à moi. Jamie Cox. Je crois qu'il n'est pas encore ici.

– Ah, Jamie Cox. Bien. Et sinon, qui d'autre ?

*Emily*, songe Sarius. *J'adorerais partager un secret avec Emily.*

– Il y a aussi une fille à qui je pourrais poser la question, dit-il.

– Comment s'appelle-t-elle ?

Il ne veut pas prononcer son nom. Il n'a pas envie, tout simplement.

– Ce n'est pas Emily Carver, par hasard ? demande le Messager incidemment.

Sarius le regarde sans comprendre.

– Si c'est bien d'elle qu'il s'agit, je te souhaite davantage de succès que les autres. Trois s'y sont cassé les dents !

Le bruit insupportable dans sa tête, l'omniscience inexplicable du Messager, l'urgence brutale... Sarius est incapable d'avoir les idées claires. Il se promet d'y réfléchir plus tard et tente pour l'instant de se concentrer sur l'essentiel, l'accomplissement de la mission pour le troisième rituel.

Jamie, Emily... Qui y aurait-il encore ? Ça fait belle lurette que Dan et Alex sont contaminés. Brynne aussi, Colin, Rashid, Jerome.

Ce serait sans doute auprès des filles qu'il aurait le plus de chances. Il pourrait demander à Michelle, éventuellement à Aïsha ou Karen. Après, il faudrait s'adresser aux classes en dessous de la leur...

– Adrian McVay pourrait être une possibilité, déclare-t-il. Je ne crois pas qu'il soit déjà ici et Erebos lui plairait sûrement.

L'homme aux yeux jaunes secoue la tête de façon à peine perceptible.

– Lui non plus ne sera pas facile à convaincre.

Un silence s'installe, tandis que le Messager observe Sarius. Il tourne et retourne la fiole entre ses doigts noueux.

Le jaune de ses yeux, celui plus vif de la boisson et la flamme de la bougie sont les seules taches de lumière de la pièce.

– Je voudrais bien tenter le coup avec Adrian, néanmoins. Je pense qu'il est curieux de connaître le jeu.

– Alors essaie ! Donc, nous avons dit : Jamie Cox, Emily Carver et Adrian McVay. Si tu penses à quelqu'un d'autre, préviens-moi.

Il pose le flacon devant Sarius, attend que celui-ci ait avalé le contenu, puis il quitte la salle.

À peine Sarius a-t-il constaté que sa ceinture avait retrouvé sa belle teinte rouge que la porte se referme et que l'obscurité reprend ses droits.

# Chapitre 10

En jetant un coup d'œil à l'horloge de son ordinateur, Nick se rendit compte qu'il était 0 h 43. C'était bien trop tard pour appeler Jamie. Son copain avait son propre PC, c'était déjà une bonne chose. Il ne l'utilisait pas très souvent, mais Nick se chargerait de lui faire comprendre qu'il ne pouvait pas passer à côté d'Erebos.

Bien qu'elle soit absurde, l'idée de se lancer maintenant dans son devoir de chimie lui effleura l'esprit. Les combats dans l'arène risquaient de durer longtemps et il serait plus tranquille en sachant qu'il s'était avancé. Mais la priorité était d'abord de copier le jeu. La priorité absolue. Il fouilla fébrilement dans ses tiroirs. Il avait encore des DVD vierges, il en était sûr. Mais où ?

Il finit par en retrouver un, caché sous une pile de papiers et de livres. Il fallait juste espérer que le poids ne l'avait pas rendu inutilisable.

L'opération dura plus longtemps qu'il ne l'avait supposé. La barre de copie progressait à une vitesse d'escargot. Nick gardait les yeux rivés dessus comme s'il pouvait ainsi accélérer le processus. Mais pourquoi faire vite ? Il devait de toute façon attendre jusqu'à demain. Il fallait qu'il dorme, mais il savait qu'il ne fermerait pas l'œil. Trop de questions se bousculaient sous son crâne.

La question numéro un, celle qui l'obsédait, était de savoir qui avait donné son apparence à son personnage. Pourquoi faire ça ? Il se rappelait précisément les circonstances dans lesquelles il avait créé Sarius. Pas un instant, il n'avait eu l'intention de le faire ressembler à quelqu'un, et certainement pas à une personne de son entourage.

*C'est forcément quelqu'un qui me connaît. Et que je connais.* L'idée était excitante et désagréable à la fois. Était-ce un ami ? Colin peut-être ? Fallait-il le chercher derrière LordNick finalement, plutôt que derrière Lelant ?

D'après la barre bleue indiquant la progression, le système n'avait pas encore copié la moitié du programme. Cette lenteur était désespérante. Et Nick se sentait l'esprit tout aussi ramolli.

Tous les joueurs qui le connaissaient croiraient qu'il était LordNick. Ils seraient persuadés d'avoir identifié au moins l'un de leurs alliés. Ou l'un de leurs adversaires, c'était selon. Personne ne poserait l'équation Sarius = Nick. Il ne savait pas s'il devait s'en réjouir ou si cela le dérangeait.

Pendant ce temps, l'ordinateur n'en finissait pas de copier.

Quel nom Jamie allait-il se choisir ? Et quelle race ? Spontanément, Nick opta pour les nains, mais il se le reprocha aussitôt. Jamie n'était pas petit, il était de taille moyenne. Il était d'ailleurs plus déterminant de savoir comment Jamie *voulait* être. Sombre et mystérieux comme un vampire ? Élégant comme un elfe noir ? Massif et menaçant comme un barbare ?

Pourtant, aucune de ces catégories ne lui convenait vraiment. Il était tout simplement lui-même. Un point c'est tout. Mais Nick se faisait fort de reconnaître son copain sous quelque déguisement que ce soit, même s'il se cachait sous les traits de Cunégonde, la femme-lézard. Est-ce qu'il ne devrait quand même pas essayer de l'appeler ? Jamie comprendrait, et l'appel sur le mobile ne réveillerait personne d'autre.

Il fallait l'espérer.

Il pourrait lui envoyer un SMS ? Mais qu'écrirait-il ?

« Je dois te voir de toute urgence. Le mieux serait maintenant, sinon demain matin à 7 heures. » Non, c'était impossible. Nick savait que Jamie aimait faire la grasse matinée, le dimanche.

Il ne se levait sûrement pas avant neuf heures. Neuf heures ! C'était beaucoup trop tard. En plus, rien ne garantissait que Jamie se mettrait tout de suite à jouer.

Enfin, le système eut fini de copier. Nick sortit le DVD de l'appareil, inscrivit « Erebos » sur la face gravée et le remit délicatement dans son boîtier.

*Allez, au lit !* se dit-il. Mais ses pensées tournaient en rond, inlassablement, qu'il se lave les dents, qu'il aille aux toilettes ou se pelotonne sous sa couette.

Que se passerait-il s'il n'arrivait pas à temps ? Il raterait les jeux d'arène. Et alors, où était le problème ?

Mais il avait beau faire, ça ne lui était pas égal. Enfin, il avait l'opportunité de progresser. Le Messager était de son côté, Nick le sentait. Il lui avait déjà donné de bons conseils et, en l'occurrence, il avait raison : il était plus astucieux de n'affronter que des adversaires qu'il avait déjà vus en action. LordNick n'en faisait pas partie. Quant à BloodWork, c'était le contraire : il ne l'avait que trop vu. En revanche, si Lelant lui tombait entre les mains, il se ferait un plaisir de lui administrer une correction. Même chose pour Feniel.

Nick se retournait dans son lit. Demain, à la première heure, il foncerait chez Jamie et le tirerait de son lit à neuf heures tapantes. Ainsi, il ne perdrait pas une minute et Jamie pourrait s'y mettre immédiatement. Parfait ! Nick savait que son copain serait emballé par le jeu.

*

* *

– Ça va pas, la tête ! Qu'est-ce que tu fais là ?

Par la porte entrebâillée, deux yeux embrumés le regardaient. Jamie portait un drôle de peignoir rayé et des chaussettes dépareillées. Il avait dû enfiler le premier truc venu pour aller ouvrir.

– Entre, puisque tu es là. Mais ne fais pas de bruit : mes parents dorment encore.

Nick ressentait bien un soupçon de mauvaise conscience, mais celui-ci ne pesait pas lourd face à son excitation. Jusque-là, il s'était débrouillé comme un chef. Au lieu de carillonner à la porte d'entrée, il avait réveillé Jamie avec son téléphone portable, évitant ainsi d'arracher brutalement Mr et Mrs Cox à leur sommeil. Raison de plus pour redoubler encore de discrétion afin de ne pas compromettre le succès de sa mission. Il ôta ses chaussures et suivit Jamie à la cuisine, où persistait une délicate odeur de rôti. Sur la cuisinière, une poêle témoignait des efforts que quelqu'un avait déployés en vain pour gratter des restes de viande.

Jamie alla se chercher de l'eau et s'assit à la table, en face de Nick. À en juger par son regard vague, il n'était pas encore complètement présent.

– Quelle heure est-il au juste ? murmura-t-il.

– Près de huit heures.

– Tu es totalement givré ! conclut-il, effondré, avant de vider son verre d'un trait. Si je me souviens bien, poursuivit-il, je t'ai proposé hier qu'on se voie, mais tu as décidé que c'était impossible, que tu n'avais pas le temps. C'est ton droit. Mais alors comment… comment se fait-il que tu te présentes chez moi, au petit matin ?

Nick s'efforçait d'afficher un air plein de mystère et de promesse, dans l'espoir que cela calmerait la colère de son ami.

– J'ai quelque chose pour toi, annonça-il en sortant le DVD de la poche de sa veste. Mais, avant que je te le donne, il faut que nous nous mettions d'accord sur un certain nombre de points.

– Qu'est-ce que tu racontes ?

Jamie se frotta les yeux et tendit la main pour attraper le boîtier.

Nick le lui retira d'un geste éclair :

– Attends deux secondes. Il faut d'abord que je te dise certaines choses.

– Eh ! À quoi ça rime, ce cirque ? répliqua Jamie en fronçant les sourcils. Tu te moques de moi ? D'abord tu me réveilles parce que tu as un truc super important à me dire, ensuite tu joues au chat et à la souris ?

Nick se rendait compte que la discussion était mal engagée. Aussi, c'était bien sa veine : on lui demandait de recruter pendant le week-end ! Tout aurait été beaucoup plus simple, un jour de classe.

– O.K. Je recommence depuis le début. Je veux te donner quelque chose qui est vraiment fantastique, au sens propre du terme. Tu vas adorer, mais tu dois d'abord m'écouter quelques instants.

Le visage de son ami n'exprimait pas une ombre de curiosité ni d'enthousiasme.

– C'est ce CD qui circule depuis des semaines, non ? Cette version piratée ?

– Euh, oui... Plus ou moins...

– Qu'est-ce qui te dit que ça va m'intéresser ?

– C'est pas possible autrement, crois-moi. C'est génial ! Au début, je ne l'aurais pas pensé, mais c'est tout simplement incroyable.

Il se surprenait à employer presque les mêmes mots que Brynne. Ce qui le refroidit.

– Ah bon, bâilla Jamie. Et c'est quoi exactement ?

– Je ne peux pas te le dire.

– Pourquoi pas ?

– Parce que ce n'est pas possible !

Nick cherchait désespérément les bons termes, ceux qui ne trahiraient pas trop de choses, mais qui piqueraient au vif la curiosité de Jamie.

– Ça fait partie du truc. Je ne dois rien te révéler et tu ne dois rien dire à personne. Je te donne le... le DVD, mais seulement à la condition que tu ne le montres à personne.

Avant même d'avoir terminé sa phrase, il comprit que cette conversation tournerait au fiasco. Il suffisait de voir les sourcils de son ami se froncer de plus en plus pour s'en convaincre.

– Tu ne dois rien révéler ? Qui a dit ça ?

Nick secoua la tête pour chasser la vision des yeux jaunes. C'était dingue ! Même en transgressant les règles, il ne parvenait pas à faire comprendre les choses. Il était incapable d'*expliquer* ce qui rendait Erebos aussi unique. Il fallait que Jamie s'en convainque par lui-même.

Il dut s'avouer qu'il n'osait pas passer outre les consignes du Messager. Celui-ci ne manquerait pas de le lui reprocher. N'avait-il pas deviné qu'il avait pensé à Emily Carver ?

– Peu importe qui le dit. Je ne peux rien te révéler ; ça fait partie des règles.

– Quelles règles ? Écoute, Nick, je commence à trouver ça pénible. Je crois que tu me connais assez. Tu sais que je suis curieux, et que j'aimerais vraiment savoir ce qui se cache dans ce mystérieux DVD. Mais tout ce cinéma autour me paraît absurde. Soit tu me le donnes sans faire de chichis, soit tu le gardes. S'il y a des conditions, ça ne m'intéresse pas !

– Euh, oui... mais...

Nick cherchait ses mots. Le recruter, lui, avait été un jeu d'enfant. Il n'avait pas fallu plus de trois minutes à Brynne pour l'appâter. Il reprit :

– Mais les autres les respectent aussi, ces conditions, et personne n'en est mort.

– Au secours, Nick ! s'exclama Jamie en se levant pour aller remplir son verre. Je ne te reconnais pas ! Tu n'es pas comme ça d'habitude, tu t'en rends compte ? Les *autres* ! En temps normal, tu t'en moques complètement.

Il se rassit, les yeux désormais bien ouverts.

– Tu sais quoi ? Passe-moi ce boîtier. Maintenant, j'ai vraiment envie de savoir ce qu'il en est.

– Tu respecteras les règles ? Tu n'en parleras à personne ? Tu ne le montreras à personne ?

Amusé, Jamie haussa les épaules :

– Peut-être. Ça dépend.

– Dans ce cas, je ne peux pas te le remettre.

– Tant pis ! Garde-le ! Je vais enfin pouvoir aller me recoucher.

– Tu es un crétin, tu sais ça ?

Les mots avaient échappé à Nick. Il était submergé par la déception en voyant échouer son joli montage, face à l'obstination de Jamie. C'était à devenir dingue : pourquoi ne voulait-il pas au moins essayer ? Pourquoi le laissait-il tomber ? La question la plus préoccupante était de savoir comment Nick allait pouvoir se débrouiller maintenant pour tout régler dans les temps.

Le mot « crétin » avait eu un effet radical sur Jamie. Son visage s'était fermé.

– Tu sais quoi ? lança-t-il. Je crois que Mr Watson a raison. Il pense que quelque chose de dangereux circule dans le lycée. Et tu viens de m'en convaincre aussi. J'aurais sans doute mieux fait de te prendre ton DVD. Au moins, je serais fixé !

« Quelle bêtise ! » faillit s'écrier Nick, mais il se mordit la langue. Il était furieux, et l'arrogance de son ami l'exaspérait. « Quelque chose de dangereux ». N'importe quoi !

– Ce qui est intéressant, poursuivit Jamie, c'est que les gens respectent manifestement toutes ces règles, comme tu les appelles. Personne ne dit rien. Mais peu à peu quelques informations filtrent, d'après Mr Watson. Il a entendu dire que c'était un jeu qui s'appelait Erebos.

– Tiens donc, tu en sais des choses, riposta Nick avec une agressivité mal contrôlée. Et si je t'affirme que ce sont des conneries ?

– Eh bien, ça te regarde. Peu importe, je ne veux pas entrer dans cette combine, c'est décidé. Je ne suis d'ailleurs pas le seul à faire ces constats.

Un sourire malicieux éclaira brusquement son visage :

– Allez, vieux frère, laisse tomber ce truc ! C'est une mode qui passera comme les autres. Mais j'ai l'impression que les gens qui mettent le petit doigt dans l'engrenage se font très vite prendre jusqu'au cou.

– Merci pour l'avertissement, tonton Jamie, ironisa Nick, satisfait de voir le sourire agaçant disparaître. Le petit Nick sait très bien ce qu'il fait. Ne crains rien. Si tu voyais à quel point tu es ridicule !

Il se leva et se dirigea vers le vestibule, mais sans précaution particulière, cette fois. Qu'allait-il faire ? Le plan B prévoyait d'appeler Emily. À cette idée, son cœur s'affolait. Ne devrait-il pas plutôt commencer par Adrian ? Mais il n'avait pas son numéro. Quelle poisse ! Pourquoi n'y avait-il pas pensé hier ?

– Quand tu en auras assez de ces conneries, tu pourras me rappeler ! dit Jamie avant de claquer la porte.

Plus jamais, Nick ne lui adresserait la parole. Quel sinistre imbécile ! Il ne savait pas ce qu'il ratait et, en plus, il se croyait supérieur en refusant le cadeau au lieu de remercier son copain.

Il allait devoir l'offrir à quelqu'un d'autre. Il tripotait nerveusement son portable dans la poche de sa veste.

Il dirait : « Salut, Emily. » Ou, plus cool : « Hi, Emily. C'est Nick à l'appareil. Est-ce que je pourrais te parler deux minutes ? Je peux passer chez toi en vitesse ? »

Rien que d'y penser, il en avait les paumes moites. Il était au courant qu'Emily avait déjà dit non à trois autres personnes. Il avait même été témoin de la tentative de Rashid. *Mais moi, je vais m'y prendre autrement.* Soudain, il sut ce qu'il allait lui dire : c'était évident, et ça n'allait pas à l'encontre des règles.

– Allô ?

La voix d'Emily était grave – ni endormie ni enrouée. Nick avait oublié l'heure matinale. Merde et merde. Son premier réflexe fut de raccrocher, mais il aurait eu l'air encore plus bête.

– Hé, Emily, articula-t-il en s'éclaircissant la voix. Excuse-moi de te déranger si tôt. Il faudrait que je te parle un instant.

– Maintenant ?

À en juger par l'intonation, ce n'était pas l'enthousiasme débordant.

– Ben... Disons que ce serait bien.

– De quoi s'agit-il ?

Nick s'apprêtait à bredouiller son explication, qu'il avait prévu de conclure en apothéose par ces mots : « Je veux t'offrir un monde. » Mais Emily ne lui en laissa pas le temps :

– Ah oui, je sais. Tu veux me parler de ces CD envahissants, c'est ça ? J'en suis déjà au troisième type qui essaie de m'en fourguer un. Et ils font tout un mystère autour de ça, c'est pas croyable !

Le discours laborieusement élaboré par Nick s'effondra en une fraction de seconde. Maintenant, il ne savait vraiment plus que dire.

– Nick, tu es encore là ?

– Oui. Euh... pourquoi tu as refusé à chaque fois ?

– Pour la même raison que toi, je présume. Je n'aime pas le cirque qu'ils font autour. Et puis, ce sont toujours des mecs nazes qui me le proposent. Ça ne me branche pas d'accepter un cadeau de leur part.

Nick ferma les yeux. Il s'en était fallu de peu qu'il ne vienne allonger la liste des mecs nazes !

– Alors, poursuivit Emily, tu as appris du nouveau ?

– Rien. Désolé. J'avais tout à fait autre chose à te demander...

– Ah bon. Quoi donc ?

Dans le cerveau de Nick, c'était le vide sidéral. Désespéré, il attrapa au vol la première idée venue.

– C'est... euh... au sujet d'Adrian. Adrian McVay. Aurais-tu son numéro de téléphone, par hasard ?

Le silence au bout du fil ressemblait à de la stupeur. Nick s'en voulut de sa bêtise.

– Tu veux dire le blond maigrichon qui a toujours l'air d'avoir peur de son ombre ? Celui dont le père s'est donné la mort ?

Cette remarque laissa Nick sans voix. « Donné la mort »... Drôle de façon de s'exprimer ! Ce n'était pas le genre d'Emily.

– Oui, son père s'est suicidé.

– Je ne connais pas vraiment Adrian. Juste de vue. Comment as-tu pu croire que j'avais son numéro ?

Oui, comment... C'était une bonne question... Nick posa son front contre le mur le plus proche, résistant à l'envie de se cogner la tête de toutes ses forces.

– Juste comme ça. Je pensais que vous vous connaissiez. Je me suis trompé, désolé.

Dans un instant, il pourrait raccrocher. Ce serait un soulagement... et un échec total. Il lança une dernière tentative pour sauver les meubles :

– Et sinon, comment tu vas ? Tu as terminé ton devoir de chimie ?

Silence à l'autre bout de la ligne. Emily n'était pas dupe. Elle avait forcément perçu l'embarras que trahissait ce soudain changement de sujet :

– Crache le morceau, Nick ! Où tu veux en venir ? Qu'est-ce que tu veux vraiment ?

*T'offrir Erebos. Ou au moins entendre le son de ta voix.*

– Je te l'ai dit, le numéro d'Adrian, répondit-il en se reprochant son ton brusque. Désolé, je croyais que tu lui avais donné des cours particuliers. J'ai dû me tromper.

– Oui.

Emily semblait l'avoir cru. Ouf ! Maintenant, il entendait des bruits de fond chez elle, comme si elle couvrait de la main le micro de son portable. Elle reprit :

– Nick, il faut que je te laisse. Mon père vient me chercher dans une demi-heure et, avant ça, il faut encore que je donne un coup de main à ma mère.

– Oh, bien sûr. Je te souhaite un bon dimanche.

Il n'avait pas avancé d'un pouce. Il était censé se présenter dans l'arène à midi et il était déjà presque neuf heures. Adrian ! Il fallait absolument joindre Adrian.

Il ouvrit le répertoire de son portable et passa en revue tous les noms, dans l'espoir de trouver un lien entre Adrian et l'un de ses copains.

Il s'arrêta sur Henry Scott : il faisait aussi du basket et il était dans la classe d'Adrian. Gagné !

Au bout de deux sonneries, Henry décrocha.

– Salut. Dis-moi, tu pourrais me donner le numéro de téléphone d'Adrian McVay ?

– Bien sûr. Attends une minute.

Henry dicta à Nick un numéro de téléphone fixe. Ce n'était pas idéal, mais ça ferait l'affaire.

– Qu'est-ce que tu lui veux à Adrian ?

Difficile d'envoyer balader quelqu'un qui venait de se montrer si serviable !

– Ben, j'ai quelque chose à lui donner.

L'attention de son interlocuteur devint immédiatement palpable :

– C'est quelque chose que tu pourrais me donner à moi aussi ?

Nick réprima un sourire.

– Euh oui, en théorie...

– Est-ce que c'est carré à l'extérieur, et rond et argenté à l'intérieur ?

– Oui, c'est ça, répondit-il en riant franchement.

– Dans ce cas, il vaut mieux que tu me le remettes à moi. Adrian a déjà dit non une fois. Tu perds ton temps.

Ainsi, le Messager avait encore eu raison. Comment se faisait-il que tous les candidats qu'il avait pressentis refusent d'entendre parler d'Erebos ? Pourquoi ce rejet, alors qu'ils ne connaissaient même pas le jeu ?

– Très bien, puisque tu le dis. C'est à toi que je vais le donner. Tu habites où ?

– Gillingham Road. Mais nous pouvons nous retrouver à mi-chemin si tu veux ! proposa Henry avec un empressement non dissimulé.

– D'accord. Rendez-vous à la station Golders Green. Elle ne doit pas être loin, non ?

Une demi-heure plus tard, la copie gravée avait changé de mains. Henry avait accepté toutes les conditions : discrétion absolue et silence total. Zéro question, zéro doute, juste un consentement aveugle. Il possédait un notebook personnel et brûlait d'envie de se lancer. Nick avait confusément l'impression que le garçon savait un peu de quoi il s'agissait, cependant il ne posa pas de questions. À vrai dire, ça lui était égal. L'essentiel était qu'il ait recruté un novice. Ce dernier se régalerait avec le jeu et, chaque fois que Nick croiserait un niveau un, il se demanderait si c'était *le sien*.

# CHAPITRE 11

– As-tu fait ce que je t'avais demandé ?

Il est onze heures tapantes quand Sarius se retrouve dans l'arrière-boutique de la taverne d'Atropos. Le Messager, toujours assis à une table, gratte des taches de cire du bout des ongles.

– Oui, mission accomplie, répond Sarius. Mais je n'ai donné Erebos à aucune des trois personnes que j'avais citées hier. Je l'ai remis à quelqu'un d'autre.

Les longs doigts osseux s'arrêtent de frotter. Sarius croit distinguer une lueur de réprobation dans les yeux jaunes.

– À qui ?

– Il s'appelle Henry Scott, il a quatorze ans et il est dans mon établissement.

– Dis-m'en plus sur lui.

Plus ? Il ne sait rien de plus. Seulement quelques détails.

– Il a les cheveux blonds. Il est assez grand pour son âge. Il fait du basket. Il habite Gillingham Road. Il était très curieux de découvrir Erebos. Je crois qu'il savait déjà un peu de quoi il s'agissait.

Le Messager ne répond pas tout de suite. Il forme de petits tas avec la cire.

– C'est bon. Considérons que tu as accompli ta mission. Cependant, dis-moi pourquoi tu ne m'as pas amené un des trois autres ? Jamie Cox ? Emily Carver ? Adrian McVay ?

Pourquoi le Messager le retient-il encore ? Sarius doit trouver l'arène. Et s'il tombe sur un labyrinthe ou des trolls pour le retarder ! Tout est possible. Il espère récupérer un nouvel équipement, comme lorsqu'il est passé au niveau deux. Il en aurait bien besoin, juste avant les combats.

– Jamie et Emily ne voulaient pas, explique Sarius. Je ne l'ai pas proposé à Adrian parce que j'avais déjà réglé l'affaire avec Henry.

Un éclair de braise traverse les yeux du Messager.

– Et pourquoi Jamie Cox a-t-il refusé ?

Quelle importance ? La seule chose qui intéresse Sarius, c'est de pouvoir enfin continuer. Il veut voir la liste définitive des guerriers inscrits pour déterminer ceux contre lesquels il a une chance. Il n'a aucune envie de parler de Jamie.

– Il n'apprécie pas le secret qui entoure cette histoire.

– A-t-il dit autre chose ? insiste le Messager.

Nom d'un chien, voulait-il aussi qu'il prenne des notes pendant la conversation ?

– Oui, qu'il trouvait ces cachotteries stupides, que je me comportais comme un crétin et que certains de nos profs pensaient qu'un truc dangereux circulait dans le bahut.

La curiosité du Messager est piquée au vif. Il se penche vers lui avec attention, le menton sur les mains :

– Quels professeurs ?

Sarius hésite. Pourquoi le Messager se préoccupe-t-il de ça ? La question lui brûle la langue. D'un autre côté, il ne tient pas à ce que la conversation s'éternise. D'ailleurs, il peut bien le lui dire. Mr Watson ne va certainement pas jouer à Erebos. Si l'accès lui est interdit, ça ne l'empêchera pas de dormir.

– À vrai dire, il n'y en a qu'un. Il s'appelle Watson, c'est notre prof d'anglais.

L'homme aux yeux jaunes prend acte de l'information, avec un hochement de tête.

– Et pour Emily Carver, quelle était la raison ?

À l'évocation de cette conversation, Sarius ressent un pincement au cœur.

– Elle a déjà refusé plusieurs fois et… elle a dit qu'elle ne voulait pas qu'on lui offre de cadeau.

– … pas de cadeau, répète le Messager, pensif.

Sarius aimerait bien demander si l'interrogatoire est terminé. Il serait temps ! Il faut qu'il se dépêche, et le visage du Messager lui paraît plus inquiétant que d'habitude. Il veut partir.

– Bon. Espérons que Henry Scott ne se fera pas attendre trop longtemps. Espérons que tu nous as apporté là un novice acceptable.

Le Messager se lève sans quitter Sarius des yeux :

– C'est ton premier combat contre tes pairs, n'est-ce pas ?

– Oui, acquiesce Sarius, à l'affût d'un bon tuyau.

– Je suis curieux de voir comment tu vas te battre. Comment tu vas choisir tes adversaires. Tu y verras quelques-uns des meilleurs guerriers et les cinq membres du Cercle Intérieur.

C'est le moment de poser sa question :

– C'est quoi, le Cercle Intérieur ?

L'homme esquisse un sourire qui lui glace le sang, comme chaque fois.

– Le Cercle Intérieur, ce sont les meilleurs d'entre les meilleurs. Ces soldats accompliront seuls l'ultime quête, la plus importante. S'ils réussissent, ils seront largement récompensés.

Sarius s'abstient de demander comment entrer dans le Cercle Intérieur ; il le sait déjà. Il faut être plus malin et plus fort que les autres. Remporter des victoires, trouver des cristaux magiques. Il est encore loin du but, il en est conscient.

La porte du bar s'ouvre, laissant pénétrer un rayon de lumière dans lequel dansent des grains de poussière.

Sarius se tourne vers le Messager :

– Je vais recevoir un nouvel équipement ?

– Tu l'aurais eu si tu avais recruté Jamie Cox, répond le Messager sans cesser de sourire. Bonne chance pour le combat ! Je suis curieux de te voir à l'action – mais peut-être l'ai-je déjà dit ?

Devant la taverne, la foule se presse, plus nombreuse que la veille au soir. Sarius suit un groupe de barbares lourdement armés qui se dirigent sans doute vers l'arène. En quelques minutes, deux hommes-lézards, trois vampires, trois elfes noirs et un nain se joignent à eux. Le nain est une vieille connaissance : Sapujapu. Il est maintenant muni d'une hallebarde gigantesque et d'un bouclier derrière lequel il disparaît entièrement. Sarius n'identifie pas son niveau : il doit donc être supérieur à trois. En revanche, l'un des vampires est au niveau deux, et l'un des elfes est même au niveau un. Sarius sourit intérieurement.

– Hé, Sarius ! l'apostrophe Sapujapu.

– Salut, répond-il, interloqué. J'ignorais qu'ici nous n'avions pas besoin de feu de camp pour discuter.

Le nain change sa hallebarde de côté.

– Les règles en vigueur dans les villes sont différentes de celles qui s'appliquent en rase campagne. Tu vas aux arènes, toi aussi ?

Pour Sarius, c'est inespéré que Sapujapu soit d'humeur aussi loquace. Il entend bien en profiter.

– Oui. C'est la bonne route ?

– Tout à fait. J'y suis allé hier soir pour reconnaître les lieux. C'est immense, tu vas voir. Impressionnant !

– C'est ton premier tournoi ? demande Sarius.

– Tu plaisantes ! Bien sûr que non ! J'ai déjà combattu à deux reprises dans l'arène au Tombeau du roi. Pas toi ?

Mieux vaut ne pas raconter de mensonge s'il veut en apprendre davantage.

– Non, c'est la première fois pour moi. Je suis curieux de voir comment ça se présente.

Ils sont dépassés par Xohoo, puis par Nurax, qui se lèche ostensiblement les babines. Salutation ou menace ? Tiens donc ! Eux aussi sont arrivés jusqu'ici.

– Comment ça se présente ? C'est simple : tu peux soit défier un guerrier, soit relever le défi qu'un guerrier te lance. Après, il y a un duel. Autour de toi, c'est la folie. Ça hurle et ça vocifère dans tous les sens, ça applaudit, ça tape des pieds...

À ce moment, BloodWork les rattrape à grandes enjambées et bouscule au passage Sapujapu, qui en perd le fil de son récit. Médusés, tous deux regardent s'éloigner le grand barbare qui porte sur le dos une énorme épée, sur laquelle virevolte sa tresse noire.

Où en étaient-ils restés ? Sarius doit se hâter d'extorquer les informations essentielles au nain.

– Qu'est-ce qu'on gagne ? Et comment ?

– On se met d'accord au début. Tu décides avec ton adversaire : mon épée contre ton bouclier, par exemple, ou mon cristal magique contre un ou deux de tes niveaux. Tu vois ? Mais, cette fois-ci, je ne le sens pas. Ma hallebarde n'est pas terrible et je dois la tenir à deux mains, ce qui m'empêche d'utiliser mon bouclier en même temps.

De fait, l'arme de Sapujapu a l'air terriblement lourde et son manche immense semble très peu maniable. En revanche, l'acier poli de sa lame aiguisée brille dangereusement.

– Oui, mais quand tu touches, je suis sûr que tu fais un massacre.

– Oui, *si* je touche.

Après un dernier tournant, Sarius découvre l'arène au bout d'une longue allée. Elle est blanche, circulaire et ceinte de hautes arcades, comme le Colisée à Rome. Sa vue inspire le respect… à moins que ce ne soit l'effet euphorisant de la petite musique qui l'enveloppe de nouveau. Curieusement, il ne remarque jamais à quel moment elle égrène ses premières notes. Il constate soudain qu'elle est revenue et qu'elle l'accompagne tel un sortilège agissant pour le fortifier. Ou qu'elle l'appelle, comme maintenant. Elle lui explique tout, sans un mot. Et l'évidence s'impose à lui : l'arène est son destin, pour le meilleur et pour le pire.

Un immense panneau de cuivre à l'entrée annonce tous les guerriers en lice. Sarius figure entre un certain Nodhaggr et une vieille connaissance, Tyrania, sa compagne d'armes dans la lutte contre les ondines géantes. Tandis qu'un gnome à peau verte vérifie s'il est inscrit, Sarius survole la liste à la recherche d'autres noms familiers. Il repère rapidement Keskorian, Nurax, Sapujapu et Xohoo. Samira et LordNick sont là également, ainsi que les guerriers du labyrinthe : Fille d'Arwen, Blackspell, Drizzel, Feniel et Lelant. C'est très contrariant : ils ont bel et bien trouvé le chemin de la Ville Blanche, au lieu de terminer dans le ventre d'un scorpion.

– Sarius est inscrit. Il doit se rendre dans l'espace affecté aux elfes noirs pour attendre le début du tournoi, glapit le gnome.

Heureusement, les panneaux indicateurs ne manquent pas à l'intérieur.

Comme il fallait s'y attendre, la salle des elfes noirs est bondée. Sarius se trouve une petite place contre le mur et surprend la discussion entre deux elfes. L'un des interlocuteurs n'est qu'au niveau deux.

– Qu'est-ce qui va se passer si je perds ? s'inquiète-t-il, d'ailleurs.

– Tu déclares forfait très vite, sinon ton adversaire peut te tuer. Je l'ai déjà vu.

– Et alors ? Ça voudrait dire que je sortirais du jeu ?

– Ben, bien sûr ! Tu n'as pas oublié les règles, tout de même !

Sarius décide de se frayer un chemin dans la cohue. Il a repéré Xohoo à l'autre extrémité de la salle et, de tous les elfes noirs qu'il connaît, c'est encore celui qu'il préfère. Au passage, il saisit des bribes de conversation.

– ... entendu que BloodWork voulait tenter sa chance aujourd'hui.

– Il manque pas d'air, celui-là. D'accord, il est costaud, mais de là à...

La foule est de plus en plus compacte.

– ... plus aucune chance. Il est urgent que je gagne un cristal magique aujourd'hui.

– Je veux monter de deux niveaux. Tu n'imagines pas comme ma mission a été difficile, lors du dernier rituel. Je n'ai vraiment pas envie de repasser par là.

Il touche presque au but. Xohoo est seul dans un coin ; il ajuste son casque.

– Salut, Xohoo.

– Salut, Sarius.

– T'es nerveux ?

– Oui, un peu. Et toi ?

– Moi aussi. C'est mon premier tournoi.

– Ah bon ! Ben, tu verras. C'est pas évident, l'arène !

Sarius lève la tête vers le plafond. Il perçoit un brouhaha de voix, de rires et de trépignements. C'est le public, comprend-il avec une anxiété croissante. Il aurait préféré commencer par regarder les combats au lieu de se jeter d'emblée dans la fosse aux lions. Que devra-t-il faire si LordNick le défie de nouveau ? Ou s'il doit affronter BloodWork ? Autant se faire enterrer tout de suite !

– Contre qui tu t'es battu la dernière fois ? demande-t-il à Xohoo.

– D'abord contre Duke, que j'ai vaincu. Puis contre Drizzel, mais c'était un mauvais choix de ma part. Il est particulièrement sournois.

– Ah ! Ça veut dire qu'on a le droit de choisir son adversaire ?

– La plupart du temps, mais pas toujours. Hé ! Je crois que ça commence.

*Boum, boum, boum !* Un piétinement en rythme ébranle la voûte au-dessus de leurs têtes. Le public clame son impatience en tapant des pieds. Une rumeur enfle. D'abord ce ne sont que quelques voix, puis d'autres se joignent à elles et d'autres encore, scandant en chœur les mêmes mots : « Du sang ! Du sang ! Du sang ! »

– Les guerriers dans l'arène ! hurle quelqu'un dans les tribunes.

Le public exulte.

Sarius observe, immobile et silencieux. Il laisse volontiers les autres passer devant lui. Cependant, ils hésitent aussi. Personne n'est volontaire pour pénétrer le premier dans l'arène.

Un garde gigantesque, coiffé de drôles de cornes de buffles, est venu les chercher et les encourage en faisant claquer son fouet.

– Allez, les héros ! Vous vous êtes inscrits ; maintenant il faut montrer ce que vous avez dans le ventre !

Il pousse les premiers à franchir le porche. Les autres suivent timidement.

– Du sang ! Du sang ! Du sang ! clament les spectateurs.

*Décidément, je n'ai pas une vocation de héros*, pense Sarius. *Je préférerais mille fois être assis sur un banc, en train de crier et de taper du pied...*

Ses comparses le tirent et le poussent vers la sortie. Ils traversent un couloir obscur qui les expulse finalement dans la lumière et le bruit, dans le cercle immense.

– Les elfes noirs ! rugit le public en applaudissant à tout rompre.

Sarius regarde autour de lui et voudrait pouvoir se fondre dans le sable de l'arène. Les tribunes du bâtiment circulaire qui semble se dresser jusqu'au ciel abritent des milliers de spectateurs. Et parmi eux, les créatures les plus invraisemblables. Dans les rangées inférieures, il distingue un homme à tête d'araignée. Les huit pattes qui lui sortent du crâne à la place des oreilles s'agitent furieusement. Ailleurs, c'est un homme-serpent qui le fixe en dardant sa langue d'un air moqueur. Encore plus loin, il découvre une femme dont le front est orné d'un tentacule terminé par un œil. Et tout ce beau monde trépigne au milieu d'un grouillement de nains, d'elfes ou de vampires. Pendant une fraction de seconde, Sarius suffoque. Les cercles de spectateurs semblent se resserrer sur lui tel un nœud coulant de chair.

Pour chasser cette vision, il se concentre sur les deux autres groupes de guerriers téméraires qui ont déjà pris position dans l'arène. Ce sont des hommes-chats et des hommes-lézards. Ils ne sont pas nombreux, comparés aux elfes noirs.

– Les nains ! hurle la foule.

Un service d'ordre de cinq colosses veille à ce que tous restent à l'endroit qui leur est réservé.

Sarius reconnaît Sapujapu, qui presse sa hallebarde sur sa poitrine tel un talisman contre les hideux visages alentour. Il repère également deux femmes-nains. Elles se distinguent à peine de leurs collègues masculins, si ce n'est par l'absence de barbe.

Les vampires sont annoncés : ils prennent place dans la zone la plus sombre. Leur groupe est important, à peu près comparable à celui des elfes. Drizzel et Blackspell marchent devant comme s'ils ne pouvaient plus attendre de se jeter dans la bataille. Sarius a l'impression que Blackspell regarde dans sa direction. *Pourvu qu'il ne s'avise pas de me défier !*

À ce stade de la confrontation, tous les participants lui paraissent plus forts, plus habiles, plus expérimentés que lui. *Je vais mourir*, pense-t-il tristement. *Tout ça va continuer sans moi, et je ne saurai jamais en quoi consiste l'ultime quête, car personne ne me racontera. Ce sont mes dernières minutes dans Erebos. Sauf si le Messager est là… et qu'il me sauve encore une fois.*

Il parcourt les tribunes du regard, cherche la silhouette décharnée, à la fois familière et terrifiante, mais ses yeux se perdent dans la masse des spectateurs. À ce moment, les humains pénètrent dans le cercle. Ils ne sont que trois, parmi lesquels Sarius reconnaît LordNick. Ils sont suivis de près par les barbares, qui sont accueillis dans un tumulte assourdissant et acclamés comme personne avant eux.

*Tiens, tiens, voilà les vainqueurs ! À quoi bon se fatiguer ?*

Ils paraissent gigantesques. Auréolés de soleil, ils avancent d'un pas martial jusqu'à la zone qui leur est attribuée. Leurs armes sont tellement énormes que Sarius se demande s'il pourrait ne serait-ce qu'en soulever une. La hache que porte Keskorian est à peu près de la taille de l'elfe noir.

Lorsque les barbares se sont installés, un roulement de tambour retentit.

*Ça va commencer : ma dernière heure est venue. Ça va commencer. Je vais mourir.*

Le chuchotement de ferveur qui s'élève maintenant des tribunes ne salue pourtant pas encore le début des hostilités. En effet, une nouvelle porte vient de s'ouvrir, plus large que les autres. Quatre titans hauts comme des arbres, à la peau dorée, soutiennent une plateforme en or sur laquelle se tiennent cinq guerriers : deux barbares, une elfe noire, un humain et un homme-chat. La clameur admirative couvre tous les bruits, hormis la musique qui évoque les hauts faits, les secrets, les victoires, que le commun des guerriers ne peut pas même imaginer. Les porteurs s'immobilisent au centre de la piste. Tout cet or resplendit en plein jour tel un deuxième soleil.

– Saluez les guerriers du Cercle Intérieur ! proclame une voix de stentor. Ce sont les meilleurs d'entre vous, les plus forts, les plus téméraires. Tant qu'ils ne sont pas vaincus par l'un d'entre vous ! N'oubliez pas, quand vous allez au combat : chacun de vous peut appartenir au Cercle Intérieur, pour peu qu'il s'en montre digne.

Rarement chose a paru plus désirable à Sarius. Les cinq élus semblent invulnérables. Et pourtant il y a bien une elfe noire parmi eux. Il n'y a pas que des barbares. Pourquoi n'aurait-il pas sa chance ? Il pourrait être là-haut. Mais certainement pas en restant au niveau trois.

L'estrade est installée à une place d'honneur en bordure d'arène. Les membres du Cercle Intérieur s'asseyent et le silence se fait. Seuls persistent un murmure d'impatience et une musique douce qui fait battre plus vite le cœur de Sarius.

C'est alors que surgit un homme venu de nulle part. Il est vêtu d'un simple pagne, sa peau est brune comme un vieux cuir tanné, son corps, musclé. Il tient un long bâton avec lequel il frappe deux coups brefs sur le sol, tel un maître de cérémonie officiant à la cour. Plusieurs détails étranges retiennent l'attention de Sarius : ses oreilles sont démesurément longues et pointues. Des touffes de cheveux semblables à des pelotes de laine grise encadrent le front, et une moustache rectiligne vient couper son visage en deux. Mais au milieu de ce faciès pour le moins curieux, ce sont les yeux qui surprennent le plus : ronds, clairs et saillants, ils évoquent deux grosses billes qui menaceraient de tomber à tout instant.

La créature scrute la foule. On dirait que tous évitent de croiser son regard. *Il y a quelque chose qui cloche chez lui.* Sarius poursuit son observation et relève d'autres bizarreries. Ses pieds ! Ce sont des pieds d'humain mais terminés par des serres d'oiseau. Même les plus monstrueux parmi les spectateurs sont familiers, en quelque sorte. Mais lui semble être un corps étranger, comme s'il avait été abandonné par mégarde dans le monde d'Erebos.

C'est le maître de cérémonie. Quand il se met à parler, on croirait entendre dans sa voix le grondement d'un torrent.

– Vous connaissez les règles. C'est moi qui appelle les guerriers. Il est interdit de provoquer en duel un combattant d'un niveau inférieur au sien. Je commence par les nains. Bahanior !

L'intéressé met quelques secondes à s'avancer au centre de la piste. Sarius ne parvient pas à distinguer de numéro sur ses vêtements, ce qui signifie que le nain est au moins au même niveau que lui.

– Choisis ton adversaire, commande Mr Gros-Yeux.

Bahanior hésite vraiment. Il tourne sur lui-même à deux reprises. Il scrute finalement la horde des elfes noirs.

*S'il me choisit, c'est qu'il doit être aussi au niveau trois, sinon il n'aurait pas le droit, mon niveau serait trop bas pour lui. Ce ne serait pas un mauvais plan. Je peux m'en sortir contre un nain niveau trois.*

Pourtant celui-ci continue son tour d'horizon : il s'attarde devant les hommes-chats puis devant les vampires. Le maître de cérémonie s'impatiente et frappe son bâton dans le sable :

– Décide-toi !

De nouveau quelques secondes passent. Le public commence à s'agiter. Des cris fusent : « Froussard ! Nabot ! Mauviette ! » Sarius remercie le destin de ne pas être à la place de Bahanior.

– Je défie Blackspell, déclare enfin le nain.

À en juger par l'empressement avec lequel celui-ci se détache de son groupe, Sarius devine que Bahanior n'a pas joué la bonne carte. Il y a fort à parier que le vampire est deux ou trois niveaux au-dessus de lui et se frotte les mains à l'idée de le découper en morceaux.

En voyant Blackspell dégainer son épée, Sarius ressent une pointe de jalousie, car on la croirait fondue dans du verre rouge. Bahanior, quant à lui, a surtout l'air de vouloir prendre ses jambes à son cou. Comparée à celle du vampire, son arme a l'air d'un couteau à beurre.

– Quelle est la mise en jeu ?

Indécis, le nain sautille d'un pied sur l'autre :

– Si je gagne, Blackspell me donnera un niveau et... 20 pièces d'or.

– C'est trop peu, riposte l'autre. Deux niveaux et 30 pièces d'or.

Bahanior ne répond pas. Manifestement, il regrette de plus en plus d'avoir choisi cet adversaire.

– Es-tu d'accord ? l'interroge le maître de cérémonie.

– Je ne possède que 25 pièces d'or.

Ils s'entendent sur ce montant. Deux niveaux et 25 pièces d'or. Sarius est convaincu que c'est plus que Bahanior ne peut se permettre.

– Allez-y ! Battez-vous ! proclame Mr Gros-Yeux.

Aussitôt, le nain recule de trois pas. Blackspell le poursuit, tenant négligemment son bouclier sur le côté comme pour inciter le nain à l'attaquer.

*Toc, toc, toc !* Un bruit venu d'un autre monde.

– Nick ?

*Merde ! C'était pas le moment ! Oh, non !*

Sans retirer son casque, il se leva d'un bond et tourna la tête vers la poignée de porte qu'une main actionnait. C'était son père. Pourquoi ne pouvait-il pas le laisser tranquille ?

Nick se mit devant l'écran pour tenter de le masquer. Il fallait éviter à tout prix que son cher papa ne voie ce qui s'affichait dessus ! Vite, il éteignit le moniteur et ouvrit son livre de chimie à la première page venue. Dans ses oreilles résonnait le bruit des épées qui s'entrechoquaient.

– Nous allons au cinéma, ta mère et moi. Nous avons juste le temps d'attraper la séance de l'après-midi avant ma garde de nuit. Ça te dirait de venir avec nous ? Ça fait une éternité que nous n'avons pas fait de sortie ensemble !

Le casque diffusait des gémissements de douleur. À tous les coups, c'était Bahanior. Puis il y eut un sifflement et un coup.

– Mon gars, je t'ai posé une question ! s'énerva son père, dont le visage commençait à s'empourprer. Tu vas me faire le plaisir d'enlever ce truc de tes oreilles ! Tu crois que je suis dupe quand tu me dis que tu travailles avec la musique à fond !

*Merde, merde et merde !*

Nick ôta son casque.

– C'est mieux. Alors, cinéma, oui ou non ?

– Je ne pense pas, papa. Je dois encore bosser ; c'est plus difficile que je ne pensais.

William Dunmore secoua la tête d'un air perplexe :

– Et tu ne peux pas faire une pause de deux heures ? Tu ne m'as même pas demandé quel film nous allions voir.

Maintenant le combat devait être terminé. Blackspell avait certainement gagné, mais comment en être sûr ? Et si l'homme aux gros yeux l'appelait à son tour et qu'il restait dans son groupe, sans bouger ? Qu'est-ce qui se passerait dans ce cas ? Nick aurait rêvé d'envoyer son père au diable.

– Peu importe le film, papa. Ce ne serait pas sérieux. Je reste à la maison, O.K. ?

Son père balaya le bureau, l'ordinateur, le livre d'un regard suspicieux.

– Tu te sens trop grand pour aller au cinéma avec tes parents, hein ?

Il savait ce qui viendrait après : « Nous, on est là pour payer. On est juste bons pour payer, payer, encore et toujours. Et il n'y a jamais de retour ! » Ce n'était pas rare que son paternel pique sa crise, mais pourquoi fallait-il que ça tombe aujourd'hui ?

Nick se força à sourire :

– Crois-moi, je préférerais mille fois aller au cinéma avec vous, plutôt que de m'emmerder avec cette saloperie de devoir de chimie ! Mais le prof nous a donné des exercices d'enfer. J'en ai fait des cauchemars, la nuit dernière.

*Ça, c'est la pure vérité.*

Ce furent peut-être les gros mots qui incitèrent son père à le croire. Il avait coutume de dire : « Quand on jure, on ne ment pas. » Grossière erreur...

– Bon, bon, si c'est si grave que ça, alors reste ! Mais je m'étonne quand même... J'espère que ton zèle se verra dans tes notes.

*En revanche, ça, c'est pas gagné !*

– Je l'espère aussi, répondit Nick.

– Bon, ben, travaille bien.

Bahanior a disparu de l'arène et Blackspell est invisible. Pourtant l'un des deux a forcément remporté le duel. Maintenant, c'est au tour d'un elfe noir et d'une femme-lézard de s'affronter. Sarius ne connaît aucun des deux. Il n'a pas changé de place, à côté de Xohoo, et il voudrait bien lui demander ce qu'il a manqué. Il essaie, mais ça ne marche pas. Pas de dialogue dans l'arène, on dirait. C'est sans doute mieux ainsi. Si personne n'a repéré son absence, personne ne la lui reprochera.

La femme-lézard combat sans armes, mais elle lance des éclairs. Une magicienne ? Par deux fois, l'elfe réussit à les éviter. Maintenant, elle recule aussi. Elle n'a plus de force, elle a besoin d'une pause. Son adversaire le comprend vite et passe à l'attaque avec son javelot. Mais elle a récupéré assez de points de magie pour envoyer un nouvel éclair, avec lequel elle terrasse son ennemi.

– Le vainqueur est Dragoness. Elle recevra de Zajquor un niveau et 15 pièces d'or.

Pfft... Un petit bruit se fait entendre et Sarius voit apparaître un deux sur l'armure du vaincu. Aucun changement dans l'apparence de Dragoness, en tout cas rien de visible pour Sarius. Les élus sur la plateforme, eux, le voient certainement.

– Xohoo ! appelle le maître de cérémonie.

Son voisin sursaute, mais se reprend vite. Il serre plus fort son épée et son bouclier et s'élance. Les autres s'écartent devant lui.

*Bonne chance.*

– Choisis ton adversaire.

Xohoo a manifestement déjà réfléchi à sa stratégie, car il se tourne vers le petit groupe des humains :

– Je défie LordNick.

*Pourquoi tu fais ça, espèce d'idiot ? Tu ne le battras jamais !* Pourtant, qui sait ? Son instinct peut le tromper ; il ne connaît pas le niveau de Xohoo. Pourquoi est-il tellement tendu, alors ?

*Se pourrait-il que, derrière Xohoo, se cache un élève qui connaît Nick Dunmore ? Un qui sait qu'il ne fréquente pas le monde d'Erebos depuis très longtemps et qui en aura conclu qu'il ne peut pas encore avoir acquis un niveau très élevé ?*

LordNick jette un rapide coup d'œil à son challenger et s'approche de lui. À sa vue, Sarius éprouve le même malaise que la nuit précédente. Il est déstabilisé par cet individu, qui lui est aussi familier que son reflet dans le miroir, tout en échappant à son contrôle.

*Qui es-tu ?* Il comprend soudain que tous les combattants qu'il a croisés ne serait-ce qu'une fois à l'extérieur du jeu seront persuadés que LordNick et Nick Dunmore sont une seule et même personne. Pour eux, toutes les conneries que fera ce soi-disant Lord seront mises sur son compte à lui. *Salopard, de quel droit tu fais ça ?*

– Quel est l'enjeu ?

– Un niveau et 20 pièces d'or, répond l'elfe noir.

– Trop peu !

*Là au moins, il devrait finir par se douter de quelque chose.*

Il semble hésitant. Il attend une proposition, qui ne vient pas. Alors il se lance :

– Un niveau et 25 pièces d'or ?

– Pas question ! réplique LordNick. 25 pièces d'or, si tu veux, et deux niveaux. Impérativement.

– C'est trop pour moi.

– Pas de chance ! Il ne fallait pas me défier. Si tu peux me céder deux niveaux sans y laisser ta peau, tu es obligé d'accepter.

*Si seulement LordNick n'était pas ce crétin arrogant. Ou si je pouvais faire savoir au lycée que je n'ai rien à voir avec lui. Mais même ça, c'est contraire aux règles.*

Le grand ordonnateur de la cérémonie abaisse son bâton :

– Battez-vous !

Rapide comme l'éclair, LordNick se jette sur son adversaire, qui ne s'attendait pas à un assaut aussi brutal. La longue épée du guerrier humain l'atteint à la taille, faisant jaillir le sang, tandis que la foule l'encourage de ses hurlements.

Sarius voudrait leur crier de fermer leur gueule et de lui donner sa chance, mais il est condamné au silence.

La fente que Xohoo est en train de tenter est vouée à l'échec. Sa ceinture est déjà noire à plus de 50 %.

*Tu peux dire au revoir à tes niveaux ! Si je ne savais pas que c'est peine perdue, moi aussi je défierais LordFuck et je lui casserais sa sale gueule d'usurpateur.*

À chaque pas, l'elfe s'affaiblit davantage. Il saigne en plusieurs endroits et pare mollement les attaques de l'autre. Finalement, il suffit d'un coup de bouclier pour l'envoyer à terre.

– Le vainqueur est LordNick, proclame Mr Gros-Yeux. Il gagne deux niveaux et 25 pièces d'or.

Le plastron de cuirasse de Xohoo se pare instantanément d'un deux en chiffres romains. Comme si ce choc lui donnait un regain de forces, l'elfe trouve le courage de se relever et plante son épée dans la jambe de son ennemi. Surpris, celui-ci recule d'un bond, laissant une large trace de sang dans le sable. Mais il recouvre ses esprits et, d'un ample geste du bras, il enfonce son épée dans le ventre de l'elfe, dont la ceinture devient intégralement noire. Il s'effondre sans connaissance. Une clameur immense s'élève des tribunes. LordNick fait un pas en arrière et reprend son souffle.

*Ce n'est pas possible que Xohoo soit mort.* L'idée lui glace le sang. Il reste forcément une infime touche de couleur sur sa ceinture ! Assez pour que le Messager vienne à son chevet et l'emmène pour le soigner. Dans un instant, il sera là !

– Tu as une chance et une seule de jouer à ce jeu, souffle une voix à l'oreille de Sarius.

L'a-t-il vraiment entendue ou est-ce encore un tour que lui jouent ses sens ?

Qu'importe. Xohoo ne bouge plus, même quand le maître de cérémonie le touche avec son bâton, d'abord doucement, puis sans ménagement. Une grimace de satisfaction s'affiche sur son visage. Il se tourne vers le public et, de son pouce gauche, fait le geste de se couper la tête.

Mais où est donc passé le Messager ? Sarius ne le voit ni dans les rangées derrière les barbares, ni près des lézards... Et s'il était derrière les elfes noirs ? Sarius scrute l'endroit, tombe à nouveau sur l'homme-araignée et détourne le regard pour chercher ailleurs. Soudain, il l'aperçoit. Dans la troisième rangée, entre une femme aux cheveux serpentiformes et un homme à trois yeux, il reconnaît la silhouette décharnée. Son visage est caché par sa capuche, mais ses yeux jaunes luisent comme des bougies funéraires. Le Messager ne lève pas le petit doigt pour Xohoo.

L'elfe est évacué. Son cadavre est tiré hors de l'arène, laissant dans le sable une large trace sanguinolente.

Sarius observe, désemparé. *Tout semble tellement réel. Salement réel.* Sa crainte de ne pas sortir vivant de l'arène redouble. Lorsque le maître de cérémonie revient au centre, il se surprend presque à prier pour ne pas être appelé. Son vœu est exaucé. Chacun retient son souffle quand le colosse aux yeux globuleux appelle le combattant suivant.

– BloodWork !

Il porte une hache, une épée et un bouclier en travers du dos. Dans un instant de panique délirante, Sarius se demande ce qu'il ferait si le barbare le choisissait. Heureusement, c'est impossible. Il n'est qu'au niveau trois alors que BloodWork doit être au moins au niveau quatre-vingt-quinze. Le barbare est à peu près de la même taille que le meneur de jeu. Il dégage une énergie impressionnante et trépigne d'impatience de se jeter dans le combat. Dans ses mains, les armes s'agitent comme animées d'une vie propre.

Mr Gros-Yeux l'invite à choisir son adversaire. Il n'hésite pas une seconde :

– J'appelle Beroxar. Je revendique sa place dans le Cercle Intérieur.

Un silence incrédule fait suite à cette annonce. On entendrait voler une mouche. Sur la plateforme dorée, un des deux barbares se lève.

*Ce n'est pas logique. À sa place, j'aurais opté pour l'homme-chat ou l'elfe noire.*

Les adversaires sont aussi grands l'un que l'autre. Beroxar porte un sabre courbe et un bouclier large comme une table. Son casque, qui évoque une tête de requin, lui descend jusqu'aux épaules et protège aussi une partie de son dos.

– Que réclames-tu de BloodWork s'il est vaincu ?

– Qu'il soit mon esclave pendant deux semaines et me cède six niveaux.

Si BloodWork est ébranlé, il n'en laisse rien paraître. Il acquiesce d'un simple hochement de tête et se met en position. À titre d'essai, Beroxar tranche l'air devant lui d'un coup d'épée sonore comme un essaim d'abeilles.

Dans les minutes qui suivent, Sarius est happé par le spectacle du combat et en oublie jusqu'à sa peur. À aucun moment, l'un des barbares ne semble montrer la moindre faiblesse. Les deux lutteurs se tournent autour, lancent des attaques éclair et se défendent avec une égale habileté. La lame recourbée de Beroxar dessine des motifs argentés autour de son rival, tandis que la hache de BloodWork tourne en sifflant au-dessus de sa tête et que son épée cherche les failles de l'autre. Qui n'ont pas l'air d'exister. Le combat évoque une danse où chacun prend l'ascendant tour à tour. Jusqu'à ce que, soudain, BloodWork tourne le dos à Beroxar. Le sabre s'abat avec une violence inouïe sur ses épaules et pénètre profondément dans le bois du bouclier que le challenger s'est attaché sur le dos. Une rapide volte-face et l'arme fichée dans le bouclier est arrachée de la main du champion.

Sans arme, Beroxar n'a plus aucune chance. Un coup de hache dans la jambe et un habile coup d'épée dans le flanc l'envoient à terre.

– Le vainqueur est BloodWork.

Le barbare lève les bras en signe de triomphe et, au son d'une musique splendide, il fait un tour de piste sous les acclamations du public. Celui-ci applaudit à tout rompre et tape des pieds en scandant le nom de son nouveau héros.

L'homme aux yeux de grenouille s'avance au milieu de la piste et intime au public l'ordre de se taire. Il se penche au-dessus du vaincu et lui retire son collier. C'est une chaîne en fer au bout de laquelle pend un anneau couleur rubis de la largeur de la paume. L'intérieur du pendentif est orné d'une pique dont la forme évoque une épine de rose ou un V qui pointe vers le centre du cercle. Le maître de cérémonie passe le bijou autour du cou de BloodWork. Les cris d'allégresse reprennent de plus belle. Ils ne se calment pas lorsque Beroxar se remet péniblement sur ses jambes et retourne se fondre dans la troupe des barbares, sur les injonctions de l'animateur.

Soudain le Messager surgit au centre de l'arène. Il tend à BloodWork sa main osseuse.

– Sois le bienvenu dans notre Cercle Intérieur. Nous espérons tous que tu sauras te montrer digne de la distinction qui t'est accordée.

Le barbare s'incline et se dirige vers la plateforme, à la place de Beroxar. Le cercle sur sa poitrine rougeoie comme une cicatrice fraîche.

Le Messager s'adresse alors aux barbares.

– Beroxar reste tenu par son vœu. Qu'il ne l'oublie pas ! Les traîtres ne font pas de vieux os. Libre à lui bien sûr de reconquérir sa place au sein du Cercle Intérieur, lorsque l'occasion se présentera. Comme chacun de vous est libre, ajoute-t-il avec un large geste embrassant toute l'assemblée, de se battre pour remporter une place dans le Cercle.

Le guerrier suivant prend cet encouragement au pied de la lettre : il défie Wyrdana, l'elfe noire du Cercle Intérieur. L'affrontement tourne court. En moins de temps qu'il ne faut pour le dire, elle déchaîne sur lui une pluie de boules de feu, d'éclairs et de coups de lance bien sentis, et le laisse laminé sur le sable. Le perdant quitte piteusement l'arène, avec un minable niveau un.

*Qui a dit que les elfes noirs ne valaient rien ? Qu'on essaie seulement d'en faire autant !* Sarius est envahi par un sentiment qui ressemble à de la fierté. *Pas étonnant que Blood ait préféré s'en tenir à un de ces paquets de muscles sans cervelle !*

Les trois combats suivants s'avèrent nettement moins spectaculaires et Sarius a du mal à rester concentré. Il est tiré de sa torpeur lorsque, pour la première fois, un cristal magique est mis en jeu. Ni LaCor, le vampire, ni Maimai, la femme-chat, n'en possèdent, et tous deux en rêvent. Z'yeux globuleux en sort un de son chapeau. C'est la femme-chat qui remporte le duel et gagne la récompense, tandis que LaCor perd un niveau. Au profit de qui ? De personne. Seulement comme ça.

– Feniel !

Il ne l'avait pas encore repérée dans la masse des elfes. Quel dommage que les scorpions ne lui aient pas fait la peau, avec sa stupide face de poupée et son petit nez en trompette ! En la regardant se dandiner au milieu de l'arène, Sarius lui souhaite de bien se tromper en sélectionnant celui qu'elle affrontera.

– Choisis ton adversaire.

Pourtant, une fraction de seconde avant qu'elle ouvre la bouche, il devine la réponse :

– Je défie Sarius.

Aussitôt, la peur revient, amplifiée par le souvenir du cadavre de Xohoo traîné dans le sable. Il ne peut pas identifier le niveau de Feniel, pas plus qu'elle ne voit le sien, sinon elle n'aurait pas le droit de le défier. Ça signifie donc qu'elle est au niveau trois. Il devrait pouvoir y arriver !

Le grondement d'impatience qui enfle dans les tribunes le rappelle à l'ordre, lui signalant qu'il est resté figé comme un pleutre au milieu des autres elfes noirs. Il faut y aller ! Courage !

Feniel ne peut pas savoir qu'il est au niveau trois. Pourquoi alors a-t-elle jeté son dévolu sur lui ? Sans doute parce qu'elle n'a eu aucun mal à l'écarter quand ils se disputaient le scorpion.

Il se fraie un chemin parmi ses congénères en regardant droit devant lui. Il a besoin d'une tactique pour contrer la hallebarde de Feniel, qui n'aura pas de mal à le tenir à distance avec son arme. Il s'imagine brassant l'air désespérément avec son épée, tandis que son ennemie lui plante la pointe de son arme entre les côtes.

– Quel est l'enjeu du combat ?

Feniel répond du tac au tac :

– Un niveau et 20 pièces d'or.

Tous ont de l'or, à l'exception de Sarius. En revanche, il possède encore les coupes et les assiettes du pilleur de tombes.

– Je n'ai pas d'or et je préférerais me battre pour un cristal magique, propose-t-il sans trop y croire.

Vu de près, le maître de cérémonie est d'une laideur insupportable. Sa peau sombre, couleur de terre, est sillonnée de gerçures et de crevasses comme une vieille toile dont la peinture aurait éclaté. L'impression que le maître de cérémonie n'est pas de ce monde devient certitude.

– Il n'y a pas de cristal magique à gagner, déclare Mr Gros-Yeux. Vous vous affrontez pour un niveau. Ça suffira.

Il lève son bras aux muscles énormes et donne le signal du début.

L'objectif est d'esquiver l'arme de Feniel. Sarius sautille en tous sens. Il faut surtout être rapide, éviter d'être une cible trop facile. Mais ses entrechats laissent son adversaire de marbre. Elle semble avoir tout le temps devant elle, tranquille et sûre d'elle, la hallebarde serrée dans les deux mains et la pointe – bien sûr – dirigée contre lui. Pour la forme, Sarius tente une fente, puis d'un bond recule hors de sa portée. Pas de réaction, à peine un léger tressautement de la pointe de la hallebarde dans sa direction, c'est tout. Pourtant, au moment où, plus par perplexité que par lassitude, il baisse son épée, Feniel se déchaîne littéralement. En deux bonds, elle est sur lui, menaçant sa poitrine de son arme. Il relève son bouclier, mais trop tard. L'attaque porte, le sifflement sauvage se déclenche. D'un coup d'épée, il écarte la hallebarde de son torse.

Grincement de craie sur un tableau, de fourchette sur la porcelaine. Scie directement branchée sur son nerf auditif. Cette fois, le bruit a pour seul effet de décupler sa rage. Sans songer à sa défense, Sarius abat à nouveau son épée sur la hallebarde avec toute la force dont il est capable. Lâchant son bouclier, il saisit la longue tige pour la détourner de lui.

– Sarius, Sarius, Sarius !

Sont-ils en train de l'encourager ? Ce qu'il entend ressemble plus à un chuchotement qu'à des cris, comme un chœur de fantômes. Sont-ils en train de l'hypnotiser ?

Il manque de tomber en trébuchant sur son bouclier au sol, cependant il ne lâche pas l'arme de Feniel. Pas question. Le corps de son ennemie n'est pas protégé : s'il hésitait maintenant, il serait un vrai crétin. Elle le blesserait et le bruit de douleur lui vrillerait les tempes.

Il plonge son arme dans la poitrine de Feniel, la retire et l'enfonce dans son ventre. Le sang jaillit des deux blessures.

Les mains de l'elfe lâchent la hallebarde. Elle s'effondre. Sarius s'acharne. La ceinture ne tarde pas à perdre sa couleur. Un coup, un autre et...

– Le vainqueur est Sarius !

La voix l'arrache à sa transe meurtrière. Feniel ne bouge plus. Il abaisse son épée : aussitôt le sifflement de douleur cesse et la musique éclate. C'est un air triomphal comme celui qui, dans les films, accompagne la victoire du héros dans une bataille décisive.

*Je suis manifestement le seul à l'entendre. À croire qu'il fait partie de ma récompense, au même titre que le quatre qui figure sûrement sur mon plastron.* Entre-temps, un deux est apparu sur la veste en cuir de Feniel.

Son adversaire est évacuée, mais pas traînée par les pieds comme Xohoo. Non, les choses se passent en douceur et promptement. Elle est sans doute encore en vie et va avoir droit à une conversation sérieuse avec le Messager.

Quant à lui, il est monté au niveau quatre. Un quatre victorieux et indemne ! Sarius regagne le camp des elfes noirs. Il regarde autour de lui : désormais, il peut détecter les trois, et il y en a un paquet. La femelle loup-garou que le maître de cérémonie convoque maintenant en est un, par exemple.

– Galaris !

Halte ! « Galaris » : Sarius connaît ce nom. La caisse en bois. Totteridge. Le viaduc de la Dollis Brook. Est-ce Galaris qui a caché la boîte suspecte sous l'if ?

Il ne peut pas lui poser la question, car elle est en train de choisir son adversaire. En outre, Sarius soupçonne que sa curiosité serait vue d'un mauvais œil par le Messager et ses gnomes. Galaris – dont les cheveux noirs brillent dans la lumière – opte pour une barbare répondant au nom de Rahall-LA. C'est courageux. Ou stupide... Son choix s'avère finalement judicieux, car elle lutte avec un arc et des flèches, si bien que Rahall-LA – elle aussi au niveau trois – ne parvient même pas à l'approcher.

Les combats suivants mettent aux prises des guerriers des niveaux supérieurs. Les duels durent longtemps et les adversaires déploient une immense ardeur belliqueuse. Sarius essaie de mémoriser leurs noms et de repérer d'éventuelles faiblesses, mais il finit par renoncer. Autour de lui, l'intérêt faiblit. Certains de ceux qui ont déjà une victoire en poche quittent l'arène. Sarius les suit à l'intérieur de l'amphithéâtre, après avoir assisté au combat entre Drizzel et Keskorian. Le barbare en est sorti vaincu et délesté de trois niveaux. Drizzel est redoutablement sournois : Sarius n'a pas oublié ce qu'il avait entendu à son propos, et qui vient de se confirmer.

Dans la salle dédiée aux elfes noirs, il rencontre Lelant et la Fille d'Arwen.

– ... est un idiot s'il recommence après avoir déjà perdu une fois, dit Lelant.

– J'aimais bien Xohoo, déclare la Fille d'Arwen après une pause. Dommage qu'il soit mort. Je trouve qu'il aurait mérité une seconde chance.

C'est aussi le point de vue de Sarius. Il a fallu que ça tombe sur Xohoo. Au moins, lui était sympa. Pourquoi n'est-ce pas arrivé à Lelant, ce lâche, avec sa grande gueule ?

– Tiens, tu ne te bats pas ? ironise-t-il.

– Ça te regarde ? répond Lelant en serrant les dents.

– Il ne participe jamais aux duels, il préfère attendre la grande bagarre à la fin. On prend moins de risques et il y a plus à gagner, répond la Fille d'Arwen à sa place.

– Dis donc, toi, tu es obligée de tout raconter ?

Il porte toujours les mêmes armes que dans le labyrinthe. Pas de nouvelle acquisition, pour autant que Sarius puisse en juger. Est-ce qu'il a encore le cristal magique ? Sarius aimerait bien savoir s'il peut se jeter sur lui pour examiner son inventaire. Probablement non.

– La grande bagarre à la fin ? se contente-t-il de demander en lui tournant ostensiblement le dos.

– Bon sang, tu sais vraiment rien de rien, grogne celui-ci, avant que la Fille d'Arwen ait eu le temps de répondre.

– Oui, à la fin de chaque tournoi, il y a une bataille générale, où tout le monde s'affronte. C'est assez dangereux, car les niveaux élevés peuvent te flanquer une raclée. En contrepartie, tu peux piquer aux autres ce qu'ils ont de plus précieux.

– Même des cristaux magiques ? demande Sarius.

– Oui, si certains sont assez bêtes pour les avoir sur eux.

Pour être honnête, Sarius ne rêve pas vraiment d'un grand combat en ce moment. Il vient juste de remporter un niveau et il n'a pas envie de le perdre aussitôt. D'un autre côté, il n'est pas exclu qu'il puisse en gagner encore deux ou trois, qui sait ?

– C'est une bonne chose que Xohoo ait été éliminé, déclare Lelant, changeant de sujet.

*Ce crétin ne sait pas s'arrêter. Attends un peu pour voir, Colin !*

– C'était un imbécile et un bavard. Il fallait toujours qu'il ouvre sa grande gueule. De toute façon, il n'avait aucune chance de rester parmi les derniers. Autant dégager tout de suite ! C'était un ramolli de la même espèce que toi, Sarius. Je me ferai un plaisir de te régler ton compte quand la mêlée finale démarrera. Tu peux dire au revoir à Arwen.

– Je m'appelle Fille d'Arwen, abruti !

– Qu'est-ce que ça change ?

Dans l'arène, on dirait que tous n'attendent qu'un signal pour s'élancer dans la mêlée. Le colosse aux yeux de grenouille s'est posté au bord de la piste et tient son bâton en l'air. Une fois de plus, Sarius balaie la foule du regard. Non loin de lui, il voit un niveau deux, un vampire. Ce serait une proie facile. À côté, LordNick est à l'affût. Lui, en revanche, il faut l'éviter à tout prix. Le maître de cérémonie a été clair sur les règles : il est interdit d'attaquer quiconque est déjà engagé dans un combat.

Il s'agit pour Sarius de se trouver rapidement une proie rentable, une proie bien tranquille, avant qu'un type de niveau neuf ne se mette en tête de le prendre pour cible.

Le vampire de niveau deux est la victime idéale et il a le mérite d'être tout près. Dès que Mr Gros-Yeux abaisse son bâton, Sarius s'élance vers lui. Cependant, il aperçoit Lelant, sur sa droite, qui se précipite dans sa direction. Avec son casque aux reflets verts, il a l'air d'une grenouille d'acier juchée sur deux jambes. La pointe de son épée est dirigée vers Sarius, mais en courant il vise mal et réussit juste à lui effleurer le bras. Bénigne, la blessure ne provoque qu'un léger grincement de portail mal graissé, en revanche elle déclenche chez Sarius une fureur incontrôlée, qui monte en lui comme un soleil rouge sang.

Si ce débile cherche la bagarre, il va la trouver ! Il va se prendre le bouclier de Sarius dans les côtes et tâter de son épée ! Un bon coup sur le crâne puis un sur son plastron, l'essentiel étant de l'empêcher de retrouver l'équilibre.

Cette fois-ci, Sarius n'a nul besoin de musique exaltante pour se sentir l'âme d'un général triomphant. Il lui suffit de contempler Lelant qui recule en opposant une parade maladroite, puis trébuche et lâche son bouclier. Il se régale de le voir tomber, puis gisant impuissant avec son arme qu'il dresse tel un misérable dard d'abeille.

En deux solides frappes, il désarme son adversaire et observe avec satisfaction le sang qui s'écoule de l'épaule et de la poitrine de Lelant. Les blessures devraient suffire à lui assurer un sifflement bien strident.

Il pointe l'épée sur le cou de son adversaire à terre, à la bordure du plastron, et résiste à la tentation de l'enfoncer tout simplement. Mais à quoi bon ? Ils ne peuvent même pas parler ici.

Comme si souvent, un gnome apporte la solution, affichant un large sourire grimaçant sur sa face bleuâtre.

– Sarius a bel et bien gagné, couine-t-il en ouvrant l'inventaire de Lelant. Le vainqueur n'a qu'à se servir.

La première chose que Sarius cherche est *son* cristal magique. Mais il n'est plus là, on aurait pu s'en douter. Qui sait ce que Lelant en a fait ?

Qui sait ce qu'on en fait, de façon générale ?

Mais la prise n'est pas nulle : son adversaire avait engrangé 130 pièces d'or. Grandiose ! Sarius s'en empare, mais le gnome le freine dans son élan :

– Pas plus de la moitié.

Ça va aussi. 65 pièces d'or, c'est une petite fortune. De plus, Sarius trouve une paire de bottes ornées d'émeraudes, un poignard et une bouteille de potion de guérison. Il fait main basse sur le tout sans s'attirer de protestation du gnome. Celui-ci ne reprend la parole que lorsque Sarius a enfoui ses trésors dans son sac.

– Quelle avidité, jeune homme ! Il va de soi que, pour ce qui est des niveaux, tu ne pourras pas te servir à ta guise. Tu peux en récupérer deux à condition de laisser son équipement au vaincu.

Sarius préfère naturellement prendre les niveaux. Il explose de joie lorsqu'il voit un cinq en chiffres romains s'afficher sur le plastron de l'autre.

*Ainsi, il était au niveau sept ! Tandis que moi, en tant que quatre, je représentais une proie facile pour lui... Pas de bol, Lelant ! Pauvre idiot !*

Il lui a enfin montré de quel bois il se chauffait.

Il le regarde se remettre lentement debout et s'éloigner en clopinant. Avec son niveau six, Sarius dispose désormais d'une meilleure visibilité sur le champ de bataille : il distingue le niveau d'un tiers des guerriers. Mais, dans le lot, rares sont les visages connus. Blackspell, LordNick, Keskorian et la Fille d'Arwen sont encore d'un niveau supérieur ou au moins au même niveau que lui. Dommage ! En revanche, Sapujapu s'avère être un cinq, ainsi que Nurax. Tous deux sont encore en pleine bagarre. À l'autre extrémité de l'arène, Sarius aperçoit Drizzel en train d'essayer d'attirer BloodWork en dehors de la plateforme.

– Sarius, es-tu prêt pour un nouveau combat ? demande le gnome à peau bleuâtre.

Est-il d'attaque ? Pas sûr. Ce serait tentant de gagner encore quelques niveaux, mais il ne faut pas abuser de sa chance. Il a commencé sa journée au niveau trois, il la termine au six, c'est déjà pas si mal !

– Non, ça suffit pour aujourd'hui.

– Alors, quitte l'arène !

Il s'exécute, passant la porte par laquelle il était entré, non sans avoir au préalable jeté un coup d'œil dans la salle des elfes noirs. Personne ! Il marche vers la sortie. Depuis combien de temps ne s'était-il pas senti aussi bien ? Il l'ignore. Cela doit bien faire un an ou deux. Le cœur léger, les poches pleines de pièces d'or tintant gaiement, Sarius sort dans la rue, excité à l'idée de découvrir toutes les surprises que la Ville Blanche lui réserve encore.

# CHAPITRE 12

Dehors, il faisait nuit maintenant. Du salon lui parvenait le bruit du journal télévisé. Nick massa ses tempes douloureuses.

Sarius avait troqué tous ses trésors contre de l'or, y compris le poignard de Lelant, dont il avait tiré une belle somme. Ensuite, il s'était rendu à la taverne « À la dernière coupe », où il s'était fait jeter dehors comme un malpropre par Atropos. Pourquoi ? Impossible de le savoir. Elle s'était refusée à lui donner la moindre explication. Peu à peu, la nuit s'était répandue sur la Ville Blanche. Partout, on avait allumé les flambeaux et les torchères. La nuit était un moment privilégié dans le monde d'Erebos. C'était le temps du Messager. Pourtant, il ne l'avait aperçu nulle part. Nick avait mal aux yeux. Ils le brûlaient comme s'il venait de nager pendant des heures dans l'eau chlorée d'une piscine et devaient être aussi rouges que les rubis du poignard de Lelant.

Il se dit que ce serait une bonne idée de faire une pause. Ce serait pas mal aussi de se mettre quelque chose sous la dent. Il allait se lever, sortir de sa chambre et faire un petit tour par la cuisine. Sa mère serait en train de préparer le repas. Il contempla l'écran, les rues de la ville, son moi elfique. Il n'arrivait pas à s'en détacher. Une voix lui soufflait qu'à tout instant un événement pouvait survenir : une attaque d'orcs, une mission du Messager, une quête, une énigme. Une information ou une action qu'il raterait s'il coupait maintenant l'ordinateur.

Juste une heure peut-être ? Une heure pour manger, échanger quelques mots sympas avec son père et sa mère et… aller aux toilettes. Il se rendit compte alors à quel point l'envie se faisait pressante et comme il se tortillait sur sa chaise pour contenir l'explosion de sa vessie.

*Allez, vas-y !* Il fallait d'abord sortir du programme. Nick explora l'écran avec le curseur de la souris à la recherche d'un endroit où cliquer. Comment pouvait-il sauvegarder sa partie et quitter le jeu ? Il s'avisa qu'il ne l'avait encore jamais fait. Le jeu l'avait éjecté ou l'avait contraint à faire une pause, mais Nick ne l'avait encore jamais quitté de lui-même. Ce n'était sans doute même pas prévu.

Il passa en revue les possibilités qui s'offraient à lui. Il pouvait tout simplement éteindre l'ordinateur, mais c'était risqué. Si ça ne plaisait pas au Messager, il lui supprimerait ses niveaux laborieusement acquis. Ou pire encore.

Une autre solution serait de laisser tourner l'appareil et de n'éteindre que l'écran. Dans ce cas, Sarius resterait figé dans la rue et il serait à la merci du premier inconnu de niveau un qui le dépouillerait de ses biens. Ce n'était pas une bonne idée non plus.

Nick avait l'impression que sa vessie allait éclater d'un instant à l'autre. Il fallait absolument qu'il file aux WC. Le tout était de mettre Sarius en sécurité ! Mais où ?

L'inspiration lui vint par hasard : pourquoi ne pas le conduire dans la chambre qu'il avait louée ? Il fit galoper son elfe à travers les rues ensommeillées de la Ville Blanche comme si le colosse aux yeux globuleux était à ses trousses. Courait-il dans la bonne direction ? Il se souvenait d'un escalier étroit qui partait à côté d'une boulangerie et qui montait dans les hauteurs. Il devait l'emprunter puis, arrivé en haut, tourner à droite. Mais où se trouvait ce maudit escalier ?

Il fit marcher Sarius pendant des kilomètres. La barre bleue d'endurance se raccourcissait à vue d'œil, en dépit de son niveau six. S'il ne le trouvait pas en vitesse, il devrait renoncer à l'idée de mettre son personnage à l'abri et aller tout bonnement faire pipi. Mais pas ici, pas dans ce coin obscur, fréquenté par des silhouettes suspectes.

La boulangerie. L'escalier. Enfin ! Il fit gravir les marches à son avatar quatre à quatre, lui fit franchir le seuil de l'auberge, grimper l'escalier qui menait à sa chambre, refermer la porte. Il éteignit l'écran. Et maintenant, direction les toilettes, de toute urgence...

Il se leva tel un ressort, se précipita hors de sa chambre comme poursuivi par une horde de chiens enragés, courut aux WC. Y parvint juste à temps.

– Nick ! rouspéta son père, dans le salon. Ne recommence pas à claquer les portes comme ça, sinon tu vas passer un mauvais quart d'heure !

Au menu, il y avait des lasagnes végétariennes avec du tofu à la place de la viande. Cependant, pour une fois, il ne protesta pas. Ses parents commentaient le film qu'ils venaient de voir, se contentant des « Ah ! » et des « Mmm » qu'il leur lançait de temps à autre, mais s'étonnant tout de même des quantités de nourriture qu'il ingurgitait. Lui-même n'en revenait pas quand il réalisa soudain qu'il n'avait rien avalé depuis le petit déjeuner.

Il fallait encore qu'il se dépêche. Il avait laissé Sarius seul dans l'auberge, sans protection et en ligne. Et si un incendie se déclarait ? S'il se faisait attaquer ? Ou si Lelant avait repéré sa cachette ?

*J'aurais dû couper ma connexion Internet. Bien que je n'aie pas idée de ce qui se passe dans ce cas-là. Il ne manquerait plus que les gnomes s'en offusquent et le rapportent au Messager !*

En se levant de table, il piqua la dernière bouchée avec sa fourchette.

– Merci ! Je me suis régalé, dit-il en adressant un sourire à sa mère, qui le lui rendit.

Mais son père faisait une drôle de tête :

– Ne me dis pas que tu retournes déjà travailler. Je ne te crois pas.

– Non, ça suffit pour aujourd'hui, répondit Nick en bâillant de façon démonstrative. Je vais encore lire un peu, puis je me coucherai. Je suis crevé.

– La dernière fois que tu es allé te coucher à cette heure-là, tu avais huit ans.

– J'ai dit que je voulais bouquiner d'abord ! répliqua Nick sur un ton plus véhément qu'il ne l'aurait voulu. Excuse-moi ! La chimie a le don de me rendre irritable.

Son père grommela des propos incompréhensibles à son assiette. Nick ne lui fit pas répéter. Il fallait qu'il s'occupe de Sarius.

*

* *

La lune qu'on aperçoit par la fenêtre de l'auberge décroît comme la lune dans le ciel de Londres. Mais Londres est très loin.

Sarius est couché sur son lit, les bras croisés sous la tête, le regard levé vers le plafond. À un moment donné, quelqu'un a dû délivrer une lettre. Le cachet en cire jaune qui la scelle est en forme d'œil. Avant de l'ouvrir, il vérifie l'état de ses richesses et constate, rassuré, que tout est là.

Il déchire l'enveloppe : la missive est brève et peu réjouissante.

« Les autres sont partis. Nous avons eu besoin de toi et tu nous as refusé ton aide. Nous sommes déçus, Sarius. Ta négligence ne restera pas sans conséquence, tu en es conscient ? »

La lettre est signée avec une autre tache jaune en forme d'œil – inutile d'en écrire plus. Sarius a fait une connerie.

Au moment où il repose le papier sur sa table de chevet, le chandelier dans sa chambre s'éteint, puis la lune disparaît.

Le monde d'Erebos est plongé dans le noir et le silence. Sarius en est exclu. Pendant quelques secondes horribles, il pense que, cette fois, c'est pour toujours. Il se rassure en se disant que ce n'est pas possible, qu'il s'est battu comme un lion aujourd'hui. Le Messager lui a confié qu'il cherchait les meilleurs d'entre les meilleurs. Sarius pourrait être l'un d'eux. Il le sait. Il le sent.

*

* *

Nick avait du mal à digérer ses lasagnes végétariennes. *Si tu en avais moins mangé, si tu avais mangé plus vite, tu n'aurais pas manqué la quête. C'est à devenir dingue !* Il fixait l'écran noir. C'était tellement injuste. Mais, comme d'habitude, la surface demeurait inexorablement noire, résistant à toute manœuvre de redémarrage, aux suppliques et aux jurons.

Où les autres pouvaient-ils bien se trouver ? Lelant était-il avec eux ? Le rattraperait-il à nouveau pendant la nuit ? Merde, merde et merde ! Et tout ça parce que Nick ne savait pas comment on faisait correctement pause dans ce jeu !

Il regarda ses mails sans y trouver de réconfort. Plus par habitude que par réel besoin, il se rendit sur le blog d'Emily et y découvrit un nouveau poème.

**Nuit**
*Dans mon lit, je monte la garde*
*derrière une palissade*
*de coussins et de couvertures.*
*Les yeux grands ouverts,*
*j'épie les chuchotantes créatures*
*qui du jour fuient la lumière,*
*doubles obscurs de mes pensées.*
*Les bras tendus*
*à la recherche d'un visage familier,*
*je ne trouve rien,*

*pas même le mien.*
*Seul le moulin à prières dans ma tête*
*tourne et tempête,*
*inlassable, incompréhensible, insensé.*
*Et j'implore un cessez-le-feu*
*entre la nuit et le jour,*
*des grains de sable dans les yeux*
*et la première lueur du matin*
*qui est pâle comme toi.*

Il y avait quelque chose dans le poème qui fit oublier à Nick sa frustration, pendant quelques instants. Il se dit qu'il devrait peut-être parler à Emily, un jour. Lui demander par exemple si elle allait bien ou si elle avait des soucis. Il examina cette idée, puis la rejeta. Ils ne se connaissaient pas assez bien et il se couvrirait de ridicule, une fois de plus.

« – Salut, Emily. Je voulais te demander si tout allait bien pour toi. Ou si tu avais... euh... des problèmes.

– Je n'en ai pas. Pourquoi cette question ?

– Je me demandais juste, parce que j'ai lu ce poème que tu as écrit...

– Ah bon. Où ?

– Sur *artManiak*.

– Tiens donc ! Et comment tu connais mon pseudo ?

– Ben, je t'ai entendue en parler avec Michelle. Je suis désolé, vraiment.

– Et moi donc ! Lâche-moi, Nick. Fiche-moi la paix, sur Internet et dans la vraie vie. »

Voilà comment ça se passerait. Comme ça et pas autrement. Le poème n'était que de l'art. Il n'avait rien à voir avec la vie intérieure d'Emily.

Il donna une pichenette à sa souris, l'envoyant promener à l'autre bout de son bureau. Il pouvait tenter un nouvel essai pour relancer Erebos. Dix bonnes minutes s'étaient écoulées. Le Messager considérerait peut-être que c'était suffisant comme punition ? Peut-être voulait-il seulement tester sa détermination à revenir dans le jeu ?

Ça ne marcha ni la première ni la deuxième ni la cinquième fois. La soirée était foutue. Sa seule consolation fut le visage ébahi de son père lorsqu'il passa une tête dans sa chambre et vit son fils effectivement en train de lire.

Son radio-réveil affichait 21:34. Dix minutes auparavant, Nick avait décidé d'aller se coucher tôt. Il voulait faire le plein de sommeil de façon à pouvoir jouer toute la nuit suivante, s'il réussissait à mieux se débrouiller le lendemain. Ça lui permettrait de rattraper ce qu'il ratait maintenant.

Deuxième possibilité : faire semblant d'être malade et manquer l'école. À tous les coups, c'est la solution pour laquelle avaient opté Colin, ainsi qu'Helen, Jerome, Alex et sans doute tous les autres.

Cependant Nick savait qu'il ne se ferait pas porter pâle. Ce serait son premier jour de classe après le fameux vendredi où Brynne lui avait donné le DVD. Demain il regarderait les gens de sa classe avec un autre œil. Ses adversaires en chair et en os. Il voulait en parler à Colin et réfléchir avec lui au joueur qui se cachait derrière chaque personnage. Il fallait absolument qu'il découvre qui était LordNick.

*Qui sait ce qu'ils font en ce moment ? Peut-être est-ce la meilleure quête de tous les temps ? Et elle se passe sans moi. Quelle vacherie !*

Nick se tournait et se retournait dans son lit, mais le sommeil ne venait pas. Dès qu'il fermait les paupières, tous les combats de la journée repassaient devant ses yeux.

En poussant un profond soupir, il croisa les bras derrière sa tête. Le réveil marquait 22:13. C'était presque l'heure où il allait se coucher en temps normal, pourtant il était réveillé comme jamais. Mille questions trottaient dans sa tête. Comment Xohoo supportait-il d'avoir été éliminé ? Le reconnaîtrait-il demain ? Si tant est qu'il soit dans le même lycée que lui.

Ce n'était certainement pas le cas de tous les joueurs d'Erebos... Quelle idée stupide ! Il ferma de nouveau les yeux.

Combien étaient-ils aujourd'hui dans l'arène ? Environ quarante ou cinquante elfes noirs, trente vampires, vingt nains. Les barbares ? Vingt aussi, à peu près. Les loups-garous, un peu moins : quinze peut-être ? Quant aux hommes-chats et aux hommes-lézards, il devait y en avoir une quinzaine de chaque espèce. Sans oublier les trois humains. Au total, ça devait faire quelque chose comme... cent soixante ou... cent soixante-dix guerriers. C'était déjà un joli nombre, mais ce n'était rien comparé au nombre de joueurs d'autres jeux en ligne. Certes, tous les joueurs d'Erebos n'étaient pas regroupés dans l'arène, mais ça devait représenter une bonne partie. Et cet étrange Cercle Intérieur ? Les champions... Savoir si Drizzel avait réussi à faire tomber l'un d'eux de son estrade d'or ? Probablement pas. Drizzel avait juste dû se prendre un bon coup sur la cafetière. Ça lui apprendrait ! Nick ne put s'empêcher de sourire à cette idée.

22:21. Et s'il réessayait ? Le maléfice avait peut-être cessé d'agir ? De toute façon, il ne parviendrait pas à s'endormir tant qu'il n'aurait pas tenté de nouveau sa chance.

Il ralluma la lampe de chevet, alla à l'ordinateur et l'alluma, avec une sensation d'oppression. *Calme-toi, espèce d'imbécile !*

Double clic sur le « E » rouge. Rien. Encore une fois. Toujours rien. Par réflexe, Nick alla sur Google. S'il en apprenait plus sur le jeu, il trouverait certainement un moyen de relancer le logiciel. L'ennui, c'est que le Messager avait découvert sa première tentative, par on ne savait quel moyen. Il était possible qu'un deuxième essai le mette de mauvaise humeur.

Et s'il allait sur Amazon ? Il possédait une version piratée du jeu, mais il devait exister un original. Il entra « Erebos » dans la barre de recherche et appuya sur « Enter », s'attendant presque à tomber sur un nouvel avertissement qui clignoterait en rouge dans l'obscurité de sa chambre : « Ce n'est pas une bonne idée, Sarius. C'est même une idée stupide, pour être honnête. Une idée mortelle. »

Non. Amazon se contentait de répertorier une liste de CD d'opéra avec divers enregistrements d'*Orphée et Eurydice*. On se demandait pourquoi. Ah oui, c'était à cause de l'aria *Chi mai dell'Erebo*, dont il ne comprenait pas le titre, mais peu importait. Il n'était pas plus avancé, avec ça. Il n'y avait pas de jeu appelé Erebos, pas même l'annonce de sa parution. Comment pouvait-il en exister une copie ? Et qui pouvait bien détenir l'original ?

Nick examina les différentes peintures sur les jaquettes des CD d'opéra. Il s'agissait généralement de détails de tableaux. Cependant, bizarrement, ils lui rappelaient quelque chose. Il lui fallut quelques minutes pour mettre le doigt dessus. Ils lui évoquaient le colosse aux yeux globuleux.

22:57. Nick était de nouveau dans son lit. Il commençait à en avoir vraiment assez. S'il ne pouvait pas jouer, il voulait au moins pouvoir dormir. Il se sentait vidé.

*Un jeu qu'on ne peut pas acheter. Un jeu qui parle avec toi. Un jeu qui t'observe, te récompense, te menace, te donne des missions.*

« Parfois, j'ai l'impression qu'il est vivant », avait dit Colin. Colin n'était pas prix Nobel, mais il n'était pas naïf non plus. Bien sûr que non, ce jeu n'était pas vivant. Mais il était étrange. Très étrange, même.

Sarius est allongé sur le sol et LordNick se penche sur lui avec un sourire méprisant sur son visage trop familier.

– J'étais là le premier, dit-il en ricanant. Tu n'es qu'un petit morveux !

Ce disant, il lui tend un sac plein de têtes, celles de Jamie, d'Emily, de Dan et celle de son frère, et poursuit :

– Choisis celle que tu veux. À moins que tu n'aies l'intention de te balader éternellement avec cette tronche d'elfe ?

Sarius hait LordNick. Il veut lui sauter à la gorge et lui passer son épée au travers du corps. Hélas, il est incapable de bouger, et il fait noir comme dans un four.

– Nous pouvons nous battre, qu'en penses-tu ? propose Sarius péniblement. Luttons pour deux niveaux. Mais il faut que tu me laisses me lever.

– Pour des niveaux ? Pas question, Sarius ! Nous nous battons pour des années. Deux années de ta vie ou de la mienne, qu'en dis-tu ?

Sarius réalise qu'il entend pour la première fois la voix de son adversaire. Pourquoi ? Et pourquoi des années de vie ? Ce n'est pas sérieux, ça ne marche pas. L'idée lui fait peur :

– Je ne veux pas, ce n'est pas un bon enjeu.

Il perçoit aussi le son de sa propre voix : elle est geignarde et désagréablement aiguë.

– Très bien, réplique son ennemi en jetant par terre le sac de têtes. Alors tu es éliminé.

Il prend son épée à deux mains, la soulève et la lui plante dans le corps. Il l'épingle au sol comme un papillon. Sarius crie, il hurle, il ne veut pas mourir...

Ce furent ses propres gémissements qui le réveillèrent. Son cœur cognait dans sa poitrine, comme s'il venait de courir un cent mètres. L'obscurité de son rêve l'enveloppait encore. Peut-être n'était-il même pas réveillé ?

Heureusement, il vit le réveil sur sa table de chevet. 03:24. Nick retomba sur son oreiller et respira à fond. Ses geignements résonnaient encore dans ses oreilles. Pourvu qu'il ne les ait poussés qu'en rêve, sinon toute la maisonnée allait rappliquer !

Mais rien ne bougeait dans l'appartement. Ni sa mère ni son père ne vinrent s'enquérir de ce qui avait provoqué ces cris à fendre l'âme. Ouf, il l'avait échappé belle !

Il ferma les yeux et les rouvrit aussitôt. Le souvenir de son cauchemar était trop frais et l'idée de dormir traumatisante. Qui sait si LordNick ne se tenait pas à l'affût, avec son sac plein de têtes et son épée, prêt à s'infiltrer de nouveau dans son rêve ?

Mieux valait aller aux toilettes. Il s'y traîna, en faisant attention de ne pas réveiller ses parents. Il essaya de se remémorer la voix de son sosie : c'était une voix quelconque, inclassable.

*Pourquoi ne peut-on pas discuter en direct pendant le jeu ? Se parler pour de bon, comme dans d'autres jeux en ligne ?*

La réponse était évidente, même à cette heure tardive : parce qu'il fallait éviter que les joueurs se reconnaissent. Mais tous respectaient-ils cette consigne de silence ?

Nick tira la chasse d'eau le plus doucement possible et retourna dans sa chambre à pas de loup. Il n'était plus fatigué. Pourquoi ne pas retenter de lancer Erebos ? Si ça marchait, il se sentirait plus tranquille lorsqu'il irait en classe, dans quelques heures.

Dans le silence de la nuit, les bruits de démarrage de l'ordinateur lui parurent assourdissants. À tous les coups, le ronronnement du disque dur et le vrombissement du ventilateur allaient tirer ses parents du lit.

Il cliqua sur le « E » rouge, sans y croire et pourtant plein d'espoir. Quelle ne fut pas sa surprise lorsque le monde s'ouvrit à lui de nouveau.

Sarius n'est plus dans sa chambre à l'auberge, il est au cœur d'une forêt. Le décor lui rappelle le début, lorsqu'il était encore un Anonyme. L'endroit est sombre et lui est seul. Des sons flottent dans l'air – à vrai dire, ça tient plus du bourdonnement que de la musique –, comme pour annoncer une calamité imminente.

Un petit sentier serpente entre les arbres, à peine visible dans le noir. Sarius ne tâtonne pas longtemps dans l'obscurité, car le chemin débouche bientôt sur une clairière.

Il comprend tout de suite où il se trouve. C'est un cimetière, ceint d'une haute clôture. Les tombes brillent au clair de lune. Les unes sont de guingois, d'autres sont mangées par le lierre. On dirait qu'elles attendent.

Sarius n'a qu'une envie : faire demi-tour. Il pénètre cependant dans l'enclos. Un hibou pousse son cri. Le vrombissement laisse place à un chant mélancolique.

*Le courage est toujours récompensé par le* Messager, se dit Sarius pour se réconforter. *Peut-être que les autres ne sont pas loin ou qu'on va me donner une mission. Ou qu'un secret se cache dans le cimetière.*

Il s'approche de la première tombe et lit l'épitaphe :

« Ci-gît Aurora, la femme-chat,
Qui mourut par manque d'attention. »

Aurora ? En un éclair, Sarius revoit la scène : la femme-chat blessée dans le labyrinthe, le scorpion qui surgit derrière elle avec son dard dressé, prêt à frapper. Mais elle ne le voit pas, ne l'entend pas. Sarius met l'insecte en fuite, mais, trop tard, il l'a déjà piquée. *Je ne savais pas qu'elle allait mourir. Je pensais que le Messager...*

« Manque d'attention » : ça signifie manque de vigilance ou manque d'égards ? Ce n'est pas précisé dans l'inscription. Il fait taire sa mauvaise conscience et continue d'avancer.

« Ci-gît Rabelar, l'elfe noir,
Qui mourut d'avoir été trop bavard. »

Sarius ne l'a jamais rencontré. La propension au bavardage semble être une cause de mortalité fréquente. Charmalia, la vampire, Vhahox, le barbare, lui ont succombé.

La complainte a des accents de plus en plus tristes. Sarius imagine une femme agenouillée, le visage enfoui dans ses mains ; elle se balance d'avant en arrière. Dissimulée derrière un voile noir, elle chante...

Il chasse cette image et reprend sa marche. Il cherche une tombe bien précise. Un peu plus loin, il s'arrête encore.

« Ci-gît Kaskaar, le vampire,
Qui mourut en traître. »

Quelqu'un a gribouillé une face hideuse et grimaçante sur la pierre tombale.

L'herbe frémit sous les pas du visiteur. Il poursuit son exploration.

« Ci-gît Ogalfur, le nain,
Qui mourut de paresse. »

« Ci-gît Berenalis, l'elfe noire,
Qui mourut d'avoir été trop bavarde. »

« Ci-gît Julano, l'humain,
Qui mourut d'avoir été désobéissant. »

« Ci-gît Trojabas, le vampire,
Qui mourut de ne pas avoir été attentif. »

Enfin, il arrive à celle qu'il craignait de trouver :

« Ci-gît Xohoo, l'elfe noir,
Qui mourut par manque de maîtrise de soi. »

Ainsi donc, son ami est vraiment mort.

L'obscurité, les sanglots de la femme, la mort de Xohoo... Tout ça, c'est trop dur à supporter. Sarius détourne son regard de la tombe et continue.

« Ci-gît Airdee, l'elfe noire,
Qui mourut de curiosité. »

*Ce pourrait être mon sort*. Insensiblement, il accélère l'allure en parcourant les allées.

« Jostaban, loup-garou, manque d'attention. »

« Grunalfia, femme-nain, curiosité. »

« Ruggor, nain, paresse. »

« Grotok, barbare, désobéissance. »

Sarius en a assez de ce cimetière. Il n'y a pas d'épreuve à remporter ici, ni de quête à accomplir. Il se sent mal à l'aise. À tout instant, il s'attend à voir des mains cadavériques sortir de terre pour l'attraper par les pieds. Il veut s'en aller.

Il décide de ne plus lire les inscriptions suivantes. Ça lui est bien égal qu'il y ait parmi elles des noms connus. Enfin, égal... S'il trouvait ceux de Drizzel et de LordNick, le jeu en vaudrait la chandelle.

Mais vouloir partir est une chose, pouvoir en est une autre. Derrière les rangées de tombes, la lune éclaire l'arche en fer forgé d'une sortie, mais elle ne mène qu'à une forêt. Sans doute à des kilomètres de la Ville Blanche.

Sous l'effet du vent qui fraîchit, de nouveaux murmures s'éveillent, les branches vibrent, faisant signe à Sarius d'approcher. À moins qu'elles ne lui recommandent de s'éloigner ? Il ne sait. S'il s'écoutait, il s'accroupirait dans un coin et enfouirait son visage dans ses bras. Mais il y a certainement quelqu'un qui l'observe.

*Mourut de lâcheté, de peur*. O.K., ça ne va pas du tout. Il va se ressaisir. Pas question de laisser l'obscurité et cette complainte le rendre fou. Il va trouver une issue. Le portail est un bon début.

Il s'y dirige. Il faut quitter ce lieu.

Le chant faiblit dès qu'il a franchi la porte. Dieu soit loué ! Mais où aller maintenant ? Il n'ose pas sortir d'Erebos ainsi. Qui sait où il se retrouverait la prochaine fois ? Qui sait s'il pourrait seulement y revenir ?

C'est alors qu'il entend du bruit. Quelque chose frappe et cogne. Comme dans les galeries d'une mine. Il dégaine son épée. Les coups résonnent de façon lugubre dans les bois et la nuit noire. Plus Sarius avance, plus ils deviennent distincts. Bientôt, à son grand soulagement, il distingue une petite lueur.

Il fallait s'en douter: c'est un de ces gnomes appartenant à la suite du Messager. Il est assis sous un appentis de bois, le dos tourné. Devant lui, une plaque de pierre, qu'il travaille au burin et au marteau. Maintenant, Sarius sait d'où proviennent les pierres tombales.

*Si je me mets derrière lui pour regarder par-dessus son épaule, à tous les coups il va graver mon nom, juste pour le plaisir de me terroriser.*

Sarius s'approche et jette un coup d'œil. Erreur! La pierre porte un autre nom: Shiyzo. Tant mieux, il ne le connaît pas. Le gnome se tourne vers lui, découvrant sa face repoussante:

– Voici une heure inhabituelle pour une visite, Sarius!

– Je sais. Je n'ai d'ailleurs aucune envie d'être ici.

Le gnome ricane.

– Qui a envie d'être ici?

– Peux-tu me dire comment revenir?

– Revenir où?

Oui, c'est une bonne question. Sarius pèse ses mots pour répondre:

– J'ai besoin de quitter Erebos quelque temps, mais je ne veux pas que ça me porte préjudice.

Le gnome reprend son outil, tout en faisant mine de réfléchir.

– Ce n'est pas aussi simple que ça.

*Si ça l'était, je n'aurais pas besoin de toi.* Sarius se garde bien de le dire à haute voix. Il attend patiemment que le gnome ait fini de gratter son oreille velue.

– Bon, d'accord, va-t'en. Nous t'attendons demain après-midi. Tu as intérêt à ne pas nous décevoir.

– Bien sûr, répond Sarius, soulagé.

– Et transmets à Nick Dunmore le message suivant: en aucun cas, il ne doit oublier les règles. Nous l'apprendrions forcément. Et il doit garder les yeux grands ouverts.

– C'est clair. Je ne tiens pas particulièrement à ce que tu sois obligé de fabriquer un de ces trucs pour moi, déclare Sarius en désignant la plaque devant eux.

– Oh, mais je l'ai déjà faite depuis belle lurette. Pour vous tous. La plupart d'entre vous en auront besoin, pas vrai ?

Le gnome le nargue encore avec son sourire grimaçant quand l'écran devient noir.

*

* *

04:42. Trop tôt pour se lever, trop tard pour se rendormir. Sans vraiment y croire, Nick se recoucha, remonta la couette sur son nez et ferma les yeux. Il essaya de respirer à fond, mais des pierres tombales valsaient dans sa tête.

Les autres étaient-ils encore en route ? Dans quelques heures, il poserait la question à Colin. Non, il ne le ferait pas : c'était interdit. Zut ! Mais il pourrait certainement lire sur son visage la rage d'avoir pris une telle raclée dans l'arène, sous les traits de Lelant. Nick finit par s'assoupir sur cette pensée consolatrice.

# Chapitre 13

Sa nuit mouvementée avait laissé des traces. En se rendant au lycée, Nick se sentait la tête prise dans un étau, comme au début d'un rhume. Cette sensation désagréable ne le lâcha pas de la journée, sauf quand certains événements vinrent l'en distraire. Par exemple, lorsqu'il aperçut Jamie, Emily et Eric Wu en train de conspirer ensemble devant l'entrée du lycée.

Eric. Il se penchait vers Emily et lui parlait sur un ton animé. Elle ne faisait pas mine de reculer. Au contraire, elle souriait. À côté d'eux, Jamie, les bras croisés, hochait la tête en signe d'approbation. Nick fit semblant de chercher quelque chose dans son sac pour pouvoir observer le trio du coin de l'œil. Eric devait avoir dit quelque chose de drôle, car ils éclatèrent de rire tous les trois. À ce moment, il prit conscience qu'il avait rarement vu rire Emily et qu'il aurait beaucoup aimé être celui qui lui donnait cet air joyeux.

C'était ça, le genre de mec sur lequel flashait Emily ? Ce grand échalas, à moitié asiatique, avec sa coupe ringarde et ses lunettes de premier de la classe ? Ce rat de bibliothèque ? Il n'était pas naze, lui ? Ah, ça, non ! De lui, elle accepterait certainement un cadeau !

Nick aurait volontiers cédé deux… non, un de ses niveaux pour entendre leur conversation. S'il ne s'était pas disputé hier avec Jamie, il aurait pu tout bonnement se joindre à eux.

– Dunmore, reste pas planté au milieu du chemin comme un abruti ! lui cria Jerome en le bousculant au passage.

– Dégage ! répliqua Nick.

Il aurait voulu lui courir après, l'attraper par le col et lui mettre son poing dans la figure, parce que maintenant le trio avait remarqué sa présence. Jamie lui jeta un coup d'œil glacial, Emily lui fit un vague signe de la main, sans conviction. Comme par hasard, des trois, c'est Eric qui lui lança le regard le plus amical.

Nick leur tourna le dos et se dirigea vers le bâtiment. D'où lui venait cette fureur ? Vraisemblablement de sa nuit quasi blanche.

Arrivé en cours de maths, il constata que l'ambiance était calme pour un lundi matin. Brynne l'intercepta à la porte.

– Alors ? chuchota-t-elle. Alors ?

Il posa un doigt sur ses lèvres. Quelle chance qu'il soit interdit de parler du jeu !

L'expression du visage de Brynne passa de l'enthousiasme béat à un air de conspirateur.

– Je savais que tu adorerais, murmura-t-elle.

– C'est ça, répondit Nick avec un sourire forcé.

Brynne semblait épuisée elle aussi. Cependant elle avait fait tout ce qu'il fallait pour camoufler sa fatigue.

Pour Helen, en revanche, une telle tentative aurait été vaine. Elle n'avait jamais été très agréable à regarder, mais aujourd'hui son look battait tous les records. Elle semblait sortir directement de son lit. Elle avait les yeux mi-clos, les cheveux en bataille et la bouche ouverte comme une carpe. On aurait dit qu'elle allait se mettre à baver, d'un instant à l'autre. Jerome et Colin ne la quittaient pas des yeux et se tordaient de rire en l'imitant.

Helen ne se rendait compte de rien. Les yeux perdus dans le vague, elle se mit soudain à vaciller légèrement. Nick éprouva un soupçon de compassion. *Peut-être était-elle un des malheureux du cimetière ? Peut-être était-elle Aurora, que j'ai abandonnée dans le labyrinthe ?*

Il s'approcha d'elle :

– Helen ?

Elle réagit à peine, fronçant juste les sourcils. Colin et Jerome étaient morts de rire.

– Helen ? Tout va bien ?

Elle finit par lever les yeux. Ils étaient cernés de larges ombres brunâtres.

– Quoi ?

– Est-ce que ça va ? Tu as... – « une sale gueule », aurait-il voulu dire, mais il se mordit la lèvre – ... pas l'air bien.

Un rire rauque sortit de la gorge d'Helen :

– Occupe-toi de ta merde, Dunmore !

– C'est bon. T'as qu'à continuer à baver gentiment et à faire rigoler la galerie, riposta-t-il en montrant Colin et Jerome. Eux, ils n'en perdent pas une miette.

Qu'est-ce qui lui avait pris de jouer les bons Samaritains, surtout avec Helen ? *Tu le sais pertinemment*, susurra une perfide petite voix au fond de lui. *Tu espérais qu'elle te raconterait quelque chose. À propos de la nuit dernière, par exemple. Ou de son élimination. Puis tu lui aurais demandé son nom, n'est-ce pas ? Et tu aurais eu au moins la réponse à une de tes nombreuses interrogations.*

Il se frotta le visage.

– Nick, espèce d'andouille ! l'apostropha Colin. Qu'est-ce que tu lui voulais, à Helen ?

– T'occupe ! Elle avait l'air K.O., c'est pour ça que je suis allé la voir. T'as douze ans ou quoi ?

– C'est bon. Et sinon ? Du nouveau ?

– Nan.

Nick détailla son ami de haut en bas. Bien sûr, il n'était pas *pâle*, mais sa peau avait une teinte grisâtre maladive, qui ne lui était pas habituelle.

– Ça a été une journée d'enfer, hier, déclara Colin.

– On peut le dire ! Et une nuit super cool.

Il n'avait qu'à faire semblant. Faire comme s'il avait participé à l'expédition générale, au lieu d'être au cimetière, où il avait failli mourir de trouille.

– Ouais, la nuit, réfléchit son copain. Elle a été top ! Je n'aurais pas cru que ça allait se passer comme ça. Et toi ?

– Nan. Moi non plus.

*Allez, vas-y, donne quelques détails, s'il te plaît !*

– Et c'était que le début, ajouta Colin. Tu peux en être sûr.

– Ouais, c'est certain. Je suis curieux de savoir ce qui va se passer maintenant. Qu'est-ce que tu penses, toi ?

Colin leva les bras au ciel :

– Tu crois que je suis madame Irma ?

Inutile d'insister. Nick n'obtiendrait rien de plus de son pote, si ce n'est de vagues sous-entendus.

– J'aimerais trop savoir sous quel nom Helen se cache, murmura-t-il de façon à n'être entendu que de son interlocuteur.

– Mouais, ça serait intéressant. Tout le monde ne se promène pas en exhibant son vrai visage. À la place d'Helen, je ne le ferais pas, en tout cas.

Nick avait saisi l'allusion et il ouvrit la bouche, avant de la refermer aussitôt. Son ami ricana.

– T'inquiète ! Je sais que ce n'est pas toi. Ça fait beaucoup plus longtemps qu'il est dedans. Mais je pense que beaucoup ne l'ont pas pigé.

Il s'interrompit en voyant Jerome s'approcher.

– Alors, discussion d'initiés ?

– Ça va pas, la tête ! répliqua Colin. Tu crois que je ne connais pas les règles ?

– On sait jamais.

Jerome s'éloigna avec un petit rire de mépris. Helen le suivit des yeux avec un regard sombre.

– Il a raison, dit Colin. Il vaut mieux la fermer. Mais ce fouineur a lâché deux ou trois trucs, tout à l'heure, donc il ne peut rien contre nous. De toute façon, c'est impossible que je me fasse jeter.

Lorsque la sonnerie annonça le début de la première heure, Nick passa les élèves en revue. Alex et Aisha étaient là. En revanche, Dan et Michelle, non. En y regardant de plus près,

Aisha avait drôlement mauvaise mine. Son foulard était noué n'importe comment et elle clignait des yeux sans arrêt.

Il y avait Jamie, naturellement. Emily aussi. Rashid était absent. Greg, effacé comme toujours, semblait se livrer à la même occupation que Nick : il parcourait du regard les rangées et prenait mentalement des notes.

Le cours de maths de Mr Fornary commença et mit fin à ses réflexions.

Le distributeur de café était son dernier espoir. Pourtant, quand il aperçut la queue de loin, il comprit qu'il ne fallait pas compter dessus. Il avait vraiment besoin d'un remontant pour tenir durant les trois prochaines heures.

Debout près de la fenêtre, Jerome froissait entre ses mains une canette de Red Bull vide. Pas bête, ce gars-là ! Demain Nick ferait aussi provision de boissons énergisantes. En bâillant, il s'affala sur un des bancs du hall et réalisa que c'était la première fois depuis bien longtemps qu'il passait la récré tout seul. Jamie bavardait encore avec Eric Wu. Au moins, Emily n'était pas avec eux, cette fois ! Quant à Colin, il se tenait ostensiblement à l'écart des discussions et se contentait de sillonner les couloirs en regardant autour de lui. La dernière fois que Nick l'avait aperçu, il s'intéressait à une fille d'une classe au-dessous de la leur. Elle s'appelait Laura, s'il se souvenait bien, et elle tenait un petit paquet à la main.

Il regarda l'heure. Encore cinq minutes avant le début du cours suivant. Juste le temps d'aller aux toilettes.

Elles étaient le théâtre d'une discussion animée. Nick, qui s'apprêtait à tourner la poignée, la lâcha et recula d'un pas.

– Je n'ai pas le droit, tu le sais bien. Laisse-moi tranquille !

– Mais ce n'est pas logique ! Grave-le-moi encore une fois et je pourrai au moins tenter le coup. Je ne le dirai à personne.

– J'ai dit non.

– T'es pas sympa ! Qu'est-ce que ça peut faire ? Personne ne s'en rendra compte !

– Justement si ! Pourquoi j'enfreindrais les règles à cause de toi ? Il finit toujours par le savoir, ça ne t'a pas échappé ! Il finit toujours par tout savoir.

La porte s'ouvrit brusquement, et un garçon dont Nick ne connaissait pas le nom se précipita à l'extérieur. Il était talonné par un élève plus jeune, un certain Martin Garibaldi, aux lunettes de travers sur le nez et au visage écarlate.

– Attends-moi, au moins ! cria-t-il en lui courant derrière.

Nick les suivit des yeux. Les deux garçons continuèrent de discuter avec véhémence en traversant le hall, sous le regard des autres élèves. Il était facile de reconnaître qui était joueur et qui ne l'était pas : les non-joueurs manifestaient leur étonnement, les joueurs faisaient une petite grimace en haussant les épaules. Lorsque Nick revint à ses préoccupations, Adrian McVay se tenait à côté de lui, attendant qu'il remarque sa présence.

– Salut, Adrian.

Chaque fois qu'il se trouvait face à ce type, il se sentait bizarrement ému. La vie l'avait malmené, ça se voyait. Il lui manquait comme un rempart, une façade cool. Quelque chose en Nick éprouvait toujours l'envie de le protéger.

– Je peux te poser une question ?

– Bien sûr.

– Qu'est-ce qu'il y a sur les DVD que vous échangez entre vous ?

Pris de court, il dit la première chose qui lui passa par la tête :

– Nous n'échangeons pas entre nous.

*C'est la vérité. Nous copions et nous diffusons. C'est complètement différent, non ?*

– Oui, d'accord. Mais les gens se filent des DVD. Tu peux me dire ce qu'il y a dessus ?

– Pourquoi tu me demandes ça à moi particulièrement ?

– Je ne sais pas, répondit Adrian avec un petit sourire. Pour être honnête, tu n'es pas le premier que j'interroge.

– Mais les autres ne t'ont pas donné de réponse ?

– À ce que je comprends, tu ne vas pas m'en donner non plus, hein ? fit-il en secouant la tête.

– Je ne peux pas. Je suis vraiment désolé.

Colin les salua au passage, haussant des sourcils interrogateurs. *Non, mon gars, je ne suis pas en train de vendre la mèche.* Seigneur Jésus, est-ce que son copain le surveillait ? Y en aurait-il toujours un pour penser qu'il transgressait les règles dès qu'il parlait à quelqu'un ?

Adrian observait ses mains d'un air pensif :

– Vous dites tous que vous ne pouvez pas. C'est vrai, ça, ou c'est simplement que vous ne voulez pas ?

– J'ai cru comprendre que quelqu'un t'avait déjà proposé le DVD. Pourquoi tu ne l'as pas accepté, si tu es si curieux ?

Le sourire d'Adrian disparut instantanément.

– Parce que ce n'est pas possible pour moi, répliqua-t-il gravement. C'est comme ça.

– Bien que tu ne saches même pas ce qu'il y a dessus ? Excuse-moi, mais je trouve ça un peu fort.

Adrian prit le temps avant de répondre d'une voix à peine audible :

– Je ne peux malheureusement pas t'expliquer. C'est idiot, je sais. Je ne peux pas prendre le DVD, mais ce serait vraiment important pour moi de savoir ce qu'il contient.

La sonnerie du cours suivant retentit. Sauvé par le gong ! Cette conversation était devenue de plus en plus pénible et Nick était soulagé de pouvoir se défiler avec un vague sourire et quelques mots vides de sens.

Il dormit en physique et en psychologie.

– Qu'est-ce qu'il te voulait, le petit McVay ? lui demanda Colin à l'intercours.

– Rien de particulier, mentit Nick, avec le même souci inexplicable de défendre Adrian. Il avait juste envie de tailler une petite bavette.

Colin se contenta de cette réponse, même s'il l'accueillit d'un air sceptique. Nick s'en moquait. Il n'avait pas à se justifier, surtout pas si l'autre abruti s'amusait à se poser en gardien des règles.

Au nom de McVay, Emily avait brièvement tourné la tête vers Nick, lui jetant un regard scrutateur. Presque dédaigneux. Pourquoi ce mépris soudain ?

D'un coup, il comprit. Bien sûr, Jamie avait dû lui expliquer entre-temps qu'il était passé dans le camp de ceux qui possédaient le fameux DVD. Pas difficile de deviner, dans ces conditions, les raisons pour lesquelles il l'avait appelée hier, et qui n'avaient rien à voir avec le numéro de téléphone d'Adrian. Merde. Pourquoi Jamie ne pouvait-il pas fermer sa gueule ?

Mr Watson entra en classe, une pile de livres sous le bras. Ses yeux contenaient une interrogation muette et Nick crut le voir hocher la tête en comptant les places vides.

– Comment allez-vous ? leur demanda-t-il.

Il obtint pour toute réponse un grognement général et reprit :

– Il manque six élèves, si je ne m'abuse. Savez-vous pourquoi ? Dans les autres classes aussi, on constate un nombre anormalement élevé de cas de maladie. Pourtant, d'après le médecin scolaire, il n'y a pas d'épidémie de grippe ni de gastro-entérite.

– Aucune idée, se hasarda Jerome.

– Mais tu as été absent un jour, la semaine dernière, n'est-ce pas ? Qu'est-ce que tu avais ?

Jerome se tut, pris au dépourvu.

– Maux de tête, finit-il par avouer.

– Tiens, tiens ! Des maux de tête. Et ils se sont calmés ?

– Bien sûr.

– Alors, sortez vos livres. J'espère que vous avez lu le sonnet numéro 18, comme je vous l'avais demandé : « *Shall I compare thee to a summer's day…* »

Tous se mirent à fouiller dans leurs sacs. Nick avait naturellement oublié de regarder le poème et il espérait que Watson ne l'interrogerait pas. Avec son cerveau ramolli, il ne risquait pas d'improviser une interprétation brillante.

Le hurlement lui fit l'effet d'une bombe. Et pas seulement à lui : la classe entière sursauta comme si elle venait de recevoir un coup de fouet.

Aisha plaquait ses mains tremblantes sur sa bouche. Elle était blanche comme un linge et semblait sur le point de tomber dans les pommes.

– Que se passe-t-il ? demanda Mr Watson, aussi choqué que les autres, en se précipitant vers elle.

Elle tira un papier d'entre les pages de son livre et en fit une boulette.

– Ce n'est rien. J'ai cru voir une araignée, mais tout va bien maintenant.

Sa voix mal assurée et les larmes qu'elle essuya furtivement au coin de ses yeux contredisaient ses paroles.

– Peux-tu me montrer ce que tu tiens là ? reprit le professeur en se rapprochant.

Elle secoua la tête sans un mot, laissant libre cours aux pleurs qui ruisselaient sur ses joues.

– S'il te plaît, Aisha. Je veux t'aider.

– Mais ce n'est rien. Je me suis juste fait peur. Vraiment.

– Montre-le-moi.

– Je ne peux pas.

– Ça reste entre nous deux. Promis, ajouta-t-il en tendant la main.

Cependant elle persista dans son refus.

Mr Watson changea de tactique. Il laissa Aisha tranquille et s'adressa à la classe.

– Votre camarade ne veut pas dire ce qui ne va pas. Mais peut-être que l'un de vous peut le faire à sa place ? Vous lui rendriez service si elle est contrainte au silence pour des raisons que j'ignore.

Il regarda chaque élève dans les yeux, puis poursuivit :

– Nous formons une communauté. Si l'un de nous a un problème, cela ne devrait pas nous laisser indifférents.

Dans un premier temps, personne ne répondit. La classe était silencieuse comme jamais. On n'entendait que les reniflements d'Aisha. Greg lui tendit un mouchoir en papier, qu'elle accepta sans le regarder.

– C'est peut-être juste qu'elle a ses règles, osa Rashid.

Quelques gloussements accueillirent sa remarque.

– Ça se pourrait, non ? reprit-il avec un petit sourire.

Mr Watson le fixa longuement, jusqu'à ce que l'élève finisse par baisser les yeux.

D'un coup, Nick comprit pourquoi certaines des filles avaient l'habitude de se remettre du rouge à lèvres avant le cours d'anglais.

– J'ai eu tort de vous poser la question, constata le professeur. Mais je vous préviens que je ferai tout ce qui est en mon pouvoir pour découvrir ce qui a tant perturbé votre camarade. J'espère de tout cœur qu'aucun d'entre vous n'a quelque chose à voir avec ça.

Il s'assit à son bureau et ouvrit son livre.

– Rashid, s'il te plaît, lis le sonnet numéro 18 et fais-nous part de ton interprétation du texte. Après les explications lumineuses que tu viens de nous donner, je suis impatient d'entendre la suite.

À la fin du cours, Jamie accosta Nick à la porte.

– Tu as une idée de ce qui s'est passé avec Aisha ?

– Non. Comment je le saurais ? Je n'ai pas vu ce qui lui a fait peur. Pas plus que toi.

– Ce n'est pas ce que je veux dire. Je te parle du contexte général. Ça a un rapport avec le DVD, non ? Avec ce jeu ?

– Je n'en ai pas la moindre idée, murmura Nick, qui chercha à passer devant Jamie pour sortir de la salle.

Mais son copain le retint par la manche.

– Il se passe ici quelque chose de vraiment moche, fit-il. Allez ! Nous pouvons quand même discuter normalement, tous les deux ! Aisha n'est pas la seule que j'aie vue pleurer aujourd'hui. Il y a eu le même incident avec une fille de terminale. Elle a trouvé dans son sac un truc qui l'a mise dans tous ses états. Pourtant elle n'a jamais voulu en parler, ni le montrer à qui que ce soit.

– Et alors ? répondit Nick.

Il tira sur sa manche pour l'arracher à Jamie, mais ne bougea pas. Colin et Rashid n'étaient pas dans les parages et le niveau sonore était tellement élevé que personne ne surprendrait leur conversation.

– Tu ne penses quand même pas qu'Aisha dit la vérité ? reprit son ami, avec un petit sourire plus amusé que consterné. Une araignée, c'est ça ? Tu as vu comme moi qu'elle cachait un bout de papier dans sa main.

– Peut-être qu'il y avait une photo d'araignée dessus ? plaisanta-t-il, avant de se reprendre, conscient d'avoir dit une ânerie. D'accord, j'ai vu le papier, moi aussi. Mais je n'ai pas idée de ce que c'était. Peut-être que c'est juste son petit copain qui lui a envoyé un mot pour lui dire que c'était fini.

Jamie lui lança un regard apitoyé :

– Franchement, arrête de faire l'imbécile. Ça fait dix jours qu'il se passe des trucs bizarres, ici. Depuis que le jeu circule dans le lycée. Tu dois bien t'en être rendu compte.

– Je te jure que tu es parano !

Jamie le dévisagea d'un air songeur.

– Dommage. J'aurais dû accepter ta proposition hier pour voir ce qu'il y avait sur ce foutu DVD. J'aurais eu quelque chose à montrer à Mr Watson.

– Eh oui. Mal joué ! répondit Nick. Mais tu sais, tu n'y es pas du tout. Ce n'est pas ce que tu imagines.

*Le jeu est bien plus malin que toi, Jamie Cox, et il aurait vite fait de déjouer tes manœuvres.*

La cantine était bondée, en dépit des nombreuses absences. Mais elle était assez vaste et Nick ne se sentait pas d'humeur très sociable. Aussi attrapa-t-il en vitesse une assiette de salade et un bol de nouilles indéfinissables. Mais que faire, ensuite ?

En temps normal, il se serait assis à côté de Jamie ou de Colin. Impossible aujourd'hui.

Il regarda autour de lui et eut un choc en découvrant Emily installée à l'une des petites tables. Elle fit un signe de la main dans sa direction, et il faillit laisser tomber son plateau pour lui rendre son salut. Sa joie fut de courte durée, car le geste était en fait destiné à Eric. Celui-ci mit aussitôt le cap sur la table de la jeune fille. En quelques secondes, ils furent plongés dans une conversation animée, comme s'ils venaient à peine de s'interrompre.

Nick s'installa à la première place libre venue et contempla son repas. Bouffe de cantine. Il aurait dû balancer le tout à la figure d'Eric.

– La place est libre ?

Il ne manquait plus que ça ! Le monde entier se liguait contre Nick Dunmore. Il en avait la preuve devant lui ! Avec un petit sourire affecté, Brynne était en train de poser sa salade et son verre d'eau en face de Nick.

– Oh, des spaghettis, minauda-t-elle comme si elle n'en avait jamais vu de sa vie. Bon appétit !

Maintenant au moins, le contenu de son plateau allait lui servir à quelque chose. Il pourrait se le fourrer dans la bouche, s'épargnant ainsi la peine de répondre à son bavardage.

– Aisha a fait un de ces numéros ! T'as pu voir ce qu'elle tenait dans la main ?

Nick secoua la tête et continua de tourner ses pâtes sur sa fourchette. La sauce blanchâtre dans laquelle elles surnageaient avait un vague goût de champignons.

– Moi aussi, ça m'est égal. En tout cas, jamais je ne me donnerais comme ça en spectacle.

Elle attendait son approbation, mais il était maintenant concentré sur sa salade qui baignait dans le vinaigre.

Pourquoi ne pouvait-il pas se comporter comme Colin ? Il se serait débarrassé d'elle avec un « Tire-toi, pauvre pomme ! ». Et il aurait eu la paix. Mais il redoutait l'expression douloureuse qui s'afficherait alors sur le visage de Brynne, et sa mauvaise conscience.

– Allô ! Y a quelqu'un ? reprit-elle en agitant la main devant ses yeux.

– Oui, pardon. Qu'est-ce que t'as dit ?

*Je ne suis qu'une mauviette et un lâche !*

– Je t'ai posé une question, reprit-elle, un peu piquée.

– Ah, excuse-moi, je suis fatigué. Que veux-tu savoir ?

– N'y a-t-il pas quelque chose que tu devrais me dire ?

Pardon ? De quoi parlait-elle ?

– Tu suggères que je devrais te remercier ? Pour l'objet ? O.K. Merci beaucoup ! T'es contente ?

Sur le visage de Brynne, le sourire disparut. Elle rejeta ses cheveux en arrière en serrant les lèvres d'un air pincé.

Qu'est-ce qu'elle avait encore ? Il était resté poli, pourtant !

– Je me demandais ce qui se passait entre toi et Jamie, commença-t-elle après quelques secondes de silence.

– Rien du tout.

Elle prit un air entendu :

– C'est ça... Vous vous êtes... vous vous êtes engueulés à cause de... tu sais bien, à cause de la chose. C'est pas vrai ?

Nick ne répondit pas, ce que Brynne prit pour une confirmation :

– T'en fais pas. T'as une foule d'amis. T'as pas besoin de lui. Et puis, on peut pas dire qu'il fasse partie des mecs cool, ici. T'as vu les chaussures qu'il porte aujourd'hui ?

Elle ponctua sa phrase d'un gloussement convaincu. Puis elle se lança dans un discours sur le look déplorable de son meilleur ami. Nick jeta sa fourchette sur les pâtes trop cuites et recula sa chaise.

– Je crois que j'ai plus faim ! La prochaine fois que tu auras envie de débiter des vacheries sur le compte de Jamie, cherche-toi quelqu'un d'autre !

– Eh, c'était que...

Il n'en entendit pas davantage, car il avait déjà quitté la table. Il fallait encore passer devant Emily, qui ne le remarqua pas. Le menton appuyé sur les mains et la tête légèrement penchée, elle écoutait Eric déblatérer sans fin.

*Je vais rentrer à la maison. Tabasser des adversaires à en faire péter le disque dur !*

Le seul problème est qu'il y avait encore deux heures de cours qui l'attendaient, cet après-midi. Il pourrait peut-être les sécher ? Quand il pensait à l'avance que prenaient ceux qui manquaient les cours aujourd'hui, il était vert de rage.

D'un autre côté, s'il tenait bon aujourd'hui, il pourrait peut-être s'offrir un jour de pseudo-maladie demain. Non, bon sang ! Demain, il devait rendre le devoir de chimie. Déjà demain !

Au moins, il savait ce qu'il lui restait à faire maintenant pour occuper sa pause de midi. Il mit son sac sur l'épaule et se chercha une place tranquille près de la fenêtre, à la bibliothèque.

Il alla chercher deux livres dans les rayons et commença à en recopier des paragraphes dans sa copie, en ayant soin de modifier les phrases au maximum. Et voilà, le tour était joué ! Après tout, ce n'était pas aussi méchant que ça ! Il avait déjà noirci une demi-page. Là, il y avait un graphique qu'il pouvait intégrer et qui donnerait un air « pro » à son devoir. Il continua de copier, réussit à remplir deux pages. Elles n'étaient sûrement pas bonnes, mais elles avaient le mérite d'exister. Satisfait, Nick regarda par la fenêtre, dans la cour au revêtement brillant de pluie, comme si elle allait lui apporter l'inspiration pour terminer son devoir. Mais tout ce qu'il vit, ce fut Dan, pourtant théoriquement absent. Cependant il était bien là, tout seul. Pour quelle obscure raison Sœur Popote n'était-il pas derrière son ordinateur ?

Nick le vit se cacher derrière la haie de thuyas qui séparait la cour du parking. Il tenait un objet à la main. Des jumelles ? Non, un appareil photo.

Il plissa les yeux pour mieux voir. Dan était en train de photographier quelque chose sur le parking, mais Nick ne put malheureusement pas distinguer de quoi il s'agissait, parce que l'aile droite du lycée le lui cachait.

Peu après, le petit gros lança des regards inquisiteurs à travers les vitres des classes du rez-de-chaussée. Arrivé devant l'une d'elles, il refit quelques prises avant de pénétrer dans l'édifice et de disparaître du champ de vision de Nick.

Celui-ci était très tenté de se lever pour rattraper le garçon et l'interroger. Sauf qu'il ne piperait pas.

*Dans ce cas, ce ne serait pas un problème de lui arracher l'appareil des mains et de jeter un coup d'œil aux dernières photos*. Non, il ne le ferait pas.

Au lieu de ça, il retourna la page sur laquelle il s'apprêtait à écrire la suite.

« DAN », inscrivit-il à gauche, suivi du signe « égale ». Un quart d'heure plus tard, il avait griffonné une liste d'équations d'un genre nouveau. Pas vraiment conformes au programme de mathématiques de l'année, mais sans nul doute intéressantes.

DAN = Sapujapu ? Non, il est trop gentil. Drizzel ? Possible. Peut-être aussi Blackspell.

ALEX = aucune idée. Peut-être un lézard ? Gagnar ? Ou un elfe noir : Vulcanos ? Pourrait être n'importe qui. Pourrait être n'importe quoi.

COLIN = Lelant. Mais il était trop guilleret aujourd'hui. Se sent invincible. D'un autre côté, qui sait ce qui s'est passé pendant la nuit ? Peut-être BloodWork malgré tout ? Ou Nurax ?

HELEN = Aurora ? Dans ce cas, elle est morte. Tyrania ? Possible. Fille d'Arwen ? Si c'est ça, je suis mort de rire.

JEROME = LordNick ? Mais pourquoi ?

BRYNNE = Feniel probablement, parce que bécasse antipathique. Ou Fille d'Arwen. Ou Tyrania.

AISHA = morte, vraisemblablement. C'est pour ça qu'elle est désespérée. Aurora ?

RASHID = Drizzel ? BloodWork ? Blackspell ? Xohoo ?

Exaspéré par toutes ces incertitudes, Nick jeta le stylo sur la table. Chacune de ses suppositions se terminait par un point d'interrogation. Aucun des personnages du jeu ne pouvait être classé une fois pour toutes. Il était possible qu'il n'ait jamais croisé Colin au cours du jeu, pas plus que les membres du Cercle Intérieur. Qui étaient Beroxar et Wyrdana, par exemple ?

Non, ça n'avait pas de sens. Il allait cesser de se prendre la tête avec ça. Il valait mieux travailler encore un peu et, plus tard, se replonger dans Erebos, la conscience tranquille.

Nick prit une nouvelle feuille et continua de copier sans vraiment comprendre ce qu'il écrivait. Il avait rempli trois pages et demie quand la cloche annonça le début de l'heure suivante. Ce n'était pas si mal. Il finirait ce soir et il taperait le tout sur l'ordinateur. Ça marcherait bien, d'une façon ou d'une autre.

*

*   *

*À chaque nouveau jour qui passe, ma réalité perd un peu plus de son importance. Elle est désordonnée et imprévisible.*

*Quel pouvoir a-t-elle, la réalité ? Elle peut me donner faim et soif, me rendre mécontent. Infliger des douleurs, causer des maladies. Elle obéit à des lois absurdes. Mais, surtout, elle a une fin. Dans tous les cas, elle conduit à la mort.*

*L'essentiel est ailleurs : dans les idées, les passions et même la folie. Tout ce qui s'élève au-dessus de la raison.*

*Je récuse la réalité. Je lui refuse mon concours. Je me soumets aux tentations de la fuite hors du monde et me voue corps et âme à l'éternité de l'irréel.*

# CHAPITRE 14

– Je t'attendais.

Le Messager est installé sur une chaise dans la salle de l'auberge, lorsque Sarius y parvient en fin d'après-midi. Le soleil est bas sur l'horizon et répand ses rayons dorés comme du miel.

– Il paraît que vous avez vécu une journée intéressante. Raconte-moi. Y a-t-il eu des événements exceptionnels ?

Le Messager ne se satisferait pas d'un « non ».

– Une fille du nom d'Aisha a piqué une crise de nerfs.

– Tu sais pourquoi ?

– Pas vraiment. Elle a trouvé dans son livre d'anglais quelque chose qui l'a terrifiée. Je n'ai pas pu voir ce que c'était.

Le Messager semble satisfait de la réponse.

– Quoi d'autre ?

Oui, quoi ?

– J'ai observé Dan Smythe en train de prendre des photos en douce. De quelque chose sur le parking.

– Bien. Ensuite ?

Sarius réfléchit. Que dire d'autre ?

– Parle-moi d'Eric Wu. Ou de Jamie Cox.

*Il sait déjà tout. Et il me teste.*

– Ils ont discuté ensemble.

– De quoi ?

– Aucune idée.

– Quel dommage !

Le Messager se lève de sa chaise dans un mouvement fluide. Dans la pièce exiguë, il paraît immense, d'une taille surhumaine. Arrivé à la porte, il se retourne encore une fois, comme s'il venait de se rappeler un détail.

– Je me fais du souci, articule-t-il. Erebos a des ennemis et ils deviennent de plus en plus puissants. Tu en connais quelques-uns, n'est-ce pas ?

Dans la tête de Sarius, les pensées se bousculent. Il ne parlera pas d'Emily et de Jamie, jamais de la vie. Peut-être d'Eric ? Non, il ne vaut mieux pas. Mais il faut qu'il réponde quelque chose, le Messager semble s'impatienter.

– Je crois que Mr Watson n'apprécie guère Erebos. Bien qu'il n'en connaisse rien. Disons qu'il essaie de questionner les élèves.

– Merci de cette indication précieuse, répond le Messager avec un sourire presque chaleureux. Allez, dépêche-toi ! Celui qui me rapportera une plume du faucon d'or se verra richement récompensé.

– Quel faucon d'or ? s'enquiert Sarius, mais le Messager lui a déjà tourné le dos et quitte la pièce sans ajouter un mot.

Sarius mène son enquête. Chez le boulanger, il apprend qu'il doit se diriger vers le sud et se méfier des moutons. Première faute de goût dans ce monde. Des moutons !

Une mendiante à qui il donne une pièce d'or lui révèle qu'il lui faut chercher une haie de couleur rose. Ses recherches s'avèrent longues et fastidieuses, mais, au bout d'une bonne heure, Sarius a récolté enfin assez d'informations pour se mettre en route dans ce qu'il espère être la bonne direction. Évidemment, il est interrompu. Comme toujours, c'est le monde extérieur qui s'interpose.

Son portable.

Jamie.

Sarius décide de l'ignorer : il n'a pas de temps à perdre, il doit sortir de la ville. Pourvu que son épée soit suffisamment solide pour résister à un faucon doré !

Il ne tarde pas à être fixé. Il suit la direction indiquée par le garde en faction à la porte de la ville : le sud. Il marche pendant un temps infini, mais ne trouve ni moutons ni faucon. En revanche, c'est le rapace qui le trouve. Fendant l'air sans crier gare, un énorme oiseau doré s'abat comme une météorite brillant de mille feux. Sarius cherche à se mettre à l'abri, mais en pure perte. Il est à découvert, exposé en plein champ, et le faucon le saisit dans ses serres, le soulève dans les airs, puis le laisse choir. La majeure partie de sa ceinture tourne au gris, puis au noir.

Vite, il faut ramper avant qu'il ne soit trop tard. Les cris suraigus de l'oiseau de proie et le sifflement provoqué par ses blessures se mêlent en une cacophonie douloureuse. Sarius serre les dents. Il lui reste de la potion de guérison ; il faut juste qu'il atteigne son inventaire avant que le faucon ne l'attaque une deuxième fois.

Cependant, son adversaire ne semble pas décidé à lui en laisser le temps. Il tournoie dans le ciel tel un cerf-volant étincelant et s'apprête à fondre de nouveau sur lui. Sarius tire son épée, prêt à subir l'assaut du faucon qui descend en piqué, dans un éclair de lumière. Il ne survivra pas à une nouvelle blessure.

Le choc est brutal et métallique. Le sifflement dû à ses blessures devient intolérable. Au moins, il entend encore le bruit. C'est bien. Ça signifie qu'il est encore en vie. Pourtant, l'oiseau de proie se prépare à une troisième et ultime offensive. Dans l'état où se trouve Sarius, une piqûre de moustique suffirait à l'envoyer *ad patres*.

*Non, non, tout mais pas ça !* Fébrilement, il ouvre son inventaire : la potion de guérison est là ! Vite ! L'ennemi est encore en train de prendre de l'altitude. Peut-être aura-t-il le temps. Vite...

La boisson agit trop lentement. Peu à peu, la couleur revient, le vacarme baisse de volume. Entre-temps, le rapace s'est remis en position. Bien que ce soit sans espoir, Sarius essaie de ramper jusqu'à l'arbre le plus proche, tandis que le faucon pique sur lui et envahit progressivement tout son champ de vision.

– Dois-je le retenir ?

C'est le Messager. Sorti de nulle part, comme toujours.

– Oui, faites vite !

C'est merveilleux, Sarius va vivre. Il savait qu'il pouvait compter sur lui.

– En échange, tu dois faire quelque chose pour moi.

– Bien sûr. Avec plaisir.

Il a accepté. Alors, qu'attend le Messager pour chasser le monstre ? Il descend, il est presque sur lui, il est si rapide…

– Tu le promets ?

– Oui, oui, oui !

D'un geste nonchalant, le Messager lève le bras. Aussitôt, le faucon exécute un virage serré sur la gauche. Dans un vigoureux battement d'ailes, il s'élève encore plus haut et disparaît peu à peu du paysage.

– Alors, viens avec moi.

La potion de guérison a fait son effet. La ceinture de Sarius a presque entièrement retrouvé sa couleur d'origine et le sifflement n'est plus qu'un chuchotement. Le Messager le guide jusqu'à un chêne, à l'ombre duquel ils se réfugient tous deux.

– Plus tu progresseras, plus les tâches que je te confierai seront difficiles. Ça va de soi, n'est-ce pas ?

– Oui.

– Cette fois, il s'agit d'une mission que doit accomplir Nick Dunmore. S'il s'en acquitte de façon satisfaisante, tu passeras au niveau sept. Avec ça, tu te trouverais en belle compagnie.

– Très bien.

– Voici ce qu'il faut faire : Nick Dunmore va donner un rendez-vous à Brynne Farnham. Il devra faire en sorte qu'elle se sente bien et qu'elle passe un agréable moment. Il faudra qu'il se montre suffisamment convaincant pour qu'elle le croie amoureux d'elle.

Brynne ? Pourquoi elle ? Quel est le rapport avec Erebos ? Sarius tarde à répondre. Il ne saisit pas le but de l'opération. En plus, la perspective d'avoir à la séduire lui répugne. Toute la classe le saura. Emily l'apprendra. Ça ne fait pas l'ombre d'un doute, car Brynne le clamera sur tous les toits...

– Alors ?

– Je ne suis pas sûr de bien comprendre. Pourquoi Brynne ? Quel est l'objectif ?

C'est comme si un nuage obscurcissait soudain le soleil. Le monde devient gris.

– Tu me déçois, Sarius. Je déteste la curiosité.

– Bon, c'est d'accord ! se hâte-t-il de répondre. Je vais faire ce que vous me demandez. O.K.

– Ne reviens pas avant d'avoir accompli ta mission !

Le Messager lève le bras et l'obscurité s'abat sur la campagne.

*

* *

Brynne ! Nick se frottait le visage entre les mains en gémissant. C'était bien sa veine ! Pourquoi pas Michelle, au moins ? Ou Gloria ? Une des filles sympas, une des discrètes ? Non, il fallait qu'il se farcisse Brynne et ses éternelles minauderies !

S'il faisait ce qu'on exigeait de lui, il ne pourrait plus jamais se débarrasser d'elle, il en était conscient. En outre, elle s'en vanterait partout, comme elle le faisait toujours. Et Emily se détournerait de lui. Enfin... Encore eût-il fallu pour cela qu'elle se tourne d'abord vers lui !

Perplexe, Nick fixait du regard l'écran noir de son ordinateur. Qu'est-ce qui avait bien pu amener le Messager à lui infliger une tâche aussi absurde et pénible ? Voulait-il le punir ? Ou simplement mettre à l'épreuve sa docilité ?

Dans l'hypothèse où il accepterait : quel genre de rendez-vous attendait-on de lui ? Une rencontre au café, à parler de choses insignifiantes ? Un hamburger chez McDonald's ? Une balade le long de la Tamise en se tenant par la main ? Ou – Dieu l'en préserve – une sortie au cinéma, où il serait privé de toute possibilité de repli et mourrait asphyxié par le parfum de Brynne ?

Puisqu'il fallait en passer par là, il choisit l'option « papotage au café ». Au moins, il y aurait une table entre eux. Il la laisserait causer, en hochant la tête de temps en temps. Peut-être même qu'il lui ferait un sourire. « Afin qu'elle se sente bien et qu'elle passe un agréable moment. »

Mais tout ça pour gagner un niveau seulement ! La récompense lui paraissait bien dérisoire. Il sortit son portable de sa poche et constata avec étonnement qu'il avait effectivement enregistré le numéro de Brynne. Il appuya sur « Composer », mais raccrocha avant que la liaison ne s'établisse. Il n'avait pas envie. Demain, ce serait bien assez tôt. Pourquoi fallait-il qu'il se gâche la soirée ?

À la place, il pourrait rappeler Jamie. Pour qu'il lui rebatte les oreilles avec les dangers d'Erebos ? Merci bien !

Non !

La seule chose dont il avait vraiment envie, c'était de jouer, et il pouvait faire une croix dessus pour aujourd'hui. Une fois de plus.

Nick attrapa son iPod, mit les écouteurs dans ses oreilles et pensa à Emily. Un rendez-vous avec elle, voilà une mission qui l'aurait emballé !

L'histoire avec Brynne l'obnubilait tellement qu'il en oublia le devoir de chimie. Après le dîner, brusquement, il se rappela qu'il devait le rendre le lendemain. Il s'assit devant son ordinateur, tapa les pages manuscrites, ajouta ses dernières recherches. Puis il imprima l'ensemble, espérant contre toute logique que Mrs Ganter gratifierait ses élucubrations d'un 16/20. Il détestait la chimie.

Quant à Brynne, il la haïssait aussi. Le jour suivant, après le cours de chimie, il l'aborda en prenant soin de ne pas être vu d'Emily.

– Salut ! dit-il, avec un grand sourire qui lui arracha la bouche. Je voulais te demander un truc.

Les yeux de la fille étaient suspendus à ses lèvres comme deux grands phares bleus pleins d'attente.

– Oui ? susurra-t-elle.

– Ça te dirait qu'on se retrouve... aujourd'hui après les cours ? On pourrait aller dans un café.

– Oh, oui, avec plaisir. Génial !

Nick eut l'impression que le dernier mot lui était moins destiné à lui qu'à elle-même.

– Au café Bianco, par exemple. On pourrait y aller juste après la classe, proposa-t-il.

– Pour tout dire, j'aurais bien aimé repasser à la maison pour me changer.

Misère ! Elle mettrait deux heures à se pomponner et à se contorsionner pour rentrer dans la jupe la plus serrée et la plus courte qui soit !

Il s'efforça de lui adresser un sourire enjôleur.

– Tu sais quoi, Brynne, je trouve que tu n'en as absolument pas besoin. Pourquoi ne pas filer directement ? J'ai peur de m'écrouler sur mon lit et de ne pas me relever, si j'ai le malheur de faire un détour par chez moi. Les nuits sont courtes, ces derniers temps.

Il se demanda si elle prendrait son baratin pour argent comptant ? Manifestement oui.

Elle le gratifia d'un petit gloussement et de quelques battements de cils avant d'ajouter, d'un air complice :

– Tu parles ! Tu crois que c'est différent pour moi ? Je ne sais même plus ce que dormir veut dire.

Ils décidèrent de se donner rendez-vous à la station de métro, après le cours d'arts plastiques. Nick espérait que, dans la foule, sur le quai, personne ne les remarquerait. Ils se séparèrent pour ne pas attirer l'attention.

Trois minutes plus tard, il aperçut Brynne qui discutait et gesticulait devant Gloria et Sarah. Ce n'était pas sorcier de deviner ce qu'elle leur racontait, d'autant plus que ses yeux étaient rivés dans sa direction.

À l'heure du déjeuner, tandis qu'il s'était réfugié dans le coin le plus discret du réfectoire pour manger sans grand appétit son sandwich au thon, il vit Jamie arriver vers lui. Ils n'avaient pas encore échangé un mot de la matinée et Nick devait admettre que c'était principalement de son fait. Le devoir de chimie et le rendez-vous avec Brynne lui pesaient si lourd sur le cœur qu'il n'avait pas envie, en plus, de se disputer avec son meilleur ami.

Mais qui parlait de dispute ? Ils étaient potes depuis des années, et ce n'est pas parce qu'ils n'étaient pas d'accord sur un truc, une fois, que ça allait mettre fin à leur amitié. Exactement. Voilà ce qu'il allait lui expliquer.

Jamie était pâle ; il avait l'air grave :

– Dommage que tu n'aies pas rappelé hier soir.

– Pas eu le temps.

– Je n'en doute pas.

– Quoi de neuf ? tenta Nick pour amener la conversation sur un terrain moins glissant. T'as déjà parlé à Darleen ? T'avais l'intention de le faire.

– Non. Je veux te montrer quelque chose.

« Montrer » ? C'était plutôt rassurant. Ça signifiait sans doute que son copain avait renoncé à le dissuader de jouer.

– O.K. De quoi s'agit-il ?

De sa poche de pantalon, Jamie sortit un bout de papier soigneusement plié et le lui plaqua dans la main.

– Regarde ce que j'ai trouvé, hier, coincé dans le porte-bagages de mon vélo !

Nick défroissa la feuille et eut, l'espace d'un instant, une impression de déjà-vu. On y distinguait une pierre tombale. Le dessin était malhabile mais très identifiable. L'inscription disait :

« Ci-gît Jamie Gordon Cox,
Qui mourut de curiosité et d'ingérence mal venue.
Qu'il repose en paix. »

À côté des caractères en majuscules, l'auteur avait dessiné des traces de sang, de grosses gouttes qui dégoulinaient le long de la stèle.

– C'est une plaisanterie de très mauvais goût, s'indigna-t-il. As-tu idée de qui elle vient ?

– Non. Je croyais que tu serais plus à même de répondre à cette question.

Il ne se laisserait pas provoquer par les piques de son pote.

– Je ne connais pas cette écriture. Je serais même incapable de dire si elle appartient à une fille ou à un...

– C'est une menace, tu comprends ? l'interrompit Jamie. Une menace de mort, et sacrément explicite, avec ça. Je ne dois pas me mêler de vos histoires, je dois rester en dehors de votre jeu, sinon...

Il mima le geste d'une tête qu'on coupe.

– Tu ne vas pas me dire que tu prends ça au sérieux ? s'écria Nick. C'est une sale blague ! Qui pourrait vouloir te tuer ?

Son ami haussa les épaules. Il avait l'air réellement affecté.

– Qui te dit que ce message a quelque chose à voir avec... enfin, tu vois ce que je veux dire ? Tu ne peux pas en être absolument sûr.

L'ennui, c'est que lui en était absolument sûr. Le billet macabre était forcément l'œuvre de quelqu'un qui avait fait une petite promenade nocturne dans le cimetière d'Erebos.

– Je ne suis pas idiot, s'énerva son copain. De quoi veux-tu qu'il s'agisse, sinon ? À quelle « ingérence mal venue » fait-on allusion, d'après toi ? Je me serais plaint, à la cantine, qu'il n'y avait pas assez de sel dans l'eau des pâtes ?

– O.K. Mais tu ne vas tout de même pas prendre ces menaces au sérieux ? C'est des conneries, rien de plus ! Quelqu'un veut te foutre les jetons et tu marches à fond. Ce n'est pas nécessaire, franchement !

Jamie le scruta longuement sans un mot, avant de reprendre :

– Et qu'est-ce qui s'est passé, alors, avec Aisha ? Pourquoi elle a hurlé hier, hein ? Et la fille de terminale, Zoe ? Qu'est-ce qu'elle avait ?

– J'en sais rien, moi. Demande-lui !

– C'est précisément ce que j'ai fait, figure-toi, répondit-il avec un petit rire amer. J'ai parlé avec les deux filles et je leur ai demandé ce qui les terrorisait à ce point. Eh bien, tu ne devineras jamais : elles ne disent rien. Muettes comme des carpes !

– Elles ont sans doute fini par comprendre qu'il s'agissait juste d'une blague débile.

– Non, elles ont peur. J'ai rencontré hier deux élèves qui se sont fait virer du jeu. Ils ne veulent pas en parler non plus. En tout cas, pas pour l'instant. Mais je crois que l'un des deux y pense. Peut-être qu'il ira voir Mr Watson. C'est ce que je lui ai suggéré.

*Ne me dis rien de tout ça ! S'il te plaît, pas un mot. Sinon, que faudra-t-il que je fasse quand le Messager me questionnera sur toi ?*

Il regarda nerveusement autour de lui : était-on en train de les écouter ? Non, les tables les plus proches n'étaient pas occupées, et les gens assis plus loin étaient absorbés dans leurs conversations.

– Tu vois bien ! Toi aussi, tu es devenu complètement parano ! s'exclama Jamie. Pourquoi ? Explique-moi !

– Pas si fort ! siffla-t-il entre ses dents. Je ne suis pas parano. Tu ne comprends pas, c'est tout. Tout ça est très complexe et captivant, mais c'est également facile à détruire, et ce serait dommage. Voilà sans doute la raison pour laquelle certains réagissent de façon excessive quand quelqu'un se mêle de gâcher la fête.

– La fête ? murmura-t-il en lui agitant le dessin sous le nez. C'est ça, la fête ?

Il replia le papier et le fourra dans sa poche.

– Je vais le donner à Mr Watson. Depuis l'incident avec Aisha, il est très préoccupé. Il a parlé avec quelques élèves et il se propose de contacter bientôt les parents. Peut-être que ce torchon l'aidera. Peut-être qu'il reconnaîtra l'écriture.

– Bon, maintenant, arrête d'exagérer !

Pourquoi son copain refusait-il d'admettre que tout ça n'était qu'un jeu ? C'était justement le fait qu'Erebos interférait à tout moment avec la réalité qui le rendait aussi fascinant. Mais ce n'est pas pour autant qu'un joueur s'aviserait de toucher à un cheveu de sa tête.

– Je veux savoir si je peux compter sur toi au cas où les choses tournent mal. Sommes-nous encore amis ?

– Bien sûr que nous le sommes. Mais c'est franchement ridicule de remuer ciel et terre pour un ou deux idiots qui écrivent des pseudo-lettres de menace, tu peux me croire. Si tu donnes le papier à Mr Watson, il va monter l'affaire en épingle et ça ne servira qu'à créer des ennuis.

Jamie posa la main sur la poche de son pantalon.

– Si les ennuis tombent sur les responsables, ce sera forcément une bonne chose, dit-il en se levant.

Avant de partir, il se pencha de nouveau vers Nick :

– Tu es sûr que tu ne ferais pas mieux de décrocher ? Arrête ce truc, s'il te plaît ! Quelque chose me dit qu'il n'en sortira rien de bon.

– Tu fais tout un cirque autour de cette affaire. Beaucoup plus qu'elle ne le mérite... Ça m'amuse, c'est une aventure, tu comprends ?

– Tu te rends compte que tu n'es même pas libre de dire qu'il s'agit d'un jeu ?

Nick lui jeta un regard furibond, mais ne répondit pas. Si seulement Jamie avait accepté Erebos quand il le lui proposait, s'il l'avait au moins regardé, il partagerait son enthousiasme !

– Emily serait contente aussi que tu laisses tomber. Elle me l'a dit.

– Elle ferait mieux de continuer à s'occuper d'Eric, au lieu de se mêler de mes affaires, lâcha-t-il froidement.

Jamie poussa un profond soupir :

– Fais chier, Nick !

Il tourna les talons et s'éloigna.

# CHAPITRE 15

Au café Bianco, seules trois tables étaient occupées. Et parmi les clients, aucun visage connu. Nick poussa un soupir de soulagement. Déjà le trajet en métro avait été éprouvant, parce que Brynne avait jacassé non-stop. Maintenant, ils allaient prendre un verre ensemble, Nick lui paierait son coca, puis il se dépêcherait de rentrer à la maison. Pour se lancer dans la prochaine quête, trop heureux de tester ses nouvelles forces, avec son niveau sept.

– ... était à bout de nerfs, hier. Je crois qu'elle a laissé beaucoup de plumes dans une des batailles.

De qui s'agissait-il ? Nick posa la question et récolta en retour un regard assassin.

– Tu n'écoutes pas ce que je te dis ? Zoe, la grosse de terminale. Si tu l'avais vue pleurer ! La morve lui coulait sur le visage, expliqua-t-elle avec une grimace de dégoût. Alors, Colin lui a glissé deux mots à l'oreille, et elle s'est calmée.

À croire qu'il mettait son nez partout, celui-là, ces derniers temps.

Une serveuse avec trois piercings aux lèvres vint prendre leur commande. À la grande surprise de Nick, Brynne demanda une bière.

– J'aime bien la bière, pas toi ? ronronna-t-elle.

– Hmm, marmonna-t-il en regardant ailleurs.

Combien de temps devrait-il tenir avec elle ? Combien de temps faudrait-il que dure la séance pour que le Messager la valide comme un rendez-vous à part entière ? Il n'allait sûrement pas se contenter des cinq minutes qui s'étaient écoulées. Quelle barbe !

– Colin est vraiment un mec cool, dit-elle, faussement pensive. Presque aussi cool que toi.

Il ne parvint pas à retenir un soupir d'agacement, qu'il tenta aussitôt de rattraper par un grand sourire. Elle devait « se sentir bien », c'était le deal. Mais il fallait voir... Peut-être qu'elle se sentait bien aussi en terrain glissant...

Il s'assura encore une fois qu'il ne connaissait personne dans la salle. Non, aucun visage familier. Ça valait le coup de faire un essai.

– J'aimerais vraiment savoir, commença-t-il lentement, sous quelle identité se cache Colin. Tu as une idée ?

– Oh, Nick, murmura-t-elle en posant une main moite sur son bras. Je ne suis pas assez bête pour ça.

– Que veux-tu dire ?

– Je refuse de transgresser les règles. Ça finit toujours par se savoir et après on est mal barré. Tu le sais bien.

Nick résista à l'envie de se dégager.

– Personne ne nous écoute, ici.

– On ne sait jamais.

Il profita de l'arrivée des boissons pour mettre discrètement ses bras hors de portée.

– Ça signifie quoi : « on est mal barré » ? On est viré du jeu. C'est très énervant, on est bien d'accord, mais...

– Tu as déjà vu comment ça se passait quand ils attrapaient un traître ? l'interrompit Brynne. Moi, j'y étais. Ils l'ont attrapé et ils l'ont... exécuté. Ils le font avec tous ceux qui passent dans le camp d'Ortolan.

Elle sirotait sa bière sans quitter Nick des yeux. Il baissa son regard dans les profondeurs de son verre de coca.

– Tu sais qui c'est ? demanda-t-il. On a le droit d'en parler, non ?

– Tu vois un feu ?

Là, elle commençait à débloquer sérieusement !

– Un feu ? De quoi tu parles ?

Au lieu de répondre, elle sortit un papier froissé de son sac à main.

– J'ai toujours les règles sur moi, tu vois. C'est écrit là : « Quand tu joues, tu peux discuter avec les joueurs près d'un feu. »

Elle exhuma un briquet et l'alluma.

– Maintenant, il ne nous reste plus qu'à jouer, susurra-t-elle en faisant courir son index sur le dos de la main de Nick.

La sensation était agréable tant qu'il parvenait à oublier à qui appartenait le doigt. Il ferma les yeux.

– J'imagine qu'Ortolan est un magicien, lui chuchota-t-elle à l'oreille. Ou un dragon à trois têtes. En tout cas, il est très fort. Les joueurs du Cercle Intérieur reçoivent une formation spéciale pour pouvoir l'affronter et avoir une chance de le vaincre.

Sans le parfum capiteux, Nick aurait pu s'imaginer que c'était Emily qui lui caressait la main. À cette idée, il eut un pincement au cœur en repensant à Eric et elle. Il ouvrit les yeux. Le briquet était toujours allumé et la pauvre fille le regardait avec des yeux pleins d'espoir.

*Non, tu peux toujours courir. Je ne t'embrasserai pas !*

– Bon, on verra bien, déclara-t-il d'une voix forte en prenant son verre.

Une fraction de seconde, Brynne parut déstabilisée, mais elle se reprit aussitôt.

– Tu sais ce qu'il avait, Jamie, aujourd'hui ? Il faisait une de ces têtes ! Bon, d'accord... c'est pas que sa tête soit très réjouissante, d'habitude, mais aujourd'hui... Il t'a dit ce qui n'allait pas ?

– Non.

– Ah, bon, je croyais que vous étiez très potes. C'est pas le cas ? Tant mieux. Il est franchement rasoir.

*Elle doit se sentir bien*, se répéta Nick comme une litanie. *Se sentir bien, l'imbécile heureuse.*

– En plus, il ne joue pas. T'as remarqué qu'il était toujours fourré avec Eric, en ce moment ? Colin l'appelle Sushi. Je lui ai déjà expliqué que Sushi, c'était japonais, mais il trouve ça très drôle. Il paraît qu'Eric sort maintenant avec cette tarte d'Emily. Colin est d'accord pour dire qu'il n'a jamais rencontré une cruche pareille. Elle ouvre jamais la bouche et elle fait toujours une tronche de six pieds de long, comme si elle venait d'enterrer son poisson rouge.

Elle ponctua ses paroles par un grand éclat de rire. *Elle doit se sentir bien, se sentir bien.*

– Ça doit être une question de goût, dit-il en se forçant à sourire. Colin et moi, on n'est pas sur la même longueur d'ondes en matière de filles.

Cette fois, elle ne sut que répondre. Nick supposa qu'elle avait fini par comprendre. Mais c'était le cadet de ses soucis, pour l'instant. Il devait digérer l'information : Eric et Emily sortaient ensemble. Comment était-ce possible ? Si c'était vrai, comment Brynne était-elle au courant ? Quel dommage qu'il ne puisse pas lui poser la question ! Quel dommage qu'il ait essayé d'attirer Emily dans Erebos ! Il y avait de quoi s'arracher les cheveux.

– Tu crois que nous sommes en train de rater quelque chose d'important ? murmura-t-il quand le silence commença à devenir pesant.

– Il se passe toujours quelque chose. Peu importe quand tu entres ou quand tu sors, tu rates forcément un truc. Moi aussi, ça me rend folle. J'espère qu'ils ne vont pas annoncer aujourd'hui le rendez-vous pour les prochains jeux d'arène.

– Tu y étais, la dernière fois ?

Elle fronça les sourcils.

– On dirait que tu cherches à me faire parler pour pouvoir me dénoncer ensuite. Tu connais les règles, non ? Si je te disais que j'y étais, que j'ai mené deux combats et que j'ai gagné un niveau, tu n'aurais aucun mal à deviner qui je suis. Ou qui je ne suis pas. Le Messager a été très clair. Tu sais que, sur ce sujet, il ne plaisante pas.

– Bon, d'accord. T'emballe pas.

– T'es content, au fait, que je t'aie donné Erebos ? lui demanda-t-elle sans le regarder.

– Bien sûr. C'est époustouflant, incroyable !

Avec une lenteur étudiée, elle repoussa une mèche de cheveux derrière son oreille.

– Il ne t'arrive pas de le trouver étrange, parfois ?

*Oh si, diaboliquement étrange.*

– Ça va. Je suppose que c'est fait pour.

– Oui.

Elle tournait son verre dans ses mains.

– J'aimerais juste comprendre comment il fait pour lire dans mes pensées, fit-elle dans un souffle.

« Lire dans mes pensées ». Il ne fallait pas exagérer, se dit Nick en se repassant le film de leur conversation pendant son retour en métro. Brynne était descendue à la station précédente, non sans s'être collée à lui et lui avoir plaqué un énorme baiser juste à côté de la bouche.

Le jeu ne lisait pas dans ses pensées. En tout cas, pas dans toutes. Hormis le fait qu'il lui avait offert un tee-shirt Hell Froze Over en récompense de ses bons et loyaux services. Et qu'il lui avait parlé d'Emily alors que lui n'avait jamais évoqué son nom avant.

Les portes de la rame s'ouvrirent dans un sifflement et il descendit. Dehors, le soir commençait à tomber. Il espérait que le repas serait déjà prêt, en tout cas qu'il n'aurait pas à l'attendre longtemps, car il avait hâte de se replonger dans Erebos.

*
* *

– Tu es maintenant au niveau sept, Sarius. Tu as accompli la mission que je t'avais donnée. Voici ta récompense.

Le Messager pointe ses phalanges osseuses vers un recoin de la cave voûtée dans laquelle ils se trouvent. Elle ressemble à celle de l'auberge « À la dernière coupe », mais elle est plus exiguë et paraît inhabitée depuis des lustres, à en juger par les toiles d'araignées qui courent sur les murs et les petits champignons verts qui poussent dans les coins.

À l'endroit indiqué par le Messager, Sarius découvre une nouvelle épée et des bottes à tige haute, à la pointe garnie de métal. L'épée lance tant de reflets dorés qu'on croirait qu'elle est lumineuse.

– Merci.

– C'est moi qui te remercie. Y a-t-il des nouvelles dont tu veuilles me faire part ?

Sarius hésite. Pas question de parler des projets de Jamie avec Mr Watson. Doit-il mentionner la lettre de menace avec la pierre tombale ? Mieux vaut s'abstenir. Il fouille dans sa mémoire à la recherche de quelque chose qu'il tiendrait à la fois de son ami et de Brynne.

– Il paraît qu'une fille prénommée Zoe a fait une crise de nerfs récemment. Mais je n'en ai pas su grand-chose.

– Je serais davantage intéressé par des informations sur Eric Wu, dit le Messager. Cela m'arrangerait que tu prêtes attention à ses agissements. D'après ce que j'ai entendu, il ne serait pas très bien disposé à notre égard. Et maintenant, va !

Tout en suivant l'étroit boyau qui conduit de la cave à la rue, Sarius ressasse cette dernière requête avec des sentiments mitigés. Il n'a aucune envie de regarder Eric draguer Emily. Et puis quoi encore ? Il a déjà fallu qu'il se paie un rendez-vous avec Brynne. C'était assez galère comme ça !

Le couloir sombre s'élargit et débouche sur un mur éclairé par des torches, avec une porte ouverte sur l'extérieur.

*Enfin !* Sarius reste cependant cloué sur place.

Le mur ! Il recule de quelques pas pour s'assurer qu'il ne rêve pas. Non, ce n'est pas une erreur.

Sur ce pan, quelqu'un a peint une image qui occupe la quasi-totalité de la surface. Cela ressemble à une vieille peinture murale comme on en trouve si souvent dans les églises :

une fresque. Elle représente deux jeunes gens assis à une table. Leurs têtes se touchent. La fille tient un briquet allumé dans une main, l'autre est posée sur celle du garçon qui lui fait face. Il est très grand et ses longs cheveux noirs sont attachés en une queue de cheval qui tombe sur son dos...

*Quelqu'un a dû nous prendre en photo. Ce n'est pas possible autrement*, songe Sarius. Il constate aussi : *Nous avons l'air d'un couple d'amoureux.*

Il tourne le dos à la fresque, passe la porte en titubant et se retrouve à l'air libre. Il se sent étrangement nu et vulnérable. Ce n'est pourtant qu'une image. Mais quelque chose en lui redoute qu'elle puisse un jour ou l'autre être placardée grandeur nature sur l'enceinte du lycée.

– LordNick a déniché un cristal magique.

– Génial ! A-t-il dit ce qu'il comptait en faire ?

– Bien sûr que non. Il n'est pas fou.

L'assemblée qui siège autour du feu de camp n'est composée pratiquement que de visages connus : Drizzel, Feniel, Blackspell, Sapujapu, Nurax. Un peu à l'écart, en invité d'honneur observant une distance digne de son rang, BloodWork. L'anneau rouge qui tressaute sur sa poitrine révèle son appartenance au Cercle Intérieur.

Le crépuscule étire de longues bandes roses et bleues sur l'horizon. Bientôt, il fera complètement nuit. Sarius s'assied auprès des autres à côté du feu et remarque deux nouvelles têtes. Sharol est une elfe noire de niveau un ; Bracco est un homme-lézard de niveau deux. Ils se tiennent en retrait, tandis que Drizzel et Blackspell poursuivent leur tête-à-tête entre vampires.

– J'aurais bien besoin d'un cristal magique. Les deux que j'ai trouvés jusqu'à présent m'ont été drôlement précieux, dit Blackspell.

– Ferme-la, l'interrompt BloodWork. Il y a des débutants ici. Il faut les laisser faire leurs propres expériences. Vos bavardages ne vont qu'ajouter à leur confusion. C'est compris ?

– Certainement. Depuis quand tu es aussi plein de sollicitude, Blood ?

– Ça te regarde pas, rétorque le gigantesque barbare.

Il porte un nouveau casque qui couvre son visage jusqu'au nez. Sa visière oblique lui donne un air plus démoniaque que jamais.

– Fais ce que je te dis. On parle déjà beaucoup trop. Le Messager n'est pas content.

– Oh là là, le Messager n'est pas content, ironise Blackspell. À sa place, je ne le serais pas non plus, si j'étais un tas d'os aux yeux jaunes.

BloodWork se redresse et s'empare de sa hache, puis il se ravise :

– Je connaissais déjà pas mal d'idiots qui parlaient à tort et à travers. Maintenant, j'en connais un de plus.

– Ohhh, qu'est-ce que j'ai peur ! glousse Blackspell.

Sarius commence à perdre patience. Cette discussion lui tape sur les nerfs. En plus, ça l'agace que tout le monde ait déjà trouvé un cristal magique, sauf lui :

– Quel est le programme au juste : nous avons une mission ou nous nous contentons de traînasser ici ?

– Enfin, un gars qui est dans les bonnes dispositions ! le félicite BloodWork.

– Nous attendons un message. Il ne devrait pas tarder.

Le message n'arrive pas. En revanche, une bande d'orcs armés jusqu'aux dents surgit des taillis. Leur supériorité numérique est écrasante et ils bénéficient de l'effet de surprise. Sarius bondit à leur rencontre, faisant danser son épée dorée. Il massacre trois créatures sans écoper d'une seule égratignure. BloodWork se démène comme un beau diable et découpe ses ennemis en morceaux. Drizzel utilise sa nouvelle arme : le sort de feu. Bracco n'a pas autant de chance : il s'effondre sur le sol, inanimé. Il souffre d'une profonde blessure à la tête, d'où s'échappe un flot de sang.

La lame de Sarius chante en tournoyant. Jamais il n'a éprouvé autant de plaisir à se battre. Depuis qu'il est au niveau sept, il se sent plus fort, plus habile, plus agile. Il est au septième ciel.

Quand la victoire est enfin prononcée en leur faveur, il a estourbi six orcs, sans avoir subi une seule blessure. C'est aussi ce que constate avec satisfaction le Messager lorsqu'il apparaît peu après.

– Sarius, tu as fait tes preuves. En récompense, je te donne 50 pièces d'or.

Les autres reçoivent différents présents. Bracco, l'homme-lézard sanguinolent, rampe sur des bouts de cadavres d'orcs jusqu'au Messager, qui le hisse sur sa monture.

– Que ceux qui en ont la force se mettent en quête de moutons qui se sont enfuis, ordonne le Messager. Nous déplorons déjà la mort de quatre bergers.

Sur ces mots, il éperonne son cheval et part au galop, emportant derrière lui le malheureux Bracco plus mort que vif.

– Je pars à la recherche des moutons, annonce Sarius.

– Moi aussi.

– Moi aussi.

Sapujapu et Nurax, tous deux au niveau six, se joignent à lui. Depuis les jeux dans l'arène, ils ont gagné chacun un niveau.

Lentement, Drizzel s'avance aussi, sans un mot. Sa silhouette pâle de vampire dépasse Sarius de plus d'une tête.

– BloodWork, tu viens aussi ?

Mais le barbare demeure les yeux rivés sur les flammes du feu de camp.

– Blood ?

– Laisse-le, va, dit Drizzel. Il a dû s'endormir.

Ils marchent dans un paysage de lande. Entre-temps, la nuit est tombée et la visibilité est de plus en plus réduite. Heureusement le chemin présente peu d'obstacles et ils progressent à un bon rythme. Sarius voudrait bien parler avec les autres, notamment de la signification de cette quête : quelle drôle d'idée de traquer des moutons ! Mais pas de feu, pas de discussion ! Dans sa mémoire tremblote la flamme d'un briquet. Il en chasse le souvenir.

Il longe une haie couverte de boutons de fleurs d'un rose délicat. En dépit de l'obscurité, la couleur est aisément reconnaissable, mais, avant que Sarius n'ait pu s'extasier, il découvre, coincé dans l'entrelacs de tiges épineuses, quelque chose qui lui fait rapidement oublier les fleurs.

Un cadavre.

La troupe s'arrête comme un seul homme. C'est alors seulement que Sarius remarque que Feniel et Blackspell les ont suivis. Ils sont six, c'est déjà ça. Au vu du sale état du corps, c'est rassurant.

Tel qu'il est accroché dans la haie, on dirait que le mort a été étendu là pour sécher. Certaines parties de son corps ont été mangées. Non, il a été *entièrement* dévoré. Il ne subsiste presque plus de chair sur les os. Par terre, sous le cadavre, un bâton recourbé.

*Voici ce qui reste de l'un des bergers morts.*

Au même moment, Sarius aperçoit le premier mouton. De belle taille, l'animal, couvert d'une toison laineuse d'un blanc sale, paît sous un arbre mort.

L'elfe noir sait d'expérience qu'il est inutile de laisser la préséance aux autres. Son mouton, sa proie. Il va l'attraper, ainsi que le Messager l'a demandé. Seul détail problématique : il ne voit pas d'enclos fermé où le ramener.

Le mouton continue de brouter paisiblement, tandis qu'il s'avance à pas de loup, profitant de la nuit qui lui facilite la tâche. En s'approchant, il remarque des détails étranges : sa laine est maculée de taches rouges et brunes qui font penser à du sang frais séché. Certainement celui du berger. Mais il ne comprend vraiment que lorsque le mouton, repérant sa présence, lève la tête.

Une tête sortie du pire cauchemar, pourvue d'une mâchoire large et proéminente. L'animal rétracte ses lèvres comme un requin avant l'attaque, découvrant des dents métalliques, acérées comme des aiguilles, de la longueur d'un couteau à steak.

Sarius, qui ne s'était pas préparé au combat, n'a même pas dégainé. Vite, il sort son épée du fourreau, lorsqu'il voit le mouton se précipiter sur lui. Un lambeau du manteau du berger pend encore entre ses crocs.

Le premier coup tombe dans le vide, car le mouton a fait un crochet pour l'éviter. Il s'attaque à son bras gauche... *Zut !* Sarius a oublié de se protéger de son bouclier : tout son côté est exposé.

Derrière lui, il entend le choc métallique des lames, puis des cognements qui pourraient provenir de la hache de Sapujapu. D'autres moutons doivent être apparus ! Cependant, l'elfe noir n'a pas le temps de s'en assurer, son adversaire réclamant toute son attention. Il se déplace avec une telle rapidité et sa mâchoire est si terrifiante que Sarius ne peut en détacher les yeux. Enfin, un de ses coups fait mouche ; hélas, il n'entame que la laine. De nouveau, le mouton se jette sur la moitié non protégée de son corps. Le guerrier pare l'assaut, frappe de toutes ses forces et touche une oreille, qui se met à saigner. Il se rend compte qu'il a un mal fou à se concentrer. Les scorpions, les orcs et les trolls n'ont jamais réussi à le déstabiliser autant que cet ovin dégénéré. Voilà qu'il repasse à l'attaque ! Un filet de sang coule de son oreille blessée jusque dans sa gueule, luisant sur les dents d'acier.

L'elfe noir ne veut plus le voir. Il décide d'en finir avec cette terreur, en espérant qu'elle ne le poursuivra pas jusque dans ses rêves. Il jette alors toute stratégie par-dessus bord. Se ruant sur l'animal, il lui plante l'épée dans la poitrine. Les crocs se referment contre sa hanche. Il retire son arme et la plonge de nouveau dans le corps du mouton. Il frappe encore et encore. Un léger sifflement dans ses oreilles lui révèle qu'il est atteint, mais la blessure ne semble pas trop grave.

La bête chancelle, pourtant elle refuse de s'écrouler. Parce que ce n'est pas un mouton. C'est un monstre, une créature de l'enfer, un démon. Sarius lève son épée le plus haut qu'il peut et l'abat sur sa nuque. Il doit renouveler l'opération trois fois pour en venir à bout et voir enfin la tête rouler dans l'herbe.

Il sent la nausée l'envahir. Si seulement le cadavre pouvait disparaître six pieds sous terre sans laisser de trace ! Cependant cent petits ruisseaux de sang s'infiltrent dans le sol. La lame dorée de son épée est maculée de rouge. Du sang et de la laine. Un nouveau haut-le-cœur le submerge et, comme si cela devait l'en libérer, Sarius se déchaîne sur la dépouille de l'animal, cognant de toutes ses forces, dans l'espoir secret qu'elle finisse par se désintégrer.

Alors que Sarius s'apprête à abandonner sa victime, son regard est attiré par une lueur verdâtre qui scintille entre les côtes de l'animal. Surmontant son dégoût, il se penche vers le reflet et plonge la main dans les entrailles, dont il extirpe une grosse pierre, éclairée de l'intérieur. Enfin !

Il jette un rapide coup d'œil autour de lui pour s'assurer que les autres n'ont rien remarqué. Non. Tous sont encore engagés dans leurs corps-à-corps. Il fourre discrètement la pierre dans son inventaire. Toute trace de dégoût s'est envolée, balayée par l'ivresse de sa découverte.

Drizzel a lui aussi terminé son combat. Il s'emploie maintenant à découper en morceaux son mouton mort. En pure perte, comme le constate Sarius avec une joie mauvaise.

Blackspell et Nurax sont encore aux prises avec un bélier sur lequel ils s'acharnent à deux. Quant à Sapujapu, armé de sa longue hache, il tient à distance un mouton noir.

Derrière lui, une elfe noire gît à terre. Elle ne bouge plus. Feniel. Tu l'as bien cherché, pense Sarius sans aménité. Voilà ce qui arrive quand on veut toujours passer avant tout le monde !

La ceinture de Feniel ne présente qu'une bande de rouge ultramince. Le sifflement qui accompagne sa blessure doit être insoutenable.

Une fraction de seconde, Sarius songe qu'il possède des pouvoirs de guérison. Mais il n'a pas l'intention d'en faire bénéficier sa congénère. Certainement pas. Pas cette garce !

Les combats se terminent. Enfin. Il brûle d'impatience de voir arriver le Messager. Il va pouvoir troquer son cristal magique : qui sait combien de niveaux il obtiendra en échange ? Au moment précis où le dernier mouton rend son dernier souffle, le bruit de sabots familier se fait entendre.

– Je vous félicite. Ça n'a pas été une mince affaire, les congratule le Messager.

– Bagatelle ! lance négligemment Drizzel.

– Dans ce cas, une bagatelle devrait te suffire en guise de récompense. Trois unités de viande de rat pour Drizzel !

Sarius a du mal à contenir sa joie devant la disgrâce de ses rivaux : d'abord Feniel, puis Drizzel. Rien ne pouvait autant le réjouir.

– Sapujapu, pour te récompenser, je vais améliorer ton équipement, poursuit le Messager.

Il lui tend une sorte de casque de viking de métal noir orné de cornes aux reflets rouges. Ainsi coiffé, le nain est censé pouvoir maîtriser le sortilège d'éclair.

Chacun reçoit de l'or, des boissons ou des armes. Enfin le Messager s'adresse à Sarius.

– Je renforce ton sortilège de feu, Sarius. Dorénavant, tu pourras non seulement allumer du feu, mais aussi t'en servir pour combattre. Néanmoins, la plus belle des récompenses, tu l'as déjà obtenue, n'est-ce pas ?

L'intéressé se tait, mal à l'aise. Il n'avait nullement l'intention de révéler sa découverte aux autres. Cependant, le Messager ne semble pas l'entendre de cette oreille.

– Oui, reconnaît-il à contrecœur.

– Bien. Alors, réfléchis à un vœu en échange de ton cristal.

Pour finir, le Messager se tourne vers Feniel :

– Veux-tu mourir ou préfères-tu me suivre ?

Elle hésite, redresse sa tête livide.

– Te suivre, répond-elle dans un souffle.

– C'est bien ce que je pensais. Alors, viens !

Il la hisse derrière lui, sur sa selle, et l'emporte au galop sans se retourner.

« Et mon cristal ? » aurait voulu demander Sarius, mais l'homme aux yeux jaunes ne lui en a pas laissé le temps. Déçu, il rejoint les autres près du feu de camp.

– Tiens, tiens ! Notre ami a trouvé un cristal magique et s'est bien gardé d'en parler. On est timide, hein ? ironise Drizzel.

– Je n'en ai encore jamais découvert un seul, se lamente Sapujapu. Que faut-il que je fasse ?

– Tu dois découper le cadavre de ton adversaire en petits morceaux, explique Sarius. Pas très ragoûtant, je sais. C'est mon premier cristal magique. J'ai failli en trouver un, une fois, mais Lelant, ce chacal, me l'a raflé sous le nez.

Les faits ne se sont pas exactement déroulés ainsi, mais qu'importe. Lelant est un chacal, ça, c'est la pure vérité.

– Quel vœu vas-tu faire ? demande Blackspell, curieux.

– Je ne sais pas encore. Et ce n'est certainement pas à toi que je vais le dire, figure-toi !

– Tu nous le montres ? suggère Nurax, en tendant vers lui sa patte velue de loup-garou.

– N'y pense pas ! rétorque Sarius en reculant, instinctivement.

La conversation tourne court. Ils restent autour du feu et attendent.

– Je crois que je vais aller me coucher, déclare soudain Sapujapu. Je suis exténué.

Maintenant que Sapujapu le dit, Sarius prend conscience de sa propre fatigue. Mais il n'ira pas dormir avant d'avoir décidé ce qu'il fera de son cristal.

– Tu risques de tout rater si tu te retires maintenant, lance Nurax. Les meilleures quêtes se passent toujours la nuit.

– À quoi bon, si je m'endors et que je me fais massacrer pendant mon sommeil ? réplique Sapujapu. Franchement, je suis à bout de forces.

À peine Sapujapu a-t-il terminé sa phrase que deux gnomes surgissent du sous-bois, excités et fébriles comme toujours :

– Alerte rouge ! Ortolan envoie de nouveaux monstres contre nous. Ils attaquent les forgerons dans le Sud. Nous avons besoin de renfort, suivez-nous !

Drizzel démarre au quart de tour, suivi de près par Nurax. Blackspell ne quitte pas Sarius des yeux. Qu'attend-il au juste ? Une occasion pour lui piquer son cristal magique ? Prudemment, Sarius dégaine son épée, ce que voyant, le vampire tourne les talons et part dans la direction des autres.

– Tu es sûr que tu ne veux pas venir, Sapujapu ?

Le nain et lui sont les derniers à être restés près du brasier.

– Non, désolé. Mes yeux se ferment et j'ai vraiment peur de me faire trucider. On se verra demain peut-être, d'accord ?

Sapujapu file jusqu'à la haie de roses, dont les boutons illuminent le paysage nocturne de centaines de petits points brillants. Sarius le voit partir à regret. Dommage, il aime vraiment bien Sapujapu, contrairement aux autres crétins. Il va devoir faire route avec eux maintenant, qu'il le veuille ou non.

Il s'élance à leur suite. Ils font tellement de bruit qu'il ne risque pas de perdre leur trace. En se dépêchant, il parviendra peut-être même à les rattraper.

Un cri rauque le fait brusquement sursauter. Dans le ciel noir, il découvre une tache dorée qui dessine des cercles telle une gigantesque étoile. Au deuxième cri, il le reconnaît : c'est le faucon doré. Instinctivement, il se jette à plat ventre.

– Ne t'inquiète pas, il ne chasse pas pour l'instant.

Sarius pousse un cri d'effroi. Le Messager a surgi devant lui et, de sa main osseuse, lui fait signe d'approcher

– Quel est ton vœu le plus cher, Sarius ? Tu as trouvé un des cristaux magiques. Fais-en bon usage ! Que désires-tu ?

*Tout ce que je pourrai obtenir.*

– Est-ce que je peux gagner plusieurs niveaux d'un coup, par exemple ? Ou une place au sein du Cercle Intérieur ?

Le Messager sourit.

– Une place dans le Cercle Intérieur, ça se conquiert. Tout comme l'amour d'une personne ou la confiance d'un ami.

Cependant, hormis ces vœux-là, beaucoup de choses sont possibles, bien plus que tu ne peux sans doute imaginer.

Dans la tête de Sarius, les idées se bousculent. Il a droit à un vœu, comme dans les contes de fées. Sauf que la fée est laide à faire peur.

– Peut-être Nick Dunmore a-t-il un souhait ? suggère le Messager. Un souhait particulier.

Nick Dunmore rêverait de se transformer en petit génie de la chimie, songe Sarius amèrement. Il voudrait collectionner les bonnes notes aux interros sans se fatiguer. Mais ce genre de succès fait sans doute aussi partie des choses qu'il faut conquérir.

Pour être honnête, ce n'est cependant pas son désir le plus cher. Il y a avant tout... Emily. Sauf que... ça ne marche pas, justement. *Emily doit tomber amoureuse de Nick.* D'emblée, le Messager a exclu ce type de vœu.

Peut-être que ça fonctionne dans l'autre sens ? À défaut de souhaiter la naissance d'un amour, peut-on demander la fin d'un amour ?

Sarius doit-il oser ? Il hésite. Ce n'est pas joli-joli. De toute façon, ça ne marchera pas. À moins qu'il ne choisisse quelque chose de plus simple ? Non.

– Nick Dunmore souhaite qu'Emily Carver se sépare d'Eric Wu. Il souhaite que les deux cessent de sortir ensemble.

Silence. Le Messager porte ses doigts décharnés à son menton dans l'attitude du penseur.

*Allez ! Avoue donc que tu ne peux pas le faire !*

Le Messager reste immobile. Est-ce qu'il cogite ? Non, ça dure trop longtemps. En outre, l'écran est de plus en plus sombre. *Que se passe-t-il ? Y a-t-il quelque chose de cassé ? Non, par pitié ! Surtout pas maintenant.* Sarius essaie de bouger, mais il a du mal. Il a l'impression de se mouvoir dans la glu.

Alors qu'il a déjà perdu tout espoir, le Messager livre enfin sa réponse.

– Emily Carver, dis-tu ? Bien, bien. Je vais faire en sorte qu'Emily Carver et Eric Wu ne sortent plus ensemble.

Ces paroles déclenchent en lui un maelström de sentiments, où se mêlent l'incrédulité, la joie triomphante et la mauvaise conscience.

– Vraiment ?

– Tu verras, Sarius. Et maintenant, va ! Les autres ont pris beaucoup d'avance.

# CHAPITRE 16

– Nick ? Nick ! Pour l'amour du ciel ! Ça va ? Réveille-toi !

Il eut un mal fou à ouvrir les paupières, mais ce n'était rien à côté de l'effort qu'il dut déployer pour redresser le buste. Quelque chose tomba avec fracas sur son bureau : c'était le clavier qui était resté collé à sa joue. Nick jeta un rapide coup d'œil sur l'écran. Ouf, tout noir !

– Ne me dis pas que tu as dormi comme ça ! Sur ta chaise ?

– Euh… c'est bien possible.

Sa bouche était sèche et le sang battait furieusement à ses tempes.

– Rassure-moi ! Dis-moi que tu n'es pas un de ces geeks accros à l'ordinateur, tout de même ? Qu'est-ce que tu as bien pu faire pendant tout ce temps ?

*J'ai découpé en rondelles des pattes d'araignées géantes.*

– J'étais sur MSN. C'était sympa, du coup, je n'ai pas vu le temps filer. Je suis désolé, M'man. Je ne recommencerai pas.

Sa mère passa la main sur son front, écartant une mèche de cheveux.

– Tu es en état d'aller au lycée, après la nuit que tu as passée ? Tu dois être mort de fatigue. Pourquoi tu fais des trucs pareils, hein ? Je croyais que tu étais raisonnable. Tu as besoin de sommeil, Nicky. Tu sais bien que le lycée, c'est fatigant et…

– T'inquiète… Ça va, l'interrompit-il. Je vais prendre une bonne douche froide : ça me remettra les idées en place.

L'invitation à manquer la classe contenue implicitement dans le flot de paroles de sa mère était tentante, mais aujourd'hui, ce n'était pas le jour. Sarius avait été tellement malmené par les araignées qu'il avait dû finir par demander de l'aide au Messager et accepter une nouvelle mission. Donc pas question de jouer au lieu d'aller au lycée. Par ailleurs, la curiosité le tenaillait. Il voulait voir Eric et Emily. Il voulait savoir ce qui allait arriver. Si ça arrivait.

Dans le miroir de la salle de bains, Nick contempla les marques imprimées en profondeur par le clavier sur sa joue. À quel moment s'était-il endormi ? Il se rappelait sa mission et se revoyait en train de noter sur un bout de papier – malgré ses yeux qui le brûlaient – les indications données par le Messager. Il avait dû piquer du nez après.

Il s'aspergea d'eau. L'odeur de café venant de la cuisine se mélangeait au parfum du gel douche, et l'association des deux lui retournait l'estomac. Le mieux aurait sans doute été de rester à la maison, dans son état. Mais les jours sans école étaient rares et précieux ; il ne pouvait pas sauter les cours à la légère. Il replia le papier sur lequel il avait inscrit sa tâche et le fourra dans son porte-monnaie. Il enfouit aussi son appareil photo au fond de son sac à dos. Pas plus que la nuit dernière quand elle lui avait été donnée, il ne comprenait la signification de sa mission, mais qu'importait. Après, il monterait au niveau huit.

Le souvenir de son vœu l'obséda pendant tout le trajet du lycée. Mais c'était idiot. Il n'y avait aucun risque que le Messager le réalise. D'ici quelques jours, il se manifesterait et l'inviterait à en formuler un autre. Nick devait s'y préparer. Il trouverait quelque chose de bien, cette fois, un souhait utile, qui ait du sens. Ce n'était donc pas la peine de se faire mille reproches.

Rassuré par cette idée, il obliqua dans la rue du lycée, qu'il trouva étonnamment calme. Comme si quelqu'un avait pris la commande de la télé et coupé le volume. Il y avait bien une poignée d'élèves isolés qui traînaient et deux ou trois groupes devant le bâtiment, comme d'habitude, mais le niveau sonore était très faible. Ceux qui parlaient le faisaient à voix basse. Nick remarqua deux filles du collège voisin qui étaient postées à côté du portail. Elles attendaient ostensiblement et cherchaient à capter le regard de ceux qui entraient. Tout dans leur attitude signifiait : « Nous ne l'avons pas encore. »

Sous un marronnier aux feuilles rougies, il aperçut Emily. Eric n'était pas avec elle. Ce constat lui fit battre le cœur. *Ne sois pas ridicule. Ça n'a aucun rapport avec ton vœu. Rien du tout.*

Mais Emily n'était pas seule : elle discutait avec Adrian. Les bras serrés sur sa poitrine, le petit McVay lui parlait sans la regarder dans les yeux. Elle l'écoutait et hocha la tête. Puis elle s'essuya brusquement le visage et tourna les talons.

Nick aurait voulu se joindre à eux. Cependant, il savait qu'ils interrompraient leur conversation dès qu'il arriverait.

Entre-temps, une des filles à l'entrée venait d'obtenir ce qu'elle désirait. Un garçon qui – d'après ce que Nick croyait savoir – jouait du saxophone dans l'orchestre du lycée lui fit signe d'approcher. Il lui chuchota des trucs à l'oreille, elle acquiesça, il se remit à chuchoter, et finit par sortir de sa poche un objet plat...

– Nick ?

Greg le discret avait surgi derrière lui sans qu'il l'entende. Nick sursauta ; son cœur battait de nouveau à tout rompre. De quoi avait-il peur ?

– Il faut que tu m'aides, Nick. S'il te plaît !

La lèvre inférieure de Greg tremblait, comme ses mains qui tenaient un DVD vierge enveloppé dans son emballage d'origine.

– Je me suis fait virer, hier soir. Mais c'est une erreur. Il faut absolument que je parle au Messager. Il faut que tu me copies ton jeu, s'il te plaît !

Instinctivement, Nick fit un pas en arrière, pour ne pas toucher le DVD que Greg lui tendait, mais celui-ci se rapprocha aussitôt.

– J'avais tellement avancé, j'étais au niveau…

– Ne me dis rien ! Je ne veux pas le savoir ! protesta Nick.

Des élèves qui papotaient non loin d'eux se retournèrent et leur jetèrent un regard interrogateur. Nick le planta là et marcha sans un mot jusqu'à l'entrée. Mais, à peine arrivé dans le hall, il sentit Greg l'empoigner par la manche.

– Je te dis que c'est une erreur ! J'ai fait tout ce qu'il voulait. J'avais juste un peu de retard, alors il m'a simplement…, gémit Greg en se mordant les lèvres. En tout cas, c'est une erreur. Copie-moi ton jeu, s'il te plaît. S'il te plaît !

*Mourut par manque de ponctualité*, pensa Nick, de plus en plus oppressé.

– Je ne peux pas, tu devrais le savoir, répondit-il.

Était-ce un coup de Colin ? Était-il en train de l'observer ?

– Les règles sont claires : tu ne peux y jouer qu'une seule fois. Je suis désolé pour toi.

– Oui, bien sûr, je sais. Mais dans mon cas c'est une erreur ! C'est différent, tu comprends. Je t'aiderai aussi la prochaine fois, promis. D'accord ? Je ferai la chimie avec toi. Ou je te paierai la copie, O.K. ? 20 livres ? Ça t'irait ?

Nick s'éloigna sans répondre. C'était bel et bien Colin qui avait tout manigancé : appuyé négligemment contre un mur, il observait la scène d'un air détaché.

– Salaud ! hurla Greg, abandonnant brutalement sa discrétion légendaire. Espèce de salaud !

Colin eut un petit sourire narquois lorsque Nick passa devant lui.

– Qu'est-ce qu'il te voulait, Greg ?

– Mêle-toi de tes affaires !

– On dirait qu'il a pas eu ce qu'il attendait…

– Quelle sagacité !

Arrivé devant son casier, il constata qu'il ne se souvenait même plus de ce dont il avait besoin pour la première heure de cours. Son livre de SVT ou celui d'anglais ? D'ailleurs, on était quel jour ? *J'aurais mieux fait de rester à la maison.*

Il poussa un énorme bâillement et salua Aisha, qui le croisa sans lui répondre, les yeux perdus dans le vague. Il n'était visiblement pas le seul à avoir mal dormi. Elle dut s'y reprendre à plusieurs fois pour introduire la clé dans la serrure de son casier. Quand elle eut réussi à l'ouvrir, toute une pile de livres dégringola sur le sol du couloir. Quelqu'un rigola.

Hébétée, Aisha restait plantée là et ne faisait pas mine de se baisser pour ramasser ses affaires.

– Hé, appela Nick, tu veux un coup de main ?

Elle fit non de la tête et s'agenouilla lentement pour attraper le premier livre. Mais elle ne se releva pas. Elle resta accroupie, pressant le livre contre sa poitrine, les épaules secouées par des tremblements.

– Tu ne te sens pas bien ? chuchota Nick.

Elle ne répondit pas. Il leva les yeux, cherchant de l'aide. Où étaient passés les autres ? Jamie, par exemple. Ou Brynne ? D'habitude, elle était toujours à portée de vue.

Ne sachant que faire, Nick regroupa les livres et les remit dans l'armoire.

Il vit arriver Rashid. Lui aussi bâillait. Il contourna Aisha sans un coup d'œil et repartit, le livre de SVT sous le bras.

C'était donc bien SVT. Une dernière fois, Nick tenta de croiser le regard d'Aisha, mais elle avait les paupières baissées. Désolé et soulagé à la fois, il prit ses affaires et suivit Rashid.

C'était difficile de rester éveillé, très difficile. Nick soutenait sa tête de la main gauche et s'obligeait à fixer le tableau malgré ses yeux qui piquaient. Surtout ne pas regarder à droite, vers Greg qui le dévisageait, ni à gauche, où Emily et Jamie, assis sur le même banc, discutaient à voix basse. Aisha était là, elle semblait avoir retrouvé ses esprits.

Dès qu'il fermait les paupières, la brûlure s'apaisait. Juste une seconde. Ça faisait du bien. Tellement de bien. Tellement...

Un grand coup dans ses côtes faillit le faire tomber de sa chaise.

– T'endors pas, espèce d'idiot, siffla Colin entre ses dents. Il ne faut pas nous faire remarquer. T'as oublié ?

– Quoi ? Hein ?

– Rien. Ressaisis-toi !

– Fais gaffe. Tu me tapes pas, t'as compris ?

– Oui, madame, répondit Colin avec une grimace moqueuse.

Nick lutta contre le sommeil pendant les deux heures qui suivirent. À la pause, il se posta dans la queue devant le distributeur de café. Il sentit une main lui taper dans le dos. C'était Brynne, qui lui plaqua un baiser sur la joue dès qu'il se retourna.

– C'était cool, hier après-midi, susurra-t-elle.

– Oui, c'était sympa.

Nick bâilla à s'en décrocher la mâchoire afin qu'elle puisse mettre son manque d'enthousiasme sur le compte de la fatigue. Néanmoins, son sourire se crispa.

– Toi aussi, t'as besoin d'un café en intraveineuse ? demanda-t-il, s'efforçant de rester sur un terrain neutre.

Mais Brynne n'eut pas le temps de répondre. Un hurlement déchira l'air, faisant taire toutes les conversations.

Un attroupement s'était formé, au milieu du hall, autour d'Aisha qui se cramponnait à Emily. Eric Wu était planté devant les deux filles, l'air totalement désemparé.

– Ne me touche pas ! Plus jamais ! criait Aisha.

Nick abandonna sa place dans la queue du distributeur et se précipita vers eux, se frayant un chemin à travers la foule des spectateurs comme un médecin pressé d'arriver sur le lieu de l'accident. Il avait la bouche sèche.

La jeune fille sanglotait, le visage enfoui dans l'épaule de sa camarade.

– Je suis sûre que tu te trompes, dit Emily doucement, en caressant la tête d'Aisha. C'était certainement quelqu'un d'autre.

– Non, j'en suis sûre. C'était lui. Après le club littérature, il a voulu m'accompagner au métro et a prétendu que le chemin par le petit parc était beaucoup plus sympa, murmura-t-elle, la voix étouffée par les sanglots.

Les doigts tremblants, Emily essaya de remettre en place le foulard d'Aisha qui avait glissé sur sa nuque, mais elle finit par renoncer.

– Il a dé...chi...ré ma che...mi...se et m'a tou...chée par...tout.

Les mots sortaient par bribes de sa bouche. Elle releva sa manche et montra une tache violacée sur son coude :

– Regarde ! souffla-t-elle.

Nick se mordit les lèvres jusqu'au sang.

*Ça n'a aucun rapport avec moi. C'est impossible. Ça n'aurait pas pu aller aussi vite.*

– Ce n'est pas vrai. Rien de cela n'est vrai, protesta Eric.

Il était livide et ne parvenait qu'à secouer la tête, incrédule.

– Je vous ai vus partir ensemble, déclara Rashid.

– Moi aussi, approuva Alex.

Emily scruta la Sœur Popote en fronçant les sourcils :

– Comme c'est étrange ! Aucun de vous deux n'est membre du club littérature.

– Et alors ? On peut avoir d'autres raisons de rester plus tard le soir au lycée, répliqua Alex.

Le regard d'Emily allait d'Eric à Alex et à Aisha, qui continuait de sangloter.

– Elle ment, protesta Eric, plus fort cette fois.

La jeune fille se retourna vers lui :

– C'est ce que disent toujours les mecs, dans ces cas-là. C'est connu.

– Qu'est-ce qu'ils disent toujours, les mecs ? demanda Mr Watson, qui venait d'arriver, se frayant un passage à travers la masse des élèves.

Au passage, il glissa sa bouteille Thermos et un sandwich entamé dans les mains d'Alex.

– Aisha, que s'est-il passé ?

Il posa la main sur son épaule, mais l'élève se dégagea, se serrant plus fort contre Emily.

– Pas toucher !

– Comme tu veux. Pardonne-moi ! Les autres, vous pouvez retourner dans vos classes. Le prochain cours va commencer.

Personne ne fit mine de bouger. Seul Eric fit un pas en direction du professeur.

– Aisha prétend que je l'ai… tripotée hier, dans le parc. Elle a un bleu au coude que je suis censé lui avoir fait. Mais il n'y a pas un mot de vrai dans tout ça.

La jeune fille se mit à pleurer de plus belle.

– Il a essayé de me v… violer. Il a déchiré ma jupe et il m'a plaquée à terre…

– Je ne peux pas imaginer un instant que ce soit la vérité, murmura Emily.

Doucement, mais avec détermination, elle détacha les doigts qui s'agrippaient à son tee-shirt et mit quelque distance entre elles deux.

Privée de son rempart humain, Aisha s'accroupit sur le sol et se cacha le visage entre les bras.

*Je n'ai jamais voulu ça. Je ne voulais pas que ça se passe ainsi. Je n'ai rien à voir avec tout ça, honnêtement.*

Et si c'était la vérité, après tout ? C'était possible qu'Eric s'en soit pris à Aisha et que le Messager l'ait su dès hier soir. Voilà qui expliquerait pourquoi il était en mesure de faire de telles promesses.

Mr Watson, qui était resté silencieux en écoutant les uns et les autres, retrouva peu à peu sa contenance.

– C'est une accusation très grave, Aisha. Tu en es consciente ?

– Il n'y a pas un mot de vrai dans tout ça ! Je le jure ! répéta Eric d'une voix dans laquelle commençait à percer le désespoir. C'est du délire total !

– En tout cas, nous n'allons pas tirer la chose au clair ici, devant tout le monde, déclara Mr Watson. Aisha, Eric, vous venez avec moi !

Tous deux le suivirent en veillant à rester le plus loin possible l'un de l'autre.

Dès qu'ils se furent éloignés, les discussions se déchaînèrent.

– Je crois qu'elle ment.
– Pourquoi elle mentirait ?
– Eric n'est pas net, c'est ce que j'ai toujours pensé.
– Il a voulu regarder sous les jupes de la meuf turque.
– N'importe quoi ! C'est elle qui délire.
– Sacrée histoire !
– Vous pensez que Watson va faire venir les flics ? Ça fait déjà quelques jours qu'on les a pas vus ici.

Pendant ce temps, Nick ne quittait pas Emily des yeux. Perdue dans ses pensées, elle n'avait pas bougé, et lissait machinalement l'endroit de son tee-shirt qu'Aisha avait mouillé de ses larmes.

C'était le moment d'aller la voir, de lui parler. De la consoler. Courage ! Il fallait s'approcher d'elle.

Mais il fut pris de vitesse par Jamie, qu'il vit s'avancer vers Emily. Ils échangèrent quelques mots et montèrent l'escalier ensemble.

Maintenant, il avait maths : il ne manquait plus que ça ! Au moins, il s'en était souvenu à temps et sa fatigue avait disparu. Le numéro d'Aisha avait été plus efficace qu'un double expresso.

À l'heure du déjeuner, Jamie l'intercepta à l'entrée de la cantine :

– Comment tu vas ?

Tiens, tiens, c'était la première phrase normale que son copain lui adressait depuis plusieurs jours. C'était sûrement un piège.

– Très bien. Et toi, comment ça va ?

– Je me fais du souci, répondit-il avec une mine de circonstance, le front sillonné de plis. Ce truc avec Eric aujourd'hui... D'après toi, qu'est-ce qui a poussé Aisha à lui faire ce coup-là ? Ça l'a complètement démoli. Mr Watson lui a dit de rentrer chez lui.

Nick aurait voulu s'enfuir ventre à terre, mais il résista à la tentation.

– Ce qui l'a poussée ? Laisse-moi réfléchir... Peut-être le fait qu'il l'a... tripotée.

– N'importe quoi ! Tu ne le crois pas toi-même.

– Ah bon, mais tu imagines qu'Aisha le dénoncerait comme ça, sans raison ? Tu as vu comme elle pleurait ? Et son bleu au bras ?

– Moi, ce que je crois, c'est que quelqu'un a intérêt à mettre Eric hors d'état de nuire. Il n'est pas fan de votre jeu, si je me souviens bien ?

– Ça, c'est des conneries ! Depuis l'histoire du dessin avec la tombe, t'es devenu complètement parano.

Nick laissa Jamie en plan et entra dans le réfectoire. Il prit un plateau sur la pile. Soudain, il sentit une main sur son épaule. Son ami l'avait suivi ; il était décomposé et semblait sur le point de fondre en larmes.

– Sais-tu ce qui s'est passé encore ? Quelqu'un a caché un pistolet et des munitions dans la cour du lycée. Derrière les poubelles. Le directeur prétend que ce n'était certainement pas un des élèves. En fait, il veut juste éviter d'avoir la presse dans l'établissement.

Nick demanda une portion de *fish and chips*. Les frites qu'on lui servit avaient l'air molles et à peine cuites.

– Naturellement, Jamie sait tout mieux que tout le monde, n'est-ce pas ? aboya-t-il. Jamie sait que ce sont les méchants accros aux jeux vidéo qui ont fait le coup.

Furieux, il claqua une bouteille de Coca sur son plateau. Il était temps d'en finir avec cette discussion !

– Jamie trouve qu'il y a des choses bizarres, répondit Jamie avec un calme appuyé. J'ai parlé avec Mr Watson : il dit qu'un professionnel se serait débrouillé de façon plus habile. Il aurait mieux planqué le pistolet et ne se serait pas contenté de le poser dans une vieille boîte à cigares derrière les poubelles.

– Tu m'en diras tant ! À croire que Mr Watson se prend pour le Dr Watson. Et toi, pour Sherlock Holmes ? Fiche-moi la paix, Jamie, avec cette histoire de pistolet et de viols. Je n'ai rien à voir avec tout ça.

– Figure-toi aussi qu'il y avait une sorte de code ou de message écrit sur la caisse, poursuivit Jamie, comme s'il n'avait rien entendu. C'est le principe, dans ce genre de jeu, non ? Quatre ou cinq chiffres et un drôle de mot. Pas « Galaxis », mais quelque chose dans ce goût-là.

*Patatrac !*

Nick sursauta comme tout le monde dans la salle en entendant le fracas de son plateau sur le sol. Il l'avait lâché sans s'en rendre compte.

Galaris.

Tout convergeait. La caisse de cigares, le mot, les chiffres qui correspondaient à sa date d'anniversaire. Faites que ce ne soit pas vrai !

Le paquet était lourd et l'objet dedans de petite taille... Était-il possible que ce soit un pistolet ? Oui, certainement.

– Tu ne peux pas faire attention ? tonna la cuisinière derrière le comptoir. Tu n'as qu'à nettoyer toi-même ! C'est pas Dieu possible !

– Bien sûr, murmura Nick, honteux, en prenant le balai et la pelle qu'elle lui tendait.

Il sentait le regard de son pote scotché comme une sangsue à sa nuque, mais il ne se retournerait pas.

Un pistolet ? Dans quel but ? Pourquoi le Messager avait-il bien pu lui faire cacher un pistolet sous le viaduc de la Dollis Brook ?

– Tu es au courant, constata Jamie derrière lui.

– Non, je ne sais rien.

Et s'il existait une image de la scène ? Comme celle le représentant avec Brynne au café. Il s'accroupit et ramassa les frites. Il continua de balayer bien qu'il n'y ait plus rien à enlever. Mais il était incapable de se relever ; de petits points noirs dansaient devant ses yeux.

– J'ai bien vu, Nick. Ça t'a fait un choc quand je te l'ai dit. Tu sais des choses.

– Ferme-la, tu veux bien, murmura-t-il en se redressant difficilement.

Les petits points se densifiaient, formant un mur qui tanguait devant ses yeux. Il colla la pelle entre les mains de la cuisinière et se retint au comptoir.

– Viens avec moi chez Mr Watson ! Aide-nous à comprendre, tu te sentiras mieux, toi aussi. Ce qui est en train de se passer ici, c'est vraiment de la mer...

– Ferme ta gueule ! vociféra Nick.

Emily, Eric, un pistolet, Aisha, Galaris... c'était trop pour lui. Il ne pouvait plus. Les odeurs de cuisine lui soulevaient l'estomac. Dans une seconde, il allait vomir devant tout le monde. S'il existait une photo et qu'elle tombait entre les mains de la direction du lycée, il se ferait virer, c'était sûr.

Il sortit de la cantine en courant, bousculant quelques élèves qui lui rendirent ses coups de coude. Il se précipita vers une fenêtre ouverte et se pencha à l'extérieur. De l'air frais, ouf !

Il fallait qu'il réfléchisse. Peut-être qu'il parle avec le Messager. Il serait certainement reconnaissant des informations que lui fournirait Nick. Peut-être même qu'il lui expliquerait le pourquoi de la présence du pistolet. Il fallait juste qu'il exécute d'abord sa mission. Cette mission totalement absurde.

# CHAPITRE 17

Il était un peu moins de 17 heures, lorsque Nick descendit à la station Blackfriars et emprunta New Bridge Street. Le parking était situé sur Ludgate Hill, ce ne serait pas un problème de le trouver. En revanche, ça risquait d'être plus difficile d'y entrer. Il se redressa de toute sa hauteur et fit tinter son trousseau comme s'il sortait déjà sa clé de voiture. Cependant ses craintes se révélèrent infondées : le gardien qui lisait le journal dans sa guérite ne l'avait même pas remarqué.

Il exhuma le bout de papier de sa poche. Le numéro d'immatriculation de la voiture qu'il devait chercher était : LP60HNR.

« Si tu ne la trouves pas, avait dit le Messager, il faudra que tu reviennes. Tu te présenteras chaque jour entre 17 et 18 heures jusqu'à ce que tu aies accompli ta mission. »

Arrivé au deuxième étage, Nick eut de la chance. Un sifflement admiratif lui échappa lorsqu'il vit la voiture. La plaque LP60HNR appartenait à une Jaguar gris métallisé qui brillait comme les joyaux de la couronne. Pas l'ombre d'une éclaboussure ou d'une trace de boue.

Nick sortit son appareil et prit quelques photos. Elles ne suffiraient pas, il en était conscient, mais c'était un début.

Ce dont il avait besoin maintenant, c'était d'un endroit où il puisse faire le guet pour garder la merveille en ligne de mire sans être vu. Le coin le plus indiqué lui sembla être l'interstice entre une vieille Ford et le mur du parking. S'il se couchait à plat ventre ici et si personne n'y regardait de près, il était quasiment invisible. Nick désactiva le flash de l'appareil et régla la sensibilité à la lumière sur le maximum. Puis il tâcha de s'installer le plus confortablement possible, si tant est que le mot ait un sens sur le sol d'un garage. 17 h 12. Toujours rien.

*Driiing* ! Soudain, son portable se déclencha, claironnant qu'il avait reçu un message. Il crut qu'il allait faire une syncope. Comment avait-il pu être assez stupide pour oublier de couper la sonnerie ?

Dans la position malcommode qui était la sienne, il eut du mal à atteindre la poche de son pantalon. Quand il y parvint et lut le nom de l'expéditeur, son cœur se mit à battre : Emily.

Salut, Nick. J'aimerais bien te voir pour te présenter quelqu'un. Il s'appelle Victor et il serait peut-être susceptible de nous aider tous. Appelle-moi STP. Emily.

Le nom de Victor ne lui disait absolument rien. Et Nick ne tenait pas à ce que ça change. D'abord, qu'est-ce que ça voulait dire, « nous aider tous » ? Selon toute vraisemblance, Emily souhaitait surtout de l'aide pour Eric, qui était vraiment mal barré. Mais elle voulait qu'ils se voient. Emily. Peu importait la raison. Elle voulait le voir, c'était ce qui comptait.

*Bing !* Une porte se ferma. Des pas se rapprochèrent.

Nick retint son souffle en s'aplatissant contre le béton. Il dirigea l'appareil photo vers la voiture, prêt à appuyer sur le déclencheur dès que son propriétaire se présenterait. Une paire de jambes dans un pantalon noir apparut. Elle passa devant la Jaguar et se rapprocha. Se pouvait-il qu'un gardien l'ait découvert grâce à la caméra de surveillance ? Faites que non ! Et pourvu que ce ne soit pas non plus le conducteur de la Ford derrière laquelle il se planquait !

Lorsque l'homme continua son chemin sans l'apercevoir, Nick poussa un soupir de soulagement. Peu après, une Mazda rouge roula vers la sortie et le calme revint.

Cinq minutes s'écoulèrent. L'apprenti espion tenta de retrouver une position moins inconfortable et posa son appareil. De nouveau, des pas se firent entendre, mais ils s'arrêtèrent avant d'être arrivés à sa hauteur. Une portière claqua, un moteur démarra.

Nick sentit bientôt sa jambe s'engourdir. Il essaya d'oublier les fourmis dans ses mollets, se concentrant sur les bruits du parking. Le ronflement de la ventilation. Le flot de la circulation dans la rue, qui lui parvenait assourdi. Encore une porte métallique qu'on ouvre et qu'on ferme. Un rire de femme. Celui d'un homme en écho. Des talons aiguilles résonnant sur le bitume. Le déclic d'une serrure de voiture déclenché par une télécommande, juste à quelques mètres. Les phares de la Jaguar qui s'allument.

Le rythme cardiaque du garçon s'emballa. Il pointa l'appareil photo en direction de la berline. Les deux personnes se rapprochaient, elles entrèrent dans le champ du viseur. Le type était d'une nervosité palpable.

*Clic !*

Avec ses pendants d'oreilles rutilants, sa veste de fourrure, ses cheveux blonds relevés en chignon, la femme aurait pu être la vedette d'une série télé. Son compagnon avait une haute stature et des cheveux noirs qui commençaient à grisonner aux tempes. Il portait un costume et une cravate. Peut-être un médecin ou un avocat.

*Clic !*

Il ouvrit la portière et posa une sacoche sur le siège arrière.

*Clic ! Clic !*

– La prochaine fois, nous irons au Refettorio, dit la femme. Vivian dit que l'agneau y est délicieux.

– Si tu veux, chérie.

*Clic !*

La belle blonde s'assit à l'avant.

*Clic !*

L'homme s'arrêta brusquement et regarda autour de lui. Avait-il entendu l'appareil ? Nick se fit encore plus petit dans son coin sombre.

– Qu'est-ce qu'il y a, trésor ?

– Rien, répondit-il en se passant la main sur le front. Rien du tout. J'ai dû me tromper. Tu sais, ces derniers temps...

Nick n'entendit pas la suite, car le conducteur était monté dans la voiture et avait fermé la porte. Il le vit secouer la tête et hausser les épaules, perplexe, avant de lancer le moteur. Trente secondes plus tard, la Jaguar avait quitté le parking.

Mission accomplie. Nick détendit ses membres engourdis. Il s'agissait de filer maintenant. Et le plus vite possible. Non, il fallait d'abord vérifier si les photos étaient utilisables.

Bon, pas très nettes. Le grain était vraiment grossier. Mais pas moyen de faire mieux sans flash. En tout cas, on reconnaissait tout. La femme, l'homme, le numéro minéralogique. Douze photos potables.

Dans le métro bondé, Nick sortit son téléphone de sa poche et relut le SMS d'Emily. « Victor ». « Nous aider tous ». Ça ne ressemblait pas à un rendez-vous. Mais plutôt à une tentative pour sortir Eric de la panade. Il commença à taper sa réponse puis, la trouvant débile, il l'effaça et ferma les yeux.

Si on apprenait qu'il avait quelque chose à voir avec la caisse Galaris, Emily le saurait aussi. Personne ne voudrait croire qu'il n'était pas au courant de ce qu'il planquait. Les journaux parleraient d'un massacre dans un lycée évité *in extremis*. Ou un truc dans le genre. Son père le tuerait.

Le garçon rouvrit les paupières et contempla les visages fatigués de ceux qui lui faisaient face. Tous ces gens verraient sa photo dans la presse.

Emily verrait sa photo dans la presse. Et si ce Victor était de la police ?

Nick ferma de nouveau les yeux. Il devait à tout prix s'assurer qu'il n'était pas devenu *persona non grata* dans Erebos.

*

* *

– Les photos me sont bien parvenues, annonce le Messager.

Il est assis sur un rocher au bord d'un marais, les jambes étendues devant lui. Il a l'air satisfait.

Sarius se décrispe. Le chargement des photos sur le serveur indiqué ne s'est pas fait sans mal. La connexion a été interrompue à deux reprises.

– As-tu déjà dîné ?

– Oui.

*Depuis quand le Messager s'intéresse-t-il à ce genre de considérations ?*

– As-tu discuté avec tes parents ? As-tu veillé à leur donner l'impression que tu étais de bonne humeur, normal ?

– Je crois.

*J'ai parlé non-stop pour qu'ils ne s'avisent pas de me questionner sur mes devoirs et mes interros.*

– Bien. Nous devons nous montrer prudents. À l'extérieur d'Erebos, on parle trop. Nos ennemis s'organisent. Nous devons faire en sorte de ne pas leur offrir de prise. Voilà pourquoi je veux que tu ailles tous les jours au lycée et que tu ne te fasses pas remarquer. Ne donne aucune raison à quiconque de trouver ton comportement suspect.

– C'est d'accord.

– Tu es désormais au niveau huit. J'augmente ta force vitale et ton sortilège de feu. Avant de partir, dis-moi encore une chose : ton cristal magique a-t-il commencé à agir ? As-tu obtenu ce que tu souhaitais ?

*Je ne sais pas. Je n'ai rien à voir là-dedans. Je ne pense pas que cette scène atroce ait eu le moindre rapport avec moi.*

– Tu ne veux pas me répondre ?

– Je ne suis pas certain. Peut-être. C'est possible qu'il commence à faire effet.

Le Messager hoche la tête, satisfait.

– Tu vois. Sois patient. Ça va continuer et, après, ce sera à toi de jouer, Sarius.

*Il ne peut pas se rendre compte que j'ai peur, n'est-ce pas ? Il est impossible qu'il le voie.*

Il attend que le Messager donne le signal de la fin de l'entretien, pourtant ce dernier continue de le regarder en faisant craquer ses doigts osseux.

– Ce serait une bonne chose qu'Aisha ait un témoin, reprend-il. Quelqu'un qui confirmerait ses accusations. As-tu quelqu'un en tête, Sarius ?

– Au moment des faits, j'étais avec Brynne au café. Je ne peux pas témoigner.

– Je sais bien. Je t'ai demandé si tu pensais à quelqu'un, pas si tu pouvais le faire.

– Ah bon. Je suis désolé, mais je ne vois personne.

– Alors, va !

Le Messager lui fait signe de partir et Sarius se hâte d'obéir, trop content de se soustraire à son regard. Aucun des deux n'a abordé le sujet de la caisse Galaris, mais il est persuadé que l'homme aux yeux jaunes sait déjà tout.

La lueur du gigantesque feu de camp se voit de très loin. À droite s'étend le marais, à gauche un bâtiment rond se dresse dans le ciel nocturne. Entre les deux s'étire une vaste prairie parsemée de buissons épineux et de quelques arbres rabougris.

– Salut, Sarius !

La Fille d'Arwen l'a remarqué la première. Elle est assise à côté de LordNick et arbore un nouveau plastron de cuirasse dans lequel joue le reflet des flammes. Tous deux doivent encore avoir un niveau supérieur au sien, car il ne distingue pas de chiffre. Un peu plus loin, il reconnaît Lelant. Il semble s'être remis de leur dernier combat. Il est déjà repassé au niveau sept.

– Tu t'es inscrit pour les prochains jeux d'arène ? C'est là-bas qu'il faut se présenter ! poursuit-elle en indiquant l'édifice circulaire. Il n'y a rien d'autre à faire ici. C'est calme plat. Voilà une demi-heure que nous nous tournons les pouces.

Sarius n'était pas au courant de ces nouveaux jeux. Excellente nouvelle ! Bien sûr qu'il veut en être. Il est surpris cependant que ce soit le colosse aux yeux globuleux en personne qui procède à son immatriculation. Au milieu de la piste sablonneuse de l'arène, entouré de gnomes, le maître de cérémonie paraît immense, presque deux fois plus grand que lui. Et, de nouveau, Sarius est frappé par l'allure étrange du géant : il ne ressemble à aucun des autres. Il est presque nu.

– Inscris-toi là, indique Mr Gros-Yeux en désignant avec son drôle de bâton la liste placardée au mur. Les combats commencent dans sept jours. Deux heures avant minuit.

Sarius écrit son nom sous celui de Bracco. *Tiens donc, toujours en vie, celui-là !* Blackspell figure sur la liste, tout comme BloodWork, Lelant, LordNick et Drizzel. Sarius n'a pas le temps de tout voir, car il se fait chasser.

– La curiosité est un vilain défaut, petit elfe. Va retrouver les autres !

En sortant de l'arène, il tombe sur Feniel. Il faut croire qu'elle a joué nuit et jour depuis leur dernière rencontre. En effet, la dernière fois qu'il l'avait vue, elle était au niveau quatre et elle agonisait. Alors que maintenant son niveau est invisible pour lui, ce qui signifie qu'elle est remontée au moins au huit. Elle porte un équipement flambant neuf et deux épées. Sarius se dit qu'il ne sortirait pas forcément vainqueur d'un affrontement avec elle, dans l'état actuel des choses.

Autour du feu, l'atmosphère est détendue. Sapujapu est entouré d'une bande de nains occupés à comparer leurs haches. Il salue Sarius aussitôt :

– Pas de quête aujourd'hui ?

– Semble que non.

– Ça nous repose !

Ils parlent à bâtons rompus, évoquant les prochains jeux d'arène, auxquels Sapujapu compte participer lui aussi. Ensuite, Sarius continue son tour d'horizon. Il aperçoit BloodWork assis seul sur une souche d'arbre, fixant les flammes de ses yeux vides. À la lueur du brasier, l'anneau qu'il porte autour du cou lance des éclats rouges. Sarius hésite avant d'adresser la parole au barbare.

– Sais-tu ce qui est prévu aujourd'hui ?

– Non.

– D'accord. Désolé. Bonne soirée !

BloodWork lève la tête :

– Je suis mort de fatigue.

– Pas étonnant. Je crois qu'on manque tous de sommeil, ces derniers temps.

– Tu ne sais pas de quoi tu parles.

Sarius n'aime pas quand l'autre prend ses grands airs :

– Alors, laisse tomber pour aujourd'hui et va te payer une petite sieste !

Mais BloodWork n'a décidément pas le sens de l'humour :

– Dégage, morveux ! lance-t-il en redressant sa lourde carcasse.

Il s'éloigne pesamment et rejoint un autre barbare et un homme-chat qui se tiennent à l'écart. Sur leur poitrine chatoie aussi le cercle rouge.

Lors des derniers jeux, l'homme-chat ne faisait pas partie des élus sur la plateforme, Sarius en mettrait sa main à couper.

– Ne te fais pas d'illusions, siffle Drizzel qui vient de surgir à sa droite en lui allongeant un grand coup dans les côtes. Tu ne seras jamais membre du Cercle Intérieur, espèce de mauviette. Mais moi, j'y entrerai, on parie ? Prends garde et prépare-toi pour les prochaines arènes.

Il pourlèche ses canines acérées.

Sarius s'apprête à dégainer son épée, lorsque son attention est attirée par l'arrivée d'un gnome à la peau vert clair. Il grimpe sur un rocher près du feu et annonce :

– Les guerriers du Cercle Intérieur sont attendus au point de ralliement secret. Il y a du nouveau.

BloodWork, ses deux interlocuteurs et Wyrdana se dirigent alors vers la forêt de ténèbres. Le cinquième élu manque à l'appel. Soudain, Blackspell sort de l'ombre, près de l'arène, et emboîte le pas aux quatre autres. Le symbole rouge brille à son cou.

– Ça alors ! Blackspell appartient au Cercle Intérieur ? demande Sarius, étonné.

– Merde ! Je ne savais pas, réplique Drizzel. Tant mieux. J'en ferai de la pâtée dans l'arène !

L'elfe noir se réjouit par avance d'assister au spectacle. Peu importe lequel des deux réduira l'autre en bouillie : il ne peut pas souffrir ces vampires.

Sarius meurt d'envie de savoir ce qui va se dire au sein du Cercle Intérieur.

Cependant, le gnome vert est resté posté sur son rocher. Manifestement, il a une nouvelle déclaration à faire.

– Guerriers ! commence-t-il. L'ultime bataille est pour bientôt. L'heure n'est pas encore tout à fait venue, mais il est temps, plus que jamais, de séparer le bon grain de l'ivraie.

Il observe une longue pause.

– Ce campement n'est pas très éloigné de la citadelle d'Ortolan. Nous nous rapprochons de lui, pas à pas. Mon maître pense qu'Ortolan peut d'ores et déjà nous sentir. Mais il ne nous attaquera pas. Il ne peut pas nous attaquer, car il ne soupçonne pas qui nous sommes.

De nouveau, il se tait.

– Des individus essaient de faire échouer notre mission. Ils nous épient, nous calomnient. Ils cherchent à nous nuire par tous les moyens. Si nous ne resserrons pas les rangs, ils infiltreront nos troupes. Ils détruiront notre monde. Plus que jamais, voici le mot d'ordre : garder le silence. Conserver son calme. Protéger ses secrets. Traiter ses ennemis comme ils le méritent.

Sur ces paroles, le gnome descend de son perchoir et regagne l'arène en boitillant sur ses jambes torses.

Durant les heures qui suivent, les guerriers restent rassemblés autour du feu. Ils attendent qu'il se passe quelque chose. En pure perte. Personne ne leur confie de mission, personne ne les attaque, aucun des monstres d'Ortolan ne se jette sur eux.

Alors ils se livrent à des occupations paisibles, jouant quelques pièces d'or aux dés, ou des morceaux de viande. L'atmosphère est détendue. Personne ne cherche la bagarre. Sarius ne voit pas filer le temps. Lorsqu'il prend congé des autres, il est deux heures du matin. Il se sent fatigué, mais heureux. Jamais encore il ne s'est senti aussi bien dans Erebos. Chez lui.

# CHAPITRE 18

De : Frank Betthany <fbetthanymail.co.uk>

À : Nick Dunmore <nick1803@aon.co.uk>

Objet : Entraînement

Nick,

Tu ne peux pas savoir à quel point tu me déçois. À quel point vous me décevez tous. Tu as manqué les dernières séances d'entraînement et tu n'as même pas jugé utile de m'en informer. Le pire, c'est que tu n'es pas le seul. La dernière fois, nous nous sommes retrouvés à cinq dans le gymnase.

Il est temps que vous arrêtiez de me prendre pour un imbécile. Si tu manques encore une fois sans motif valable, tu es viré de l'équipe.

F. Betthany

– Qu'est-ce qui t'est arrivé ?

– Tu as été à l'hôpital ?

– Ça n'a pas l'air d'aller fort.

Brynne et quelques-unes de ses amies encerclaient Greg le discret, qui sortait difficilement ses livres de son casier.

– Je me suis cassé la figure dans un escalator, expliqua Greg avec un sourire qui ressemblait plus à une grimace.

À en croire le ton de sa voix et le discours bien rodé, ce n'était pas la première fois de la journée qu'il racontait l'histoire.

– J'ai glissé et j'ai dégringolé les marches jusqu'en bas. C'est impressionnant, mais ce n'est pas aussi grave que ça en a l'air, ajouta-t-il en passant le doigt sur la croûte qui ornait son nez.

*Pas si grave que ça en a l'air, mais grave tout de même, vu le bandage à son poignet gauche et son léger boitillement.*

– Tu veux que je porte ton sac ? lui proposa Nick.

Greg déclina :

– Non, ça va. Y a pas de drame. Salut !

Le regardant s'éloigner, Nick chassa de son esprit l'idée qui le tarabustait.

Il fallait qu'il arrête de se raconter des conneries ! Greg disait lui-même qu'il avait trébuché. Comme si ce n'était jamais arrivé à Nick ! Après un choc très violent au basket, il s'était promené avec un bandage autour des côtes pendant quinze jours. Il était bien placé pour savoir que c'étaient des choses qui arrivaient.

– Nick ?

C'était Emily, et elle était seule. Pas d'Eric, pas de Jamie, ni même d'Adrian à proximité.

– Salut. Désolé de pas avoir répondu à ton SMS.

– C'est bon. Ce n'était pas très important, dit-elle d'un air conciliant.

– Qui est donc ce Victor, dont tu parlais dans ton message ?

– Laisse tomber. Je peux te demander un truc ?

– Bien sûr.

– Allons là-bas ! suggéra-t-elle en désignant de la tête l'escalier, où ils pourraient parler sans être dérangés.

Nick la suivit. Il sentait le regard de Brynne dans son dos. Il lui lança un petit sourire et se maudit pour sa lâcheté.

– Tu crois que c'est vrai ce qu'Aisha dit sur Eric ? lui demanda Emily sans détour.

Elle sait tout, pensa Nick, et il se sentit devenir rouge comme une tomate. Elle est au courant de mon cristal magique.

Mais les yeux d'Emily ne trahissaient pas l'ombre d'un reproche, seulement un réel intérêt pour son opinion.

Il leva les bras en signe d'impuissance :

– Pas la moindre idée. Ça se peut. Je veux dire, je ne le connais pas très bien… euh… je…, bredouilla-t-il.

– Connaître, c'est toujours relatif, répliqua-t-elle, venant à sa rescousse. Tu sais, depuis hier je n'arrête pas de me demander s'il n'y a pas quand même un fond de vérité dans les affirmations d'Aisha. Ça m'a d'abord semblé totalement absurde, mais qui sait ?

Nick était sous le choc :

– Tu crois Aisha ?

– Non. Peut-être. Je ne sais pas. Les gens font les choses les plus invraisemblables. Des choses dont on ne les aurait jamais crus capables.

En plein dans le mille ! Le visage de Nick s'empourpra. *Elle sait.*

Si Emily remarqua son embarras, elle n'en laissa rien paraître. Elle regardait, songeuse, dans la direction des vestiaires, où Brynne n'avait pas bougé d'un centimètre et continuait de les observer.

– Je ne connais pas non plus Eric si bien que ça. Nous aimons tous les deux la littérature anglaise et c'est de ça que nous parlons, la plupart du temps. Il est intelligent, et ça, j'apprécie. En réalité, il devrait être trop intelligent pour faire un truc pareil, mais maintenant, en plus, il y a un témoin qui est apparu, qui prétend avoir vu...

– Qui donc ?

Emily haussa les épaules :

– Je n'en ai pas la moindre idée. Mr Watson l'a dit à Jamie, ce matin. Ton pote est hors de lui. Il pense que c'est un coup monté.

« Ce serait une bonne chose qu'Aisha ait un témoin. » Nick ferma les yeux :

– Pourquoi me racontes-tu tout ça ?

Emily baissa les yeux :

– Que voulais-tu, l'autre dimanche, lorsque tu as appelé chez moi ?

Nick ne put s'empêcher de sourire. *Je voulais t'offrir un monde. Un monde cool, incroyable et excitant. Captivant. Mystique. Terrifiant. Cauchemardesque. Tout à la fois.*

– Tu dois bien t'en douter, non ? Je ne voulais pas le numéro de téléphone d'Adrian. C'était pour...

– J'ai compris, dit-elle en hochant la tête. Je t'ai envoyé balader, je sais. Mais ce n'était pas dirigé contre toi. Aujourd'hui, je réagirais sans doute différemment. Si toi, tu trouves le truc bien, c'est qu'il doit y avoir quelque chose...

Elle le regarda avec un sourire, puis le quitta pour rejoindre la salle de classe.

Nick la regarda s'éloigner, tourneboulé. Si le cristal magique avait un tel pouvoir, ça faisait froid dans le dos. Comment était-ce possible ? Et pourquoi changeait-elle d'avis brutalement au sujet d'Erebos ? Il se passa machinalement la main dans les cheveux, surpris d'être aussi réticent à cette idée. Pourtant, c'est ce qu'il avait voulu ! Une Emily-chat ou une Emily-elfe, ou même, pourquoi pas, une vampire-Emily à ses côtés. Mais il avait déjà copié le jeu pour Henry Scott et c'était terminé. Il ne pourrait pas le proposer à Emily, même s'il le souhaitait.

– Bravo ! C'est particulièrement délicat de ta part de flirter avec cette fille sous mes yeux !

Brynne s'était plantée derrière lui. La colère poussait sa voix dans des aigus peu agréables.

– Pardon ?

– Notre rendez-vous ne comptait pas plus que ça pour toi ?

– Mais... je...

Zut ! Voilà qu'il recommençait à bredouiller.

– Tu imagines que tu peux draguer tous les jours une nouvelle nana ? Tu penses peut-être que j'ai une pierre à la place du cœur ?

– Mais je ne l'ai pas draguée ! protesta Nick, indigné. On a juste discuté !

– Et tu m'as laissée tomber ! Tu crois que je n'ai pas vu comment tu la regardais ?

Dans un geste théâtral, elle rejeta ses cheveux en arrière.

– Tu me déçois tellement, Nick ! déclara-t-elle avant de tourner les talons.

Elle le planta là. Il se frotta les yeux et poussa un soupir. Il n'était qu'un imbécile. Il s'était bel et bien justifié pour avoir parlé avec Emily.

C'était le jour des conversations étranges, comme il s'avéra par la suite. Un peu plus tard, pendant l'heure de permanence, Mr Watson vint voir Nick et lui demanda de le suivre dans une salle vide. Son cœur se mit à battre la chamade.

*Le pistolet. Il sait que j'ai quelque chose à voir avec le pistolet.*

– Je souhaite te parler parce que je te tiens pour un garçon intelligent, déclara Mr Watson en posant sa bouteille Thermos sur la table. Mais je crois que tu as mis le pied dans un engrenage qui n'est pas bon pour toi.

*Ça y est, il va parler de l'arme.*

– Je sais maintenant qu'un nombre important d'élèves de notre lycée jouent à un jeu vidéo du nom d'Erebos. Je crois que tu me connais assez pour savoir que je n'ai rien contre les jeux vidéo. J'ai même donné à l'une de mes classes un sujet de rédaction s'inspirant du scénario de World of Warcraft. Mais ce qui se passe ici est différent. C'est dangereux et il est nécessaire que j'intervienne.

Nick le regarda sans un mot. À tous les coups, Colin, Rashid et d'autres avaient vu que Watson l'avait pris à part. Il ne pourrait donc pas le cacher au Messager.

– J'aimerais beaucoup que tu m'aides, Nick. Je vais être franc avec toi : jusqu'ici, je n'ai pas eu beaucoup de succès dans mon combat. Quelques élèves qui sont sortis du jeu m'ont fait des confidences, mais ils n'ont plus le jeu sur leur ordinateur. Je pense que des spécialistes de la police auraient plus de chances s'ils le voyaient de leurs yeux. D'un autre côté, je ne pourrai mobiliser la police que quand il se sera passé quelque chose. Et j'ai très peur qu'il ne se passe quelque chose, conclut-il avec un soupir d'impuissance.

Nick émit un bruit indéfinissable, entre le renâclement et le toussotement :

– Qu'est-ce qui est censé se passer ?
– Je l'ignore. C'est à toi de me le dire.
– Eh bien, je ne sais pas non plus.
Mr Watson le fixait avec insistance :
– Je trouve que ce qui est arrivé à Eric est déjà terrible. Bien sûr, tu peux dire que c'est de sa faute s'il a agressé Aisha. Mais Aisha ne veut pas aller voir la police. Elle refuse obstinément. C'est bizarre, tu ne penses pas ?
De nouveau, Nick ne parvint qu'à hausser les épaules, mais il se sentait de plus en plus oppressé :
– Elle a sans doute honte. Ça n'aurait rien d'étonnant. Après tout, ça la regarde.
– Oui, bien sûr. Chacun ici ne s'occupe que de ses affaires, c'est ça ? À l'exception de ton copain Jamie, qui a décidé de prendre les choses en main. Tu as remarqué ?
– Est-ce que je peux y aller, maintenant ? Je ne vois pas ce que je peux faire pour vous.
Mr Watson eut un petit hochement de tête résigné :
– Tu peux venir me trouver à tout moment si tu as besoin d'aide, d'accord ? Toi et les autres.
Nick sortit de la pièce en pressant le pas. Il marchait un peu trop vite pour avoir l'air cool et sûr de lui, mais il s'en moquait. Mr Watson n'avait pas parlé du pistolet. C'était l'essentiel.

*

* *

– Alors, du nouveau ? As-tu des choses à me raconter ?
Sarius rencontre le Messager dans un lieu qui lui est totalement inconnu. C'est une colline au sommet de laquelle s'élève une tour délabrée. Il se sent étrangement attiré par cette ruine au puissant pouvoir évocateur. Il imagine la forteresse dont elle demeure le seul vestige. Pourtant, on dirait qu'elle va s'effondrer d'un instant à l'autre. Sur sa gauche se dresse une haie qui surprend dans ce paysage aride. Elle est curieusement bicolore :

verte d'un côté, jaune de l'autre. La couleur jaune provient d'une profusion de boutons d'or qui ornent tout le côté gauche. Rien ne pousse en revanche sur la moitié droite.

Sarius imagine un jardinier fou occupé à planter ses drôles de végétaux dans ce pays gris et minéral en riant à perdre haleine.

Lorsqu'il rencontre le Messager, il préfère s'abstenir de mentionner la discussion avec Mr Watson, s'il peut éviter. Il lance la conversation sur un autre sujet. Une information positive, qu'il ne s'explique toujours pas.

– J'ai eu l'impression qu'Emily Carver commençait à s'intéresser à Erebos. Jusque-là, ça ne la tentait pas, mais aujourd'hui elle m'a fait comprendre qu'elle était en train de changer d'avis.

– Très bien. Bravo, Sarius. Ça suffit pour aujourd'hui. Il vaut mieux que tu partes. Sache que nous approchons de la place forte d'Ortolan. La plus grande prudence est de mise. Si tu suis la haie en marchant vers l'ouest, tu vas arriver à un monument, et pas n'importe lequel, précise-t-il avec un ricanement qui donne la chair de poule. Tu y retrouveras des guerriers amis, et peut-être aussi quelques ennemis que tu devras vaincre. Bonne chance !

La haie brille dans la nuit. Très pratique ! Elle s'étire de façon rectiligne dans le paysage tel un fil d'Ariane. Pendant une fraction de seconde, Sarius croit reconnaître quelque chose, comme dans une énigme. Une vérité derrière les apparences. Mais l'impression disparaît aussi vite qu'elle était venue.

Le chemin lui semble long. Mais il doit être dans la bonne direction, puisque la haie lumineuse est toujours là. Enfin, il aperçoit au loin une construction gigantesque. Sûrement le monument ! Sauf que l'édifice bouge. En se rapprochant, Sarius parvient à l'identifier. Il s'agit d'une célèbre sculpture grecque : un homme – dont le nom lui échappe – et ses deux fils, étranglés par de monstrueux serpents venus de la mer. Du haut de leur socle, les trois hommes de pierre se débattent contre une mort certaine, tandis que les monstres s'enroulent inexorablement autour de leur corps.

Toute la bande des guerriers est regroupée au pied de l'œuvre. Drizzel, LordNick, Feniel, Sapujapu sont au rendez-vous. Un peu plus loin, Lelant, Beroxar et Nurax attendent la suite des événements.

Sarius se poste à côté du nain et contemple avec les autres le spectacle atroce qui se déroule au-dessus de leurs têtes. Il meurt d'envie de demander à Sapujapu ce que tout cela signifie, mais le petit brasero est trop éloigné pour permettre la moindre conversation.

Peut-être vont-ils devoir tuer les serpents ? Mais comment grimper sur le socle ? Les autres ne s'y hasardent pas, en tout cas.

Les mouvements des créatures de pierre ont un pouvoir hypnotique. Sarius a l'impression de sentir l'air lui manquer chaque fois que les serpents resserrent leur étreinte autour des trois hommes.

Surgit alors un gnome à la peau blanche comme neige.

– Joli spectacle, n'est-ce pas ? lance-t-il en se pourléchant les babines. Comprenez-vous ce qu'il signifie ?

Personne ne répond. S'agit-il d'une énigme ? Y a-t-il une récompense à la clé si on trouve la solution ?

– Non, décidément vous ne comprenez rien à rien. C'est bien ce que mon maître pensait ! Alors, filez, courez dans la forêt et massacrez des orcs. Celui qui me rapportera trois têtes recevra une récompense.

Soulagé d'échapper à la vision pénible du père et de ses deux fils, Sarius s'élance dans la direction indiquée. Une musique merveilleuse retentit à ses oreilles, lui insufflant la certitude d'être invincible.

Trois têtes : autant dire un jeu d'enfant !

# CHAPITRE 19

B*ing !* Le ballon passa à trente bons centimètres du panier. Betthany jura et Nick donna un coup de pied dans le mur. Merde ! Cette agitation stérile dans un gymnase puant la sueur ne l'amusait plus du tout. Il se demandait même comment il avait pu y prendre plaisir. Il n'avait qu'une envie : rentrer chez lui et faire ce qu'il fallait pour que Sarius reprenne du poil de la bête.

Les quatre derniers jours s'étaient révélés fort décevants. Il avait affronté un dragon à neuf têtes, des cloportes venimeux géants et, hier, des squelettes bien vivants dans un caveau fort sombre. Sarius s'était sorti honorablement de ces combats, sans pour autant se distinguer particulièrement. Il restait bloqué au niveau huit. En dépit de tous ses efforts, il n'avait rien obtenu d'autre qu'un peu d'or, des potions de guérison et de nouveaux gants. Pas la moindre mission du Messager. Pas la moindre occasion de faire ses preuves.

Nick, qui courait derrière Jerome, lui piqua le ballon et traversa le terrain en dribblant. Visa. Lança. *Bing !* Encore à côté !

– Tu veux que je te porte jusqu'au panier, Dunmore, ou tu as besoin qu'on te fasse la courte échelle ? hurla l'entraîneur.

Non. Il avait besoin d'une nouvelle épée et d'un renforcement de ses compétences spéciales. La date des jeux d'arène approchait à grands pas et, tandis que les autres progressaient, Sarius faisait du sur-place. Si seulement le Messager pouvait lui donner une petite chance, lui confier une mission pour qu'il puisse montrer ce dont il était capable !

Jerome lui avait repris le ballon et venait de le semer à nouveau dans une accélération foudroyante. *Qui peut-il bien être dans le jeu : Lelant ? Nurax ? Drizzel ? Est-il plus fort que moi ?*

– Dunmore, tu dors ? hurla Betthany. Tu veux que je te fasse faire des pompes jusqu'à ce que tu te réveilles ?

La fin de la séance d'entraînement fut un soulagement. Direction la maison. Il avait certes encore un essai en anglais à rédiger, mais c'était une broutille. Internet n'était pas fait pour les chiens. Il suffisait de copier deux pages et l'affaire serait réglée. Après, il se plongerait à fond dans le jeu et il renouerait avec la chance. Cette nuit, ça marcherait. Il le sentait.

*

* *

Les ténèbres pèsent sur la contrée comme un couvercle oppressant. Les guerriers se sont mis à cavaler, il faut faire vite. Ils ont pour mission de conquérir un pont. Le chemin sur lequel ils avancent est d'un bleu sombre, qui rappelle la couleur d'un fleuve aux eaux profondes.

Sarius court lui aussi. Il est dépassé par trois de ses compagnons : Drizzel, Nurax et la Fille d'Arwen. Il avance de front avec LordNick, suivi de près par Sapujapu, Gagnar et Lelant. En queue de peloton trottinent quelques nouveaux, dont Sarius ne prend même pas la peine de mémoriser le nom. Ce sont des un et des deux. Ils ne pourront rien contre lui dans l'arène.

Il sent qu'ils sont près du but. Il est tendu, mais c'est une tension agréable, faite de curiosité et d'une furieuse envie d'en découdre. Qui devront-ils affronter pour prendre le pont : des orcs, des scorpions, des araignées ? Tout lui convient. Cette fois, il va faire preuve d'une telle bravoure et d'une telle ardeur au combat que le Messager sera obligé de le récompenser.

Trois jours les séparent des jeux de l'arène. Il compte bien être un dix, d'ici là.

Voilà belle lurette que les longues courses ne le fatiguent plus. Les temps sont révolus où il devait s'arrêter et reprendre des forces chaque fois qu'il avait grimpé au sommet d'une colline. Désormais, il est capable de gravir une côte en fonçant à un train d'enfer et de redescendre aussi vite sans percevoir le moindre signe d'épuisement. C'est bon d'avoir de la force. C'est bon d'être à un niveau élevé.

Devant eux s'étire une légère pente, très régulière. Trop régulière pour être d'origine naturelle. En l'observant mieux, Sarius constate que le chemin se soulève du sol pour se tendre comme un arc-en-ciel bleu à travers les ténèbres. Voici donc le fameux pont !

Au loin, des fers s'entrechoquent. Le combat a-t-il commencé ? Sarius dégaine son épée, LordNick en fait autant. Si seulement on pouvait déjà voir l'ennemi ! Mais on ne distingue que quelques ombres immenses. *Klong !* On croirait entendre des cloches. Quelque chose dévale le pont à toute allure. Quelque chose ? Quelqu'un ?

Les bruits de lutte s'amplifient. C'est alors qu'il voit des formes étincelantes se découper sur le ciel nocturne. Ce sont de gigantesques chevaliers vêtus d'armures argentées qui protègent le pont.

L'enthousiasme de Sarius s'envole d'un coup. Comment peut-il espérer les battre ? Il accélère l'allure néanmoins. Arrivé non loin du champ de bataille, il voit Drizzel échapper de peu à la lame interminable de l'un des chevaliers. Le vampire a beau sautiller à droite et à gauche, impossible de toucher sa cible. Nurax n'a pas davantage de succès.

*Il doit y avoir un truc. Un point faible, quelque chose. Il faut aller sur place.*

LordNick entre dans la danse, se précipite sur le premier géant qui se présente et le frappe dans le creux des genoux. Peine perdue. L'attaque ne lui fait pas plus d'effet qu'une chatouille.

Cependant sa riposte est terrible et LordNick doit se démener comme un beau diable pour éviter de se faire tailler en deux.

*Je pourrais essayer de franchir cette passe en les esquivant. La mission consiste à conquérir le pont, pas à vaincre les chevaliers.*

Vus de près, leurs adversaires se révèlent hauts comme des tours. Leurs mouvements sont tout en force, mais pas très rapides. Sarius dépasse le premier en courant, puis le deuxième. Le troisième tente de l'arrêter en abaissant son épée. En l'évitant, Sarius se trouve acculé au bord du pont. Attention, il faut être très prudent ! *Klong !* Le chevalier avance encore d'un pas, pointe son épée sur lui. C'est alors que le drame se produit : la monstrueuse épée effleure légèrement Sarius. À peine. Elle ne le blesse pas, mais le déséquilibre. Alors Sarius comprend qu'il a échoué. Il n'a rien pour se retenir, pas de parapet, pas de garde-fou, pas même une borne.

Il tombe. Loin des chevaliers, loin du pont qui déploie son arc bleu au-dessus de lui. Loin de son rêve d'atteindre, cette nuit, le niveau neuf. Il ne sait même pas ce qui se trouve au-dessous de lui. Si seulement c'était de l'eau ou au moins de l'herbe tendre ! Il imagine plutôt des pierres acérées et des épines. L'air siffle autour de lui. Et toujours pas de sol.

« Mourut de bêtise. »

Ce n'est pas possible ! Pas déjà ! Pas comme ça. Tout ça à cause d'un mauvais pas.

Lorsque le choc se produit, le sifflement de blessure se déclenche aussitôt avec une intensité qui lui arrache un hurlement de douleur. Sur le coup, il ne souhaite qu'une chose : que cette stridulation intolérable cesse sur-le-champ. Mais le bruit est synonyme de vie. Il signifie qu'il lui reste une chance. Il faut juste attendre. Il doit tenir bon.

Alors il attend, veillant à ne surtout pas bouger. Sa tête est prise dans un étau, avec ce bruit qui le torture et qui couvre tout le reste, y compris le brouhaha de la bataille sur le pont. Pourquoi est-ce aussi long ? Y a-t-il encore des combats là-haut ? Sans doute. Cependant personne n'est tombé, à part lui.

– Tu ne t'es pas distingué, Sarius. Je ne te félicite pas.

Enfin ! Jamais il ne s'est autant réjoui de voir les yeux jaunes.

– Je suppose que tu as besoin de mon aide ?

– Oui, s'il te plaît.

– Tu comprendras que je finisse par me lasser de devoir constamment te tirer d'embarras.

Il se tait. Que répondre à ça ? Pourtant le Messager semble attendre une réponse et Sarius ne voudrait pas qu'il s'impatiente davantage.

– Désolé. J'ai été maladroit.

– Je suis pleinement d'accord avec toi. La maladresse est excusable quand on est au niveau deux. Au niveau huit, c'est une honte impardonnable.

*À tous les coups, il va me retirer un niveau. Si ce n'est plus.*

– Voyons, tu as toujours pu me faire confiance, n'est-ce pas ?

– Oui.

– Puis-je moi aussi te faire confiance ? Même dans l'hypothèse où les choses tourneraient mal ?

– Bien sûr.

– Bon. Dans ce cas, je suis disposé à t'aider une fois de plus. Je vais te confier une mission, mais, attention, tu n'as pas le droit à l'échec.

Le sifflement de blessure décroît et l'elfe noir se redresse lentement. Il n'est pas passé loin de la catastrophe. La prochaine fois, il sera plus prudent. Ça ne se reproduira plus. Les jeux de l'arène commencent dans deux jours et il faut qu'il soit au top de sa forme.

– Je m'acquitterai de la mission. Même si elle est difficile. Pas de problème.

Le Messager hoche la tête, la mine circonspecte.

– Je suis heureux de te l'entendre dire. Je vais d'abord te poser une question : Mr Watson est bien le professeur d'anglais de Nick Dunmore ?

– Oui.

– On dit qu'il se promène toujours avec une bouteille Thermos. C'est exact ?

Sarius réfléchit :

– Oui, je crois qu'il y a du thé dedans.

– Bien. Demain, cinq minutes après le début de la troisième heure de cours, tu te rendras dans les toilettes du premier étage. Celles dont le miroir au-dessus des lavabos est fêlé. Dans la poubelle, tu trouveras une petite bouteille. Tu verseras son contenu dans le Thermos de Mr Watson. Peu importe la nature de ce contenu ; ne t'en préoccupe pas. Mais cette tâche nécessitera beaucoup d'habileté de ta part : tu dois être sûr de n'être vu par personne pendant l'opération.

Sarius a suivi les explications du Messager avec une incrédulité croissante. Pendant une fraction de seconde, il envisage de prendre ses jambes à son cou, de faire comme s'il n'avait rien compris. L'autre option serait de rester étendu par terre en attendant que le Messager retire tout ce qu'il vient de dire, qu'il s'excuse pour sa plaisanterie de mauvais goût. Mais l'homme aux yeux jaunes se contente de croiser les bras sur sa poitrine squelettique :

– Alors ? Tu as tout enregistré ?

Il se force à répondre :

– Oui.

– Tu acceptes de le faire ? Compte tenu de la difficulté de l'opération, la récompense sera exceptionnelle. Tu recevras un nouveau pouvoir magique et tu gagneras trois niveaux. Tu passeras au niveau onze. En tant que onze, tu peux d'ores et déjà prétendre à une place au sein du Cercle Intérieur. Je serai en mesure de te nommer au rang de membre le plus faible.

Il respire à fond. C'est un jeu, n'est-ce pas ? Le Messager entend juste tester son courage... Le flacon contient du lait... ou du glucose ?

– Je vais le faire.

– Parfait. J'attends ton rapport demain.

Les ténèbres resserrent leur étreinte, plongeant Sarius dans une perplexité inédite.

*
* *

*Créer. Préserver. Détruire.*

*Pour chacune de ces tâches, les Hindous ont une divinité propre. Mais moi, j'assume les trois. Je maîtrise tout.*

*J'ai créé ce que personne avant moi n'avait créé. Cependant, le monde n'en est pas témoin. Il ne le sera jamais.*

*Après, j'ai tenté de préserver ce qui avait été créé, de toutes mes forces, de toute ma volonté. Dans la douleur, parfois au prix de pleurs et toujours de sacrifices considérables.*

*Désormais, je vais détruire. Qui m'en voudra? S'il existe une justice, au moins cette dernière tâche sera couronnée de succès.*

*J'eusse préféré demeurer Créateur pour me réjouir de ma Création. Je l'aurais préservée et partagée avec d'autres. Mais la Destruction présente aussi son intérêt. Son charme réside dans son caractère définitif.*

# CHAPITRE 20

Nick ne se souvenait pas d'avoir jamais passé une nuit aussi épouvantable que la précédente. Dans sa tête, il avait tourné et retourné la situation dans tous les sens, oscillant entre l'apaisement et la panique. Cent fois, il avait essayé de dérouler le scénario du lendemain. Il s'était efforcé de mettre au point un plan, mais, dès qu'il arrivait au stade où il devait dévisser le bouchon du Thermos et verser dedans la substance inconnue, le film s'interrompait à chaque fois.

Maintenant, le moment était venu. Deux minutes auparavant, la cloche avait sonné, annonçant le début de la troisième heure. Le cœur cognant dans sa poitrine, il gravit l'escalier qui menait au premier étage.

Il n'avait pas cours. Il avait moins d'heures cette année. Les élèves se repliaient alors à la bibliothèque ou se retrouvaient dans le foyer. Le garçon ne pensait pas avoir été suivi. Cependant, il n'arrêtait pas de se retourner. Il s'attendait à ce que Dan ou Alex ou n'importe quel autre joueur se tienne à l'affût, muni d'un appareil photo.

Il resta figé devant la porte des toilettes. Il aurait voulu être loin, très loin d'ici. Mais ça ne servait à rien maintenant.

Il fallait y aller. Ouvrir la porte. Jeter un rapide coup d'œil sur le miroir fêlé, sur son visage livide aux yeux cernés.

La poubelle était là, à gauche des lavabos. Elle était à moitié pleine : des mouchoirs en papier usagés, des canettes vides, une peau de banane, un reste de sandwich et quelques pages de cahier déchirées.

Du bout des doigts, Nick poussa les papiers de côté. Rien à signaler. Sous la première canette, rien non plus.

Il plongea sa main un peu plus loin ; il n'avait pas le choix. Encore des papiers froissés. Un dessin peu inspiré représentant vaguement une fille nue. Nick fouilla encore plus profondément. S'il ne trouvait toujours rien, il serait obligé de renverser la poubelle et de se vautrer dans les ordures comme un cochon. Ou bien – c'est l'option qui lui plaisait le plus – il expliquerait au Messager qu'il n'y avait pas de flacon dans la poubelle. L'espoir eut à peine le temps de se faire jour que Nick la vit : une petite boîte bleue et blanche. « Digotan®, 50 Tbl, 0,2 mg ». Il l'extirpa et sentit qu'elle n'était pas vide. Merde !

Il s'enferma dans la dernière cabine et ouvrit l'emballage en carton. Un petit flacon marron apparut, rempli aux deux tiers de pilules blanches.

Nick dévissa le bouchon et approcha la bouteille de son nez pour sentir ce qu'il y avait à l'intérieur. Il ne remarqua rien de particulier. Les comprimés avaient l'air inoffensif. Ils étaient petits et friables, avec un trait au milieu pour les couper en deux.

Il se souvenait des paroles du Messager : il ne devait pas se préoccuper de ce que contenait la bouteille. Mais Nick ne pouvait pas ne pas lire la notice du médicament.

La molécule des petites pilules blanches s'appelait ß-Acetyldigoxin et son usage était recommandé dans les insuffisances cardiaques.

> Le Digotan® améliore les performances du cœur et régule le rythme cardiaque. Il abaisse la fréquence cardiaque et rend le rythme plus régulier. Il améliore ainsi la circulation sanguine.

Jusque-là, rien d'inquiétant. Les informations étaient plutôt rassurantes. Nick tourna la fiche pour rechercher les effets secondaires.

**Précautions d'utilisation :** les médicaments contenant des glucosides cardiotoniques peuvent rapidement produire un effet nocif en causant une perturbation des flux de sels minéraux ou s'ils entrent en interaction avec d'autres médicaments. Le surdosage risque d'entraîner la mort. Consulter immédiatement un médecin en cas d'apparition des effets secondaires suivants : nausées, vomissements, troubles de la vue, hallucinations, troubles du rythme cardiaque.

« Risque d'entraîner la mort ». Nick constata que le feuillet dans sa main tremblait légèrement. Que se passerait-il s'il versait la totalité du contenu dans le Thermos de Watson ? Une gorgée suffirait à empoisonner le professeur ?

Nick s'appuya contre la cloison des WC en fermant les yeux. Il ne pouvait pas faire ça. Il ne pouvait pas tuer quelqu'un. Il demanderait au Messager de lui confier une autre mission, de refaire des photos, par exemple. Mais ce truc, là, c'était de la folie pure et simple. D'ailleurs, il s'agissait certainement d'une erreur de programmation et le Messager serait content que Nick attire son attention dessus.

*Tu ne le crois pas toi-même.*

Il se souvenait des mots prononcés par le gnome : ils devaient traiter leurs ennemis en ennemis. Ceux qui voulaient détruire le monde d'Erebos. Avait-il vraiment voulu dire qu'ils devaient les éliminer ?

Nick regarda le flacon dans sa main. Une fraction de seconde, il eut envie de verser le contenu dans la cuvette des cabinets, mais il n'en eut pas le courage. Peut-être aurait-il encore besoin des pilules. Il fallait qu'il trouve une idée.

Pendant le reste de l'heure, il arpenta les couloirs du lycée tel un zombie, en proie à une agitation croissante. Il fallait qu'il trouve une idée, une vraie bonne idée. Qui permettrait aussi bien à Watson qu'à Sarius d'avoir la vie sauve.

C'était Mr Watson qui était de service durant la récréation suivante. Nick l'observait. Il ne pouvait pas lâcher des yeux la bouteille Thermos en chrome rutilant, que le prof promenait négligemment coincée sous son bras.

Il n'avait aucune chance de l'attraper ainsi. Impossible. Son seul espoir consistait à guetter le moment où Watson la poserait. Et il attendrait probablement pour le faire d'être en salle des profs, où il y avait toujours une foule de gens. Dans ces conditions, Nick se voyait mal y entrer et verser des comprimés dans le thé de quelqu'un.

Ça ne marcherait jamais ! Il sentait le renflement du flacon dans la poche de son pantalon. Ce n'était pas juste. La mission était impossible à réaliser, même s'il tordait le cou à sa conscience, même s'il...

– Nick ?

Un cri étouffé lui échappa.

– Adrian, bordel, pourquoi tu arrives toujours comme un voleur ?

– Désolé.

Mais Adrian n'avait pas l'air désolé. Au contraire. Il avait l'air déterminé, malgré sa pâleur et le tic qui le poussait à se passer la langue sur les lèvres.

– Tu veux quoi ?

– C'est vrai qu'il y a un jeu sur vos DVD ? Un jeu vidéo ?

Adrian l'implorait du regard, mais Nick ne répondit pas. À l'instant, Mr Watson venait de poser son Thermos sur le rebord de la fenêtre pour s'interposer dans une dispute entre deux filles du collège.

Malheureusement, le hall était noir de monde. Ce ne serait pas simple de le traverser... De toute façon, il ne le ferait pas ! Il fallait qu'il arrête d'y penser !

– Nick ! C'est vrai ?

Nick fit volte-face. En voyant Adrian se ronger l'ongle du pouce, il fut soudain pris d'une colère noire :

– Pourquoi tu ne me laisses pas tranquille ? Pourquoi tu n'essaies pas toi-même ? Je ne peux rien t'en dire et je ne veux pas, d'ailleurs. Tire-toi !

Colin se tenait à quelques mètres, Jerome n'était pas loin non plus. Ils tournèrent la tête tous les deux dans leur direction. Un mince sourire se dessina sur le visage de Colin, et Nick regretta d'avoir parlé si fort. Il ne tenait pas à ce qu'Adrian se casse la figure dans l'escalier à son tour.

– Laisse-moi, d'accord ! reprit-il à voix basse. Si ça t'intéresse, procure-toi un DVD. Ce n'est pas difficile d'en trouver. Sinon, n'y pense plus et oublie tout ça.

– Si c'est un jeu, murmura Adrian, arrête. C'est sérieux. S'il te plaît, arrête d'y jouer.

Nick regarda Adrian sans comprendre :

– Tu peux t'expliquer ?

– Non. S'il te plaît, fais-moi confiance, simplement. Les autres ne me croient pas, malheureusement, même pas ceux de ma classe.

– Pourquoi te croiraient-ils ?

Nick, toujours hypnotisé par Mr Watson, vit ce dernier revenir à la fenêtre et reprendre sa bouteille. Merde ! Il se retourna vers Adrian :

– Hein, réponds-moi ! Pourquoi devraient-ils t'écouter ? Tu ne sais même pas de quoi il s'agit ! Pourquoi veux-tu gâcher le plaisir des autres ?

*Plaisir. Il avait dit « plaisir ».*

– Ce n'est pas du tout la question. Mais j'ai l'intuition que...

– Ton intuition ! l'interrompit Nick. Maintenant, je vais te donner un bon conseil : tu vas arrêter d'emmerder les gens avec ton intuition. Ça risque de mal se terminer pour toi.

De mieux en mieux ! Il venait de mettre en garde Adrian contre les autres joueurs. Si ça arrivait aux oreilles du Messager, il n'apprécierait pas, c'était sûr. Ça, plus l'affaire des comprimés. D'ailleurs, il n'avait toujours pas trouvé d'idée géniale.

Il planta Adrian sans un regard.

Une heure plus tard, Nick se dirigea vers la cafétéria. Il n'avait pas faim, mais il fallait bien qu'il s'occupe. S'il restait assis sans rien faire, à attendre que la pause déjeuner se passe, il deviendrait fou.

Eric était revenu. Il se tenait debout dans un coin de la salle, absorbé dans une discussion très animée avec trois autres types du club littérature. Quand ils le virent approcher, ils baissèrent d'un ton. Cependant Nick entendit distinctement le nom d'Aisha. Quant à Emily, elle n'était visible nulle part.

Il aperçut Mr Watson qui s'entretenait avec Jamie et une fille boulotte près de la fenêtre, devant l'entrée de la salle de SVT. Nick le détailla de la tête aux pieds : pas de bouteille Thermos. Pas même sur le rebord de la fenêtre.

Sans réfléchir à ce qu'il faisait, Nick dirigea ses pas vers la salle des professeurs. Il n'allait pas accomplir la mission, la chose était entendue. Mais il fallait qu'il sache si elle était possible en théorie. Afin de pouvoir expliquer au Messager pourquoi ça n'avait pas marché. S'il devait s'avérer que ça ne marchait pas.

La porte était entrouverte. Nick glissa un œil. Seuls deux professeurs s'y trouvaient. Ils ne levèrent même pas la tête quand il entra. L'un corrigeait des cahiers, l'autre lisait le journal en croquant dans un sandwich. Nulle trace du Thermos de Mr Watson.

Déçu et soulagé à la fois, Nick tourna les talons. Et maintenant ? Il devait au moins faire comme s'il avait l'intention d'exécuter sa mission. À coup sûr, quelqu'un l'observait et ne manquerait pas de faire son rapport. D'ailleurs, au même moment, Dan traversa le couloir. Bien qu'il n'ait pas fait mine de le regarder, Nick était persuadé que sa présence n'était pas le fruit du hasard.

Lentement, il repartit dans la direction opposée. Mais une idée l'arrêta au bout de quelques pas. En dehors de la salle des profs, où les professeurs rangeaient-ils leurs affaires ? Dans le vestiaire, évidemment. La porte de la petite pièce était là, devant lui. Avant même d'avoir tourné la poignée, il eut la certitude qu'il avait vu juste. À l'intérieur, le Thermos lui sauta aux yeux. Il dépassait d'une besace en cuir suspendue à un crochet, entre divers manteaux et vestes.

Rapide comme l'éclair, Nick se faufila dans le réduit et referma la porte derrière lui. Sa seule présence en ce lieu pouvait lui valoir de sérieux ennuis. Les élèves n'avaient rien à y faire. D'un autre côté, personne ici ne pouvait l'observer. Ni Dan, ni Colin, ni Jerome.

Nick sortit la bouteille du sac. Il entendit un discret glouglou. Elle devait encore être à moitié pleine. Son cœur battait à tout rompre lorsqu'il dévissa le bouchon. Du thé à la menthe. Le flacon de comprimés dans sa poche appuyait contre sa jambe.

*Je pourrais le faire*, se dit Nick. *Maintenant. Très vite.*

Non. Il n'était pas complètement givré ! D'ailleurs, qu'est-ce qu'il fichait là ?

Nick revissa le Thermos encore plus vite qu'il ne l'avait ouvert. Avec la manche de son sweatshirt, il essuya les empreintes de doigts sur la surface chromée et le remit à sa place.

Mais il avait été là. Quelqu'un l'avait certainement vu pénétrer ici. C'était l'essentiel.

Pour ressortir du vestiaire, il dut prendre son courage à deux mains : et s'il tombait nez à nez avec Mr Watson ? Mais personne ne fit particulièrement attention à lui lorsqu'il se glissa dehors et qu'il se hâta de tirer la porte derrière lui. Seule Helen passait par là et le regard qu'elle lui lança était impénétrable.

Après les cours, il jeta le flacon de comprimés dans une poubelle proche du métro. Aussitôt, il se sentit étonnamment léger. Il avait agi de façon astucieuse, il avait pensé au moindre détail. Dans le vestiaire, il pouvait avoir fait n'importe quoi. Personne ne serait en mesure de prouver le contraire. Mr Watson aurait la vie sauve, Sarius aussi. Il était pratiquement au niveau onze.

# CHAPITRE 21

*Une cathédrale de ténèbres, voilà où nous sommes*, réalise Sarius lorsqu'il rencontre à nouveau le Messager. Ils se trouvent dans un espace immense décoré de fenêtres en ogive qui ne laissent pas entrer la lumière, malgré les pâles vitraux qui donnent l'illusion d'être vaguement éclairés. Entre les baies, des statues deux fois plus hautes que Sarius ornent les murs. Elles ont des ailes d'anges, mais des faces de démons, et leurs regards de pierre fixent le vide.

Le Messager siège dans un fauteuil en bois richement sculpté, une sorte de trône. Derrière lui, Sarius distingue une zone encore plus sombre que le reste : on dirait une faille ou un gouffre qui s'ouvre dans le sol. De là où il est, il ne peut pas le dire avec précision.

Le Messager observe Sarius en silence, ses longs doigts croisés sous son menton. Des centaines de bougies grises disposées dans des chandeliers déversent leur lueur tremblotante.

– Tu avais une mission, commence le Messager.

– Oui.

– L'as-tu accomplie ?

– Oui.

Le Messager se cale dans son siège et croise les jambes :

– Raconte-moi.

Sarius expose les faits rapidement, sans omettre de détails importants. Il évoque la découverte des comprimés, sa quête de la bouteille Thermos et conclut son récit en disant qu'il a versé les comprimés dans le thé.

– Tous ? demande le Messager.

– Oui.

– Qu'as-tu fait du flacon vide ?

– Jeté. Dans une poubelle à la station de métro.

– Bien.

De nouveau, le silence se fait. La flamme d'une bougie s'éteint dans un sifflement. Une mince volute de fumée s'élève, dessinant la forme d'un crâne. Le Messager se penche soudain vers lui, ses yeux jaunes sont devenus rouges.

– Il faut que tu m'expliques quelque chose.

*J'ai été stupide. Il le sait. Il sait tout...*

– L'un de mes observateurs a trouvé le flacon. Il était plein.

Sarius est pris de panique. *Une explication, vite !*

– Ton observateur s'est peut-être trompé de flacon.

– Tu mens. D'autres observateurs me rapportent que Mr Watson se porte comme un charme. Il est toujours au lycée.

– Peut-être que Mr Watson n'a pas encore touché à son thé. Ou il l'a jeté parce qu'il avait un goût amer à cause des pilules.

– Tu mens. Je n'ai plus besoin de toi.

– Non. Attends. Ce n'est pas vrai !

Il cherche désespérément des arguments capables de convaincre le Messager. Il a été particulièrement habile. Et personne ne peut prouver qu'il s'est défilé.

– J'ai fait tout ce qui avait été demandé. Si Mr Watson ne boit pas son thé, ce n'est pas de ma faute. J'ai...

– Les indécis, les froussards et les moralisateurs ne méritent pas d'être au service de mon maître. Ils ne sont d'aucune utilité pour anéantir Ortolan. Adieu !

*Adieu ?*

Sur un signe du Messager, deux des démons de pierre se détachent de leur socle et déploient leurs ailes.

– Non, arrête ! C'est une erreur ! C'est injuste ! J'ai fait tout ce que tu m'avais dit !

Les géants de pierre le saisissent par les épaules dans leurs serres et le soulèvent dans les airs.

Sarius se débat de toutes ses forces et se tord entre leurs griffes. Pourquoi le Messager lui fait-il ce coup-là ? Jusqu'ici, il l'a toujours aidé, car Sarius a toujours mérité sa confiance. Et là, juste à cause de cette seule et unique fois, à cause de cette mission ratée...

– Attendez, tout ça n'est qu'un malentendu. Je vais recommencer, clame Sarius. Cette fois, je ferai mieux. Cette fois, ça va marcher. Promis !

Le Messager rabat sa capuche sur son visage.

– Tu ne révéleras rien sur Erebos. Tu ne prendras pas parti contre nous. Tu laisseras les autres guerriers tranquilles. Tu ne rejoindras pas le camp de nos ennemis. Sinon, tu le regretteras.

– Arrêtez, s'il vous plaît, arrêtez ! Je vais le faire. Cette fois, je le ferai pour de bon !

Ils le portent jusqu'au gouffre qui s'entrouvre dans le sol, derrière le trône du Messager. Le gouffre est sa mort, Sarius en est parfaitement conscient. Il lutte de toutes ses forces pour échapper aux serres de ses bourreaux. En vain.

– Nick Dunmore. Nick Dunmore. Nick. Dunmore.

L'écho répète doucement son nom dans la cathédrale.

Puis ils le lâchent. L'air siffle autour de lui. Il croit entendre son nom chuchoté à l'infini. Il n'en finit pas de tomber. Un reste de lumière lui permet de distinguer l'ombre de ses mains dont les doigts sont écartés dans un geste d'effroi.

Puis c'est le choc. Le sifflement de blessure lui explose les tympans, plus douloureux que jamais.

Enfin, c'est le silence. Le noir. La fin.

*

* *

Nick martela les touches du clavier, martyrisa la souris. Il donna des coups sur l'écran, l'ordinateur, le bureau. Sarius n'était pas mort. Il n'avait pas le droit de mourir !

*Bon, du calme, de la patience ! D'abord éteindre l'ordinateur. Le rallumer. Attendre qu'il démarre sans s'impatienter. Réfléchir.*

Qui avait bien pu le trahir ? Qui était allé récupérer cette saleté de flacon de médicaments dans la poubelle ? Nick n'avait vu personne, mais il n'avait pas vérifié s'il n'était pas suivi à l'extérieur du lycée.

*Quel crétin je fais*. Un des joueurs avait dû le prendre en filature. Il avait probablement reçu plein d'or en récompense ou un niveau supplémentaire.

Pourtant le Messager ne pouvait pas prouver que Nick avait refusé d'exécuter sa mission. Il n'avait pas le droit de le jeter dehors sans preuves. N'avait-il pas dit, la veille encore, que Sarius était un candidat potentiel pour le Cercle Intérieur ?

Ça faisait mal rien que d'y penser. Et demain commençaient les jeux d'arène ! Il voulait en être. Il fallait qu'il y soit. Il y arriverait. Il devait juste trouver un moyen de parler au Messager pour lever le malentendu.

Il se souvint de Greg. Encore un malentendu. *Sauf que dans mon cas ça n'en était pas un*.

Il n'était pas Greg. Il ne se laisserait pas éjecter comme ça. Il y avait certainement un moyen de rentrer. C'était sûr. Nick avait juste besoin d'une seconde chance. Il fallait juste qu'il revienne dans le jeu.

Il était au comble de l'impatience. Pourquoi son ordinateur mettait-il tellement de temps à démarrer ?

Dans l'hypothèse où le Messager lui confierait de nouveau la même mission, l'accomplirait-il, cette fois-ci ? Était-il prêt à empoisonner Mr Watson ? Regrettait-il de ne pas avoir mis à profit l'occasion qui se présentait ?

Oui, mille fois oui. Que représentait Mr Watson comparé à Sarius ?

Nick ferma les yeux. Il est probable qu'il ne se serait rien passé. Watson aurait goûté le thé. Il l'aurait trouvé dégueulasse et l'aurait recraché. Et alors ? Ce n'était pas un drame. Il est probable qu'en lui confiant cette tâche, le Messager le savait aussi : une fois toutes les pilules dissoutes dans le thé, celui-ci aurait été imbuvable. Il n'y avait pas le moindre danger dans tout ça. Mais non, il avait fallu que monsieur Nick ait des scrupules !

L'ordinateur s'était enfin allumé : son bureau s'affichait comme d'habitude. Machinalement, Nick dirigea le curseur à l'endroit où se trouvait l'icône d'Erebos. Mais le « E » rouge avait disparu.

Merde. Nick sortit fébrilement le DVD de son boîtier et le glissa dans le lecteur. La fenêtre d'installation apparut. Voilà. Parfait. Installer.

Ça dura un certain temps, comme la première fois. Mais ce n'était pas grave, il était patient.

Bon, et maintenant ? Où était l'icône ?

Il ne la trouva pas, pas plus qu'il ne trouva le programme qu'il venait de réinstaller. Il explora tout le disque dur, une fois, deux fois, trois fois. Rien. Il recommença l'installation.

Minute ! Il fallait peut-être d'abord copier le DVD ? Comme quand on donnait le jeu à quelqu'un d'autre.

Il copia et lança l'installation, une fois, deux fois, trois fois. De désespoir, il donna de grands coups à son ordinateur entre deux essais. Il fit en tout sept tentatives dans toutes les variations possibles et imaginables. Il n'y avait rien à faire, ça ne marchait pas. Et il savait pertinemment que ça ne marcherait pas, mais il était incapable d'arrêter. S'il arrêtait, ce serait fini pour de bon. Il retint ses larmes. Sarius était un bout de lui-même. Personne n'avait le droit de lui arracher un bout de lui-même. Lancer encore une fois l'installation ? Une dernière fois ?

Au bout de trois heures, Nick abandonna. Il avait foiré. Il avait sacrifié Sarius à son crétin de prof d'anglais, ce type qui ne pouvait pas s'empêcher de fourrer son nez dans les affaires des autres. Ça ne lui aurait pourtant pas fait de mal de se faire un peu taper sur les doigts. Mais Nick avait été trop lâche.

*Mourut de lâcheté ?*

L'évocation de sa pierre tombale le fit craquer. Le mot « lâcheté » était-il vraiment gravé dans la pierre ? Ou « désobéissance » ? Ou « indécision » ?

Même ça, il ne le saurait pas.

– Lasagnes, Nicky ?

Sa mère agitait sous son nez une barquette d'aluminium. Le plat fleurait bon le fromage et les herbes italiennes, mais Nick n'avait aucun appétit.

– Oui, volontiers, mais pas trop, répondit-il malgré tout.

Ils étaient censés ne pas se faire remarquer. C'était la consigne donnée par le Messager. Stop ! Ça ne le concernait plus. Il plongea la tête entre ses mains. Il avait mal aux yeux.

– Ça n'a pas l'air d'aller ?

– Si, si. Je suis juste un peu fatigué.

– C'est sûrement le temps. Aujourd'hui, Mrs Bricker a failli s'endormir pendant la permanente...

Il laissa jacasser sa mère. De temps à autre, il ponctuait ses phrases d'un sourire. À deux reprises même, il rit avec elle, bien qu'il ait perdu le fil depuis longtemps.

Après avoir séché ses larmes, il avait eu une nouvelle idée : il serait certainement possible d'installer le jeu sur un autre ordinateur. Il pouvait s'enregistrer à nouveau, mais pas sous le nom de Sarius, malheureusement. En avait-il envie ? C'était mieux que rien, non ?

Ah, bon sang ! Il avait oublié qu'on devait indiquer son vrai nom au début. N'empêche ! Il fallait qu'il essaie en tout cas. Le Messager verrait que Nick Dunmore prenait la chose au sérieux. Il le laisserait revenir dans le jeu.

*
* *

Sarius est au centre de l'arène. Il porte un anneau rouge autour du cou, seulement il n'est pas en rubis mais en feu.

Le public autour de lui est en liesse, mais cette fois il est composé exclusivement d'hommes-araignées. Des pattes animées de soubresauts leur sortent de la tête. Sarius tourne la tête et son regard se pose à côté de lui, sur LordNick, dont le corps est transpercé par une lance.

– Qu'est-ce qu'il y a ? demande-t-il avec un haussement d'épaules.

La lance se transforme alors en serpent. Le reptile se retire à l'intérieur du corps de LordNick. Les blessures guérissent. Magie.

Sarius cherche Sapujapu, mais ne le voit nulle part. En revanche Lelant est là. Il lui adresse une grimace. Une bouteille Thermos est coincée à sa ceinture.

– Battez-vous ! commande Mr Gros-Yeux.

Il frappe avec son bâton sur le sol, qui s'entrouvre sous ses coups.

*Pas déjà. Je viens à peine de réussir à revenir.* Il regarde au-dessus de lui et aperçoit le faucon doré qui dessine des cercles dans le ciel, flanqué des deux démons de pierre : il ne faut surtout pas qu'ils le remarquent.

La faille ne cesse de s'élargir. Certains s'y précipitent de leur plein gré, mais Sarius se garde bien d'en faire autant. Il n'est pas fou. Il recule toujours plus, cependant le trou s'élargit progressivement à toute l'arène. Il doit grimper par-dessus le muret d'enceinte pour se réfugier dans la tribune des spectateurs, où l'attendent les hommes-araignées, les pattes tendues vers lui, prêts à le dévorer.

Alors il tombe une nouvelle fois. Il tombe sans fin. *Peu importe, au moins je sais maintenant comment revenir.*

*
* *

La sonnerie du réveil arracha Nick à sa chute. D'abord, il fut infiniment soulagé, car ce n'était qu'un cauchemar et il allait pouvoir retourner dans Erebos. Mais la désolante réalité s'imposa à lui. Il enfouit son visage dans son oreiller et essaya de repartir dans son rêve.

Était-ce écrit sur son visage ? Dès qu'il mit les pieds dans la cour du lycée, Nick eut l'impression que tout le monde le dévisageait. Il lui sembla que Colin le scrutait d'un air moqueur, tandis que Rashid regardait à travers lui comme s'il était transparent.

Aucun des deux ne l'aiderait, Nick le savait. Il lui fallait quelqu'un comme Greg. Quelqu'un qui ait déjà fait le grand plongeon dans le gouffre et qui cherche un moyen de retrouver le chemin d'Erebos.

Il attendit de ne plus être observé pour tenter sa chance auprès de Greg, qu'il poursuivit presque dans les toilettes.

– Je peux te demander un truc, vite fait ?

Greg haussa les épaules, embarrassé. Les égratignures sur son visage avaient viré au violet et son poignet gauche était toujours enveloppé dans un bandage.

– Si tu y tiens absolument.

– T'as trouvé une... solution à ton problème depuis l'autre jour ?

Greg fronça les sourcils, puis se mit à ricaner. Il avait très bien compris où Nick voulait en venir.

– Tu m'en diras tant... Toi aussi tu t'es donc fait virer. Ça alors, c'est pas de bol, Dunmore ! Vu comme tu t'es montré serviable, l'autre fois, tu pourrais toujours courir pour que je te dise comment on revient, si je le savais.

Et il lui claqua la porte des cabinets à la figure.

Bon, d'accord, ça n'avait pas été très habile de s'adresser à Greg. Mais qui d'autre s'était fait notoirement jeter ? Personne. Y avait-il des gens qui paraissaient particulièrement déprimés et en retrait ?

Il pensa à Helen. Helen qui regardait toujours dans le vague et qui parlait encore moins qu'avant. Il lui poserait la question, bien qu'elle ne le porte pas dans son cœur. De toute façon, elle ne pouvait sacquer personne. Et alors, où était le problème ? Le pire qui pouvait lui arriver était qu'elle l'envoie balader en lui rappelant comment il s'était comporté avec elle. Il était prêt à assumer.

Il n'avait pas le temps de faire le difficile. Plus la mort de Sarius s'éloignerait dans le temps, plus il serait dur de le ramener à la vie. Maintenant c'était encore possible. Du moins, c'est ce que Nick se plaisait à croire. Peut-être Sarius n'était-il pas encore au cimetière ? Dans ce cas, il suffisait d'aller le rechercher et de le faire continuer tout simplement. Il fallait juste convaincre le Messager, d'une façon ou d'une autre.

Il repéra Helen pendant l'heure de permanence suivante. Elle était assise sur un banc, sous un tilleul. Elle triturait une feuille jaunie, en forme de cœur, et semblait beaucoup plus paisible qu'à l'accoutumée. Nick eut quelques scrupules à troubler cette sérénité inhabituelle. Bah, il ferait un effort pour être sympa avec elle.

Il s'assit à côté d'elle :

– Helen ?

Elle ne bougea pas. Les commissures de sa bouche se crispèrent légèrement comme si une idée pénible lui traversait l'esprit.

– Je voudrais te poser une question. Tu... tu as joué, n'est-ce pas ?

– Tire-toi !

– C'est simplement parce que..., dit-il en cherchant ses mots. J'ai un problème. Je ne peux plus rentrer. Je me demandais si tu pouvais m'aider.

Avec son index, elle caressait le bord dentelé de la feuille de tilleul.

– J'avais l'impression, continua Nick prudemment, que tu t'étais déjà trouvée dans la même situation. C'est pour ça que...

Elle tourna la tête vers lui. Des cernes violets s'étiraient sous ses yeux striés de vaisseaux rouges. *Ça sent les nuits sans sommeil. Elle est dedans. Mais elle y est toujours restée ou elle y est retournée ?*

– Quand c'est fini, c'est fini, répondit Helen en jetant la feuille. Il vaut mieux que tu me laisses tranquille.

– Oui, mais j'ai besoin que tu me donnes un coup de main.

Elle eut l'air de trouver ça drôle :

– Et qu'est-ce qui t'autorise à penser que je pourrais vouloir t'aider ?

*Parce que j'ai toujours été un peu plus gentil avec toi que les autres.*

– Simplement comme ça. Ça va, c'est bon, répliqua-t-il.

C'était tout sauf bon. Dans quelques heures, les jeux d'arène allaient commencer et il voulait y participer. C'était son désir le plus cher.

Pendant l'heure d'anglais, il fut incapable de se concentrer, littéralement fasciné par la bouteille sur le bureau du prof. On aurait dit que Mr Watson l'avait apportée en cours pour le narguer. De temps à autre, il se versait un peu de thé dans un gobelet et en sirotait une gorgée. Ce n'était pas la première fois qu'il le faisait, mais Nick n'en prenait conscience qu'aujourd'hui.

Emily était assise devant lui, en biais. Elle avait détaché ses cheveux et il la trouvait renversante, comme toujours. Mais aujourd'hui il pensait à autre chose en la voyant : il l'enviait parce qu'elle pouvait encore se faire offrir le jeu. Elle n'avait pas gâché sa chance, elle. La grande aventure était devant elle.

Elle avait dû sentir son regard sur elle, car elle tourna la tête et lui sourit. Il se força à lui répondre. Était-elle déjà au courant de son éviction ? Jamie l'avait regardé d'un air plus amical que ces derniers jours. Savait-il, lui aussi ? Pouvaient-ils savoir ?

Pendant la récréation de midi, il appela son frère, qui ne décrocha qu'à la dixième sonnerie :

– Désolé, petit frère, j'ai un client. Qu'est-ce qu'il y a ?

– Finn, je peux t'emprunter ton ancien portable pour deux ou trois semaines ?

– Pourquoi ? Ton ordinateur est en panne ?

– Non, mais il m'en faut un deuxième en ce moment. Tu veux bien ?

– Bon, d'accord. Becca ne va pas être emballée parce qu'elle l'utilise parfois pour ses esquisses. Mais c'est d'accord. Tu l'auras.

– Merci, répondit Nick, soulagé. Je peux venir le chercher cet après-midi ?

– Oh, ça va être difficile. Aujourd'hui, nous fermons le magasin à trois heures et nous partons à Greenwich chez des amis. Demain peut-être ?

*Non, les jeux d'arène, c'est aujourd'hui*, pensa Nick, désespéré.

– O.K. Comme tu veux. À demain alors !

Il passa le reste de la journée à se morfondre, paniqué par la sensation du temps qui glissait entre ses doigts. Il fallait qu'il fasse quelque chose. Il devait trouver une solution.

Alors qu'il rentrait chez lui, Jamie s'arrêta à côté de lui et descendit de son vélo :

– Il t'est arrivé quelque chose, on dirait ? Tu as l'air complètement au bout du rouleau. C'est vraiment sérieux ou c'est à cause d'Erebos ?

Nick résista à l'envie de lui envoyer son poing dans la figure.

– Je croyais que c'était toi qui prenais Erebos tellement au sérieux que tu lui avais déclaré la guerre ! répliqua-t-il d'un ton agressif.

Si ce donneur de leçons cherchait la bagarre, il allait la trouver. Ça tombait bien : il avait justement besoin de quelqu'un sur qui lâcher toute sa frustration.

– Tu as raison. Disons que ce sont plutôt les effets que je prends au sérieux, pas tellement le jeu.

Jamie poussait son vélo en marchant à côté de lui comme autrefois. Comme s'ils n'étaient pas séparés par un monde.

– Comment va Eric ? demanda Nick, en espérant que la réponse serait : « mal ».

– Ça va. Il essaie d'entrer en contact avec Aisha, mais elle fait blocage. Elle refuse de parler avec une psychologue. Elle refuse tout. Cependant elle maintient ses accusations. C'est pas facile pour lui. Heureusement, il a une petite amie vraiment géniale qui le soutient contre vents et marées. J'ai fait sa connaissance récemment. Elle fait des études d'économie. Très sympa. Tu l'adorerais.

Eric avait une petite amie. Une étudiante.

Nick sentit sa gorge se nouer. Il respira à fond, mais la boule dans sa gorge ne voulait pas passer. Le Messager avait eu beau jeu de lui faire de grandes promesses.

Alors, pourquoi toute l'histoire avec Aisha ? Un genre de cerise sur le gâteau, pour que Nick soit définitivement convaincu ? À moins qu'Aisha ne soit le comprimé dans le thé d'Eric ?

À cette idée, il ne put réprimer un sourire. Son copain l'interpréta de façon erronée.

– Je pensais bien que tu serais content de le savoir. Elle s'appelle Dana et elle nous aide dans l'action que nous menons contre le jeu. Notamment pour réunir du matériel d'information à l'intention des parents. J'aurais dû t'en parler plus tôt, et je l'aurais fait si tu avais été prêt à m'écouter comme n'importe quel individu normal.

Nick n'était pas d'humeur à supporter la critique :

– « Normal » ? Qui est-ce qui est atteint de paranoïa, ici ? Normal ? On croit rêver !

Ils étaient arrivés à l'entrée de la station de métro et il descendit les marches sans prendre congé de son ami ni même se retourner.

Du matériel d'information pour les parents ! Jamie pouvait s'estimer heureux de n'avoir raconté ça qu'à lui. Un joueur actif se serait empressé de transmettre le scoop au Messager.

Dix heures du soir. Nick était étendu sur son lit, les bras croisés derrière la tête. Il avait encore perdu deux heures à essayer d'accéder au jeu. Il avait copié le DVD deux fois et l'avait installé à trois reprises. En vain. Ça n'avait rien changé du tout.

Il ferma les yeux. Ils devaient déjà tous être réunis dans l'enceinte de l'arène. Chaque race regroupée dans sa salle : les barbares, les vampires, les hommes-chats et les femmes-chats, les elfes noirs...

On n'allait pas tarder à les faire entrer dans l'arène. Le public les acclamerait, le maître de cérémonie appellerait le premier nom. Et Sarius ne serait pas au rendez-vous !

Drizzel allait-il défier Blackspell ? Y aurait-il un mort parmi les combattants ? Il ne le saurait jamais et ça le rendait fou.

Dommage que Nick n'ait pas découvert qui était Xohoo. Il aurait bien aimé parler avec lui. Il se sentait seul comme jamais.

Il dormit très mal, cette nuit-là. Il aurait donné n'importe quoi pour être à nouveau Sarius, ne serait-ce qu'en rêve. Mais plus il essayait, plus le sommeil se refusait à lui.

# CHAPITRE 22

Le jour suivant commença sous un soleil radieux et doré, comme si le monde réel s'efforçait de déployer tous les charmes que l'automne avait à offrir. Peine perdue : Nick le ressentait comme une provocation. Pluie et brouillard auraient été plus adaptés à son humeur. L'obscurité surtout. Mais, cet après-midi, il allait se procurer le portable de Finn, il installerait le jeu dessus et il verrait bien ce qui arriverait. Dans le pire des cas, il devrait redémarrer à zéro. Cette fois, peut-être en vampire ou en barbare.

Il passa la journée dans un état de somnolence maussade. Par chance, c'était vendredi. Pendant le week-end, il aurait le temps de créer son nouveau personnage et de lui faire gagner des niveaux. Il fallait atteindre le niveau quatre. C'est ce que l'expérience lui avait appris. Au moins, ça lui serait utile.

À la fin de la dernière heure, il rassembla ses affaires. Il devait se dépêcher, car le magasin de Finn était à l'autre bout de la ville. Ça lui prendrait du temps d'autant que, le vendredi, le métro était encore plus bondé que les autres jours.

Mais il fallut bien sûr que Jamie le retienne encore à sa sortie du lycée.

– Ils disent que tu n'es plus dans le jeu. C'est vrai ?

– Qui le dit ?

– Ça n'a pas d'importance.

– Pour moi, si.

La nouvelle avait l'air de lui faire tellement plaisir que Nick lui aurait volontiers mis son poing dans la figure. Bien sûr, ce n'était pas sympa pour Jamie, mais personne n'était sympa avec lui, non plus. Et si son soi-disant copain se réjouissait de ce qui faisait son malheur, alors... alors...

– J'ai promis de ne pas répéter de qui je le tiens. Mais, si c'est vrai, alors là tu ne peux pas savoir comme j'en serais heureux ! Tu n'imagines pas à quel point tu t'es transformé au cours des dernières semaines. On est pourtant de vrais potes, non ?

À ces mots, il vit rouge :

– Tu dis quoi ? On est quoi ? Tu n'arrêtes pas de me casser les pieds en te mêlant de mes affaires et maintenant tu sautes de joie parce qu'un truc a foiré pour moi ! À condition évidemment qu'on ne t'ait pas raconté des craques !

Jamie était pétrifié.

– Attends, tu te trompes...

– Hein ? C'est moi qui me trompe ? Tu es juste vexé comme un pou parce que je m'occupe de quelque chose qui ne t'intéresse pas ! Comme si je t'avais empêché de participer !

Le visage de son ami était devenu livide :

– Tu dis vraiment des conneries, mon pauvre gars ! Je me réjouis seulement que tu sois sorti d'une sale histoire, d'une histoire vraiment dangereuse !

– Ha, ha ! Toi, tu détiens la vérité ! Tu es tellement malin. Tu es au-dessus de tout le monde, c'est ça ? Et moi, je me suis mis dans le pétrin et je suis trop bête pour m'en rendre compte ! Tu sais quoi ? Tu peux aller te faire voir ! Allez, tire-toi !

Sans un mot, Jamie tourna les talons et partit vers son vélo.

Nick le suivit des yeux, furieux de ne pouvoir continuer à déverser sa bile. En même temps, il se sentait mortifié, parce que... parce que quoi ? Il ne savait pas au juste. Peut-être parce que son vieux copain n'était pas de son côté.

Il respira à fond, essayant de se calmer, et prit le chemin du métro, tout en observant Jamie du coin de l'œil. Lui aussi avait l'air vraiment en colère. En tout cas, il pédalait de toutes ses forces et il passa en trombe à côté de Nick, dévalant la rue comme un fou.

Nick poursuivit son chemin dans la direction opposée. Bientôt, il serait chez Finn, il rapporterait le portable à la maison et tout rentrerait dans l'ordre. Il n'enregistra pas tout de suite le choc ni le coup de klaxon. C'est seulement quand les voitures s'immobilisèrent à côté de lui et qu'un des conducteurs en descendit, qu'il comprit qu'il se passait quelque chose d'anormal. Il se retourna.

L'embouteillage qui s'était formé allait du carrefour, situé à trois cents mètres au-delà du lycée, jusqu'à la station de métro où Nick allait arriver.

– Il a dû se produire un accident, dit l'homme à côté de la voiture.

Nick ne sut pas comment il comprit. Brutalement, tout se glaça en lui. Il se mit à courir sans s'en rendre compte. Son sac glissa de son épaule et tomba sur le trottoir. Il continua de courir comme dans un tunnel, ne voyant que la rue, le croisement et tous ces gens.

– ... n'a pas freiné du tout.

– Le feu était rouge, pourtant !

– ... comprends pas.

– C'est affreux, une chose comme ça...

– ... vaut mieux que tu ne regardes pas, Debbie !

Au passage, il bouscula quelques personnes qui attendaient à l'arrêt de bus, il se cogna l'épaule contre un lampadaire, poursuivit sa course. Il entendait les commentaires affligés à travers un brouillard : sa respiration haletante couvrait tout, même les sirènes des ambulances.

Il y avait le carrefour. Il y avait le vélo. Oh ! Et, là, il y avait – mon Dieu – il y avait...

– Jamie !

Il poussa les badauds pour se frayer un chemin. Il fallait qu'il passe, il fallait qu'il arrive jusqu'à lui, qu'il remette sa jambe dans le bon sens...

– Jamie !

Tant de sang. Il se sentit flageoler. Il glissa à genoux à côté de son copain. Jamie.

– Éloigne-toi, mon garçon ! L'ambulance va arriver.

– Mais…, bredouillait Nick d'une voix entrecoupée par les sanglots. Mais…

– Tu ne peux rien faire maintenant. Il ne faut pas le toucher ! Emmenez ce jeune homme !

Des mains sur ses épaules. Se débattre. Des poignes le soulèvent. Frapper ceux qui le tiennent. Cogner. Hurler.

L'ambulance. Une lueur clignotante bleuâtre. Des gilets jaunes.

– Respiration faible.

Un brancard.

– S'il vous plaît… S'il vous plaît, il ne doit pas mourir !

– Je crois que celui-ci aussi a besoin d'aide. Il est en état de choc.

– S'il vous plaît !

*S'il vous plaît !*

Des pleurs. Venant de l'ambulance. Qui pénètrent en Nick. *S'il vous plaît !*

Des mains sur ses épaules. Se débattre.

Une caresse sur ses cheveux. Lever la tête. Emily.

On lui donna à boire et il avala une gorgée. Emily était assise à côté de lui. Sa main tremblait légèrement quand elle lui reprit la bouteille. Plusieurs fois, il ouvrit la bouche pour lui poser une question, mais il ne sortait de sa gorge que des sanglots secs.

Tout recroquevillé, il entendait les gémissements qui lui échappaient et sentait le bras de la jeune fille autour de ses épaules. Elle ne disait rien, se contentant de le serrer doucement contre elle.

*Elle ne le ferait pas si elle connaissait la vérité.*

Quand il reprit conscience de ce qui l'entourait, les badauds avaient fini par se disperser. Sa camarade était toujours auprès de lui. Il fit un effort surhumain pour lui sourire.

Il n'était qu'une énorme boule de culpabilité. Il l'avait poussé à bout. C'était pour ça que Jamie n'avait pas freiné au croisement. Nick se haïssait.

Il n'avait pas envie de rentrer chez lui. L'idée de rester assis à attendre et à broyer du noir lui était insupportable. Il ne pouvait pas s'éterniser là non plus. Foncer dans un mur la tête la première, il n'y avait que ça à faire.

– J'ai rassemblé tes affaires ; j'espère que tout y est.

D'où sortait Adrian soudain ? Il lui tendit son sac à dos maculé de boue. Nick regarda l'objet sans comprendre. Il n'en voulait pas ; il ne voulait pas boire non plus. Il ne voulait qu'une chose : revenir en arrière et recommencer la discussion avec son pote. Ne pas le laisser monter sur le vélo. Ne pas être un foutu sale con, comme il l'avait été.

– Merci, répondit Emily à sa place en prenant le sac des mains d'Adrian.

– Vous savez comment va Jamie ? murmura-t-il. Ils ont dit quelque chose ?

Aucun son ne sortait de la bouche de Nick. Il sentit Emily, à côté de lui, hocher la tête en signe de dénégation.

– La police est là-devant. Ils interrogent les témoins, ajouta le jeune garçon. Si vous avez vu comment ça s'est passé, ils seront certainement contents que vous vous manifestiez.

– Je n'ai rien vu, chuchota Nick. J'ai seulement entendu et puis...

Il ne termina pas sa phrase, empêché par ses larmes qui coulaient de plus belle.

Leur copain acquiesça d'un signe de tête. L'expression de son regard était difficile à interpréter : il était compréhensif et... professionnel à la fois, comme celui d'un psychologue.

– Je n'ai rien vu non plus, dit Emily à voix basse. Mais je crois que Brynne était tout près. Ils n'ont pas encore pu lui poser de questions. Ils ont dû lui faire une piqûre de tranquillisant ; elle n'est pas en état de parler.

*J'ai peur. J'ai tellement peur.*

Il cacha son visage dans ses mains, enfonçant ses ongles dans son cuir chevelu. La douleur faisait du bien ; elle était mille fois préférable à cette autre douleur qu'il ne supportait plus. Une idée se fraya un chemin dans son cerveau martyrisé.

– Est-ce qu'on sait où ils ont emmené Jamie ?

– À l'hôpital Whittington, répondit la jeune fille. Quelqu'un a prononcé le nom du Whittington. Mais c'était peut-être n'importe quoi.

Nick se leva d'un bond. Sa vue se troubla et il vacilla, l'espace d'un instant, mais il sentit son bras qui le soutenait.

– Je vais voir Jamie, dit-il dans un souffle. Il faut que je sache comment il va.

Emily l'accompagna. Ils sortirent du métro à la station Archway. Nick grelottait. Le trajet jusqu'à l'hôpital lui sembla durer une éternité. Il était reconnaissant à Emily de ne pas parler, de ne rien demander. Il avait besoin de toutes ses forces pour mettre un pied devant l'autre. Son angoisse augmentait à chaque pas. Ils allaient arriver à l'hôpital et quelqu'un leur dirait que malheureusement on n'avait pas pu le sauver, qu'il était mort pendant le transport. Nick sentit l'air lui manquer. Il s'arrêta devant la façade en verre de l'entrée et appuya ses deux mains sur ses genoux. Il avait un étourdissement.

– Ils ont dû le conduire aux urgences, supposa la jeune fille. Elles sont à l'arrière du bâtiment.

– Mais l'accueil est certainement ici. Je vais aller demander.

Nick pénétra dans le hall. En marchant vers le guichet, il avait l'impression d'aller devant le peloton d'exécution. La jeune femme blonde préposée aux renseignements déciderait de la vie de Nick. Il avait mal au cœur.

– Bonjour. Est-ce qu'un certain Jamie Cox a été amené ici ?

Elle le toisa à travers ses petites lunettes aux verres étroits :

– Vous êtes de la famille ?

– Jamie Cox. C'était un accident de la circulation. Il faut que je sache comment il va, vous comprenez ?

La blonde lui adressa un sourire crispé :

– Nous ne sommes autorisés à délivrer des informations qu'à la famille. Êtes-vous un membre de la famille de Mr Cox ?

– Nous sommes amis.

*Meilleurs amis*.

– Dans ce cas, je suis désolée. Je ne peux rien faire pour vous.

Nick se traîna vers la sortie de l'hôpital plus qu'il ne marcha. L'heure du verdict était repoussée. Comment allait-il tenir le coup ? Comment était-il censé tenir le coup ?

Sa camarade le guida jusqu'au petit espace vert qui jouxtait le bâtiment principal. Le sol était froid et un peu humide. Nick enleva sa veste et la posa par terre pour qu'ils puissent s'asseoir au sec.

– Je ne peux pas rentrer à la maison, dit-il. Il faut d'abord que je sache comment il va.

Pendant un instant, ils se turent, suivant machinalement des yeux les voitures qui défilaient devant eux.

– Nous pourrions appeler le lycée, suggéra Emily. Ils seront peut-être au courant.

– Non, pas le lycée, protesta Nick d'une voix étranglée. Tu crois que ses parents ont déjà été prévenus ?

– C'est sûr. Ils les ont certainement appelés. S'il est encore en vie, ajouta-t-elle en détachant un brin d'herbe, les yeux fixés sur l'arrêt de bus de l'autre côté de la rue. Ils ne se déplacent en personne que quand quelqu'un est mort. Ils viennent à deux. Sans doute que c'est impossible de faire ça tout seul. Ils te demandent ton nom, puis ils te disent à quel point ils sont désolés...

Nick lui lança un regard interrogateur sans dire un mot. Elle avait un petit sourire douloureux.

– Mon frère. Mais c'était il y a longtemps.

– C'était aussi un accident ?

Le visage d'Emily se durcit :

– Oui. Un accident. À l'époque, la police a parlé de suicide, mais c'est des conneries.

Elle arracha une pleine poignée d'herbe. Nick se mordit la lèvre. Il ne savait pas s'il devait poser d'autres questions ou se taire. De toute façon, quoi qu'il fasse, ce serait sans doute la mauvaise attitude.

– C'était un excellent nageur. Il ne se serait jamais jeté à l'eau s'il avait voulu se tuer.

Il passa le bras autour de ses épaules, sans craindre d'être repoussé. Aucun d'eux ne repousserait l'autre. Ils ne se serraient pas comme deux amoureux, juste comme deux êtres humains qui ont besoin de se retenir à quelque chose pour ne pas tomber.

C'est Emily qui aperçut le père de Jamie sortant de l'hôpital. Il avait l'air tellement perturbé que Nick n'eut pas le cœur de lui adresser la parole. Mais elle surmonta sa réticence. Elle courut derrière Mr Cox et le retint par la manche. Il les vit échanger quelques phrases, mais ne comprit pas ce qu'ils se disaient. L'homme s'essuya les joues avec la main, écartant les bras dans un geste d'impuissance qui lui serra le cœur. Elle hocha la tête à plusieurs reprises, puis lui donna une longue poignée de main chaleureuse, avant de venir retrouver Nick.

– Il est en vie. Il a fait un arrêt cardiaque dans l'ambulance et ils ont dû le ranimer, mais maintenant il est à peu près stabilisé.

En entendant le mot « arrêt cardiaque », Nick avait tressailli :

– Stabilisé, tu dis ? C'est bien.

– Pas si bien que ça. Ils l'ont plongé dans un coma artificiel. Il est grièvement blessé : il a plusieurs fractures à la jambe gauche et une fracture de la hanche. Il a un traumatisme crânien, ajouta-t-elle en regardant dans le vague. Il est possible qu'il reste quelque chose. S'il s'en sort.

– Qu'est-ce qui pourrait rester ? Ça veut dire quoi : il pourrait rester quelque chose ?

– Il pourrait être handicapé, fit-elle en dégageant une mèche de son front.

La vague de soulagement qui avait envahi Nick trois secondes auparavant retomba aussi vite. Handicapé. Non. Ce n'était pas possible. Il repoussa l'idée loin de lui. Ça n'arriverait pas. Ça ne devait pas arriver.

– Est-ce qu'on peut le voir ?

– Malheureusement non. Il est en soins intensifs. Il n'est pas conscient ; il ne se rendrait même pas compte que nous sommes là. Nous ne pouvons qu'attendre.

C'est ce que fit Nick pendant les deux jours qui suivirent. L'enfer devait ressembler à ça. Quoi qu'il fasse – qu'il mange, qu'il travaille, qu'il parle –, en réalité, il attendait, il attendait qu'on lui apprenne que Jamie s'était réveillé et qu'il se rétablirait parfaitement. Parfois, ses pensées partaient à la dérive et des images s'imposaient furtivement à son esprit : l'arène et Mr Gros-Yeux, BloodWork et sa hache géante. Le plus souvent, c'était le Messager, tel qu'il lui était apparu lors de leur dernière rencontre, quand ses yeux jaunes avaient viré au rouge. Ces visions le tourmentaient. Il n'avait pas le droit de penser à Erebos alors que Jamie était dans le coma. Mais les images revenaient toujours.

C'était le week-end. On ne pouvait même pas compter sur le lycée pour faire diversion. Nick sursautait à chaque sonnerie du téléphone, déchiré entre panique et espoir. « Tire-toi ! » Voilà les derniers mots qu'il avait balancés à la figure de son ami. Chaque fois qu'il y pensait, la honte l'étouffait. *Te tire pas, Jamie ! Par pitié, te tire pas !*

Le lundi, au lycée, Jamie fut le sujet de toutes les conversations, naturellement. Chacun avait vu ou entendu quelque chose, et voulait le raconter. Seuls ceux qui avaient été à proximité immédiate du lieu de l'accident étaient trop ébranlés pour parler. À commencer par Brynne qui était méconnaissable, sans son maquillage. Le jour de l'accident, il avait fallu la conduire à l'hôpital. Elle avait besoin de soutien psychologique, paraît-il.

Il n'était plus question d'Eric et Aisha. Nick avait l'impression qu'Aisha en était plus soulagée qu'Eric.

L'après-midi passé devant l'hôpital n'avait rien changé aux relations entre Nick et Emily, en apparence. Ils continuaient à ne pas s'asseoir côte à côte en cours et à ne pas déjeuner ensemble. Cependant, il y avait une différence. Elle résidait dans de petits échanges de regards, un sourire prolongé ou un signe d'encouragement. La jeune fille n'avait jamais eu ce genre de gestes envers Nick auparavant. Pour lui, c'étaient les seules éclaircies dans un sinistre océan d'attente.

Le mardi, enfin, il y eut du nouveau. Mr Watson annonça la bonne nouvelle en cours d'anglais :

– Les parents de Jamie ont téléphoné : il est tiré d'affaire. Mais on le maintient toujours en coma artificiel. Les médecins ne savent pas encore pour combien de temps. Néanmoins, c'est une très bonne nouvelle. Je ne peux pas vous dire à quel point je suis content.

Le soulagement traversa la salle comme une brise printanière. Certains applaudirent, Colin se leva de sa chaise pour exécuter un pas de danse. Nick aurait voulu se jeter au cou d'Emily, mais il se contenta de lui lancer un long regard. Ils étaient heureux, mais gardaient un reste d'appréhension. Mr Watson n'avait pas dit si la menace de handicap était écartée.

# CHAPITRE 23

L'incident se produisit pendant une heure où Nick n'avait pas cours. Il s'était installé dans une des salles d'étude, tout seul, pour essayer d'apprendre ses formules chimiques. La porte qui donnait sur le couloir était ouverte. Levant la tête, il vit passer Colin. Sans un bruit et si prudemment que sa curiosité fut immédiatement en alerte. Il recula sa chaise et se leva tout aussi discrètement. Il l'aperçut qui se faufilait dans le couloir, avant de tourner à gauche. Il le suivit. Y avait-il un rendez-vous secret quelque part ?

Le jeune homme descendit l'escalier. Il semblait vouloir se rendre aux vestiaires. Ce qui n'était pas une mauvaise idée pour une rencontre clandestine à cette heure-là. Nick marchait assez loin derrière lui. Il faillit le perdre de vue, mais le retrouva dans l'escalier menant aux vestiaires des élèves, comme il l'avait supposé. Son copain avait l'air de chercher quelque chose en passant devant les rangées de vestes et de manteaux. Soudain, il le vit s'arrêter. De sa cachette, il ne pouvait pas distinguer exactement ce qu'il fabriquait entre tous ces vêtements. Impossible non plus de s'approcher sans risquer de se faire remarquer. En plissant les yeux, il eut l'impression de voir bouger un tissu vert. Furtivement. Trente secondes plus tard, le garçon battit en retraite et l'espion improvisé se dépêcha de filer et de se planquer dans les toilettes les plus proches. Il compta jusqu'à cinquante. La voie devait être libre, maintenant.

Nick identifia aussitôt le vêtement vert. Il s'agissait d'un trench appartenant sans doute à une fille. Qu'est-ce que Colin pouvait bien avoir trafiqué avec ça ?

Nick regarda attentivement autour de lui avant de plonger la main dans la poche du manteau. Au bout de ses doigts, il sentit un papier plié avec soin. Un mot doux ? Si c'était le cas, ça ne regardait pas Nick. Mais peut-être était-ce un message ? Qu'importe ! Il était beaucoup trop curieux pour faire marche arrière désormais. Il sortit le papier et l'examina :

Une pierre tombale avec une inscription :

« Ci-gît Darleen Pember
Qui mourut par manque de jugement.
Qu'elle repose en paix. »

Ce fut comme si, dans la tête de Nick, un déclic venait de se produire. Jamie avait reçu une lettre de ce genre, lui aussi. Peut-être que… Il repoussa l'idée sur-le-champ, mais elle revint à la charge. Comme un ballon de baudruche qu'on essaie de maintenir sous l'eau.

*Peut-être n'est-ce pas la colère ou l'étourderie qui a poussé Jamie à traverser le carrefour sans freiner. Peut-être a-t-il tenté de freiner. Il m'avait montré la lettre avec la pierre tombale. Une menace que je n'ai pas prise au sérieux. Contrairement à lui. Et maintenant…*

Entre sectionner les freins d'un vélo et verser du poison dans du thé, la différence était mince.

Colin. Colin distribuait les lettres de menace de mort. Était-ce lui aussi qui les mettait à exécution ?

Sans beaucoup réfléchir, Nick remonta les marches quatre à quatre, courut dans le couloir menant à la cafétéria. Devant lui, l'air de rien, Colin marchait d'un pas tranquille.

– Espèce de salopard !

Nick se jeta sur lui par-derrière et le fit chanceler. Ils roulèrent à terre tous les deux.

– Nick ? Nick, tu débloques ?

En guise de réponse, Nick lui agita la lettre sous le nez, sous les yeux, lui frotta les joues avec.

– Tu connais ça ? Tu l'as déjà vu ?

– Laisse-moi, imbécile ! Qu'est-ce que c'est ?

– Espèce d'enflure !

Ils faisaient un tel vacarme que les gens peu à peu sortaient de la cafétéria. Nick lâcha Colin. Tous deux se relevèrent.

– Darleen Pember, c'est ça ? Elle va bientôt avoir un accident, elle aussi ?

Colin fixait la lettre. Il venait de comprendre, manifestement :

– Donne-moi ça tout de suite !

– Il n'en est pas question !

– Tu peux pas simplement le prendre... Je dois...

Il sauta sur Nick, mais celui-ci s'y attendait et il esquiva l'attaque. Avec délectation, il déchira la lettre par le milieu puis en petits morceaux qu'il fourra dans la main de Colin :

– Tiens, tu peux le mettre dans la poche du manteau de Darleen. Je lui dirai de qui ça vient.

Le visage de Colin exprimait à la fois la haine et l'impuissance :

– Tu peux pas faire ça !

– Ah oui, t'as les jetons maintenant, hein ? Il va pas être content du tout, ton pote aux yeux jaunes !

– Tais-toi !

– Ça va te faire sauter quelques niveaux, dommage !

Du coin de l'œil, Nick vit les Sœurs Popote approcher, attirés par la bagarre comme les vautours par la charogne. Dan affichait un large sourire, tandis qu'Alex paraissait moins sûr de la contenance à afficher.

– C'était toi, l'accident de Jamie. Avoue ! Tu l'as sur la conscience, j'ai vu la petite lettre que tu lui as adressée. Est-ce que ça valait la peine, au moins ? T'as récupéré une chouette paire de bottes ?

Colin avait les ailes du nez qui tremblaient. Il fit un pas vers Nick, serrant les poings si fort que les veines de ses bras saillaient.

– Tu vas le regretter, annonça-t-il avant de tourner les talons.

Ce n'est qu'en rentrant chez lui, dans l'après-midi, que Nick réalisa qu'il avait commis une grossière erreur. Il s'était laissé emporter et s'était déclaré officiellement dans le camp des ennemis d'Erebos. Et ce, bien qu'il ne puisse pas prouver qu'il y avait un lien entre l'accident de Jamie et le jeu.

*Prends la pince que tu trouveras sous le banc du parc, à côté du portail du lycée, et sectionne le câble de frein du vélo bleu foncé. Celui avec un autocollant de Manchester United sur la barre du milieu.*

C'est comme s'il voyait la scène. *Clac, clac !* Le tour était joué. Et un niveau de gagné ! Il était fort possible que Colin ne l'ait pas fait lui-même. Il se pouvait très bien que le saboteur n'ait pas su à qui appartenait le vélo qu'il avait devant lui.

Le soir, il s'assit devant son ordinateur, regarda ses mails et se demanda ce qu'il devait dire à Darleen Pember. Fallait-il qu'il lui en parle ?

Perdu dans ses pensées, il dessinait des cercles avec le curseur de la souris autour de l'endroit où s'affichait auparavant le « E » rouge. Est-ce qu'il aimerait être maintenant dans une des grottes ou près d'un des feux de camp ? Oui. Non. Oui. Il aimerait bien discuter avec les autres. Ce dont il avait très envie surtout, c'était de découper le Messager en mille petits bouts d'os.

Le mercredi, pendant l'heure où ils n'avaient pas cours, Emily intercepta Nick devant la bibliothèque. Ils étaient quasiment seuls, car les autres traînaient dehors pour profiter d'un des derniers beaux jours d'automne.

– J'ai du nouveau, dit-elle.

– De Jamie ?

– Non.

Les Sœurs Popote passaient non loin de là. Ils ne se parlaient pas ; ils avaient plutôt l'air de faire leur ronde. Quand Alex aperçut Nick, il lui décocha un sourire et le salua de la main. En revanche, la face de petit cochon de Dan se tordit en une grimace courroucée.

Nick entraîna la jeune fille à l'intérieur de la bibliothèque, où ils s'installèrent dans le coin le plus discret. Elle dégageait une énergie phénoménale.

– Alors, qu'est-ce qu'il y a ?

Elle sourit, ouvrit son sac et en sortit un boîtier de CD, sur lequel quelqu'un avait écrit « Erebos » dans une écriture ronde.

À la vue de la galette argentée, Nick se sentit déchiré entre des sentiments contradictoires : rejet, inquiétude, avidité.

– Tu veux vraiment te lancer ?

– Oui. Je crois que c'est le bon moment pour moi.

Nick contemplait le DVD qu'il avait si ardemment convoité il y a peu de temps. Elle allait découvrir Erebos, elle traverserait tous ces paysages étrangement somptueux et terrifiants. La nostalgie l'envahit. Il secoua la tête, contrarié.

– Jamie avait raison : tu n'y es plus.

Il fit oui de la tête et souffla d'une voix enrouée :

– Éjecté.

– Ah, dommage ! Alors on pourra pas jouer ensemble.

– Non, dit Nick en se mordant la lèvre.

C'était bien ainsi. Il savait que c'était bien. Toute cette excitation, cette tension, ces sensations fortes... Il n'en avait plus besoin.

– Pourquoi... Pour quelle raison as-tu changé d'avis ? Tu ne voulais pas entendre parler du jeu, avant.

– C'est vrai. Mais je veux comprendre ce qui vous fascine tous là-dedans.

Elle regarda, pensive, vers le fond de la salle, puis continua :

– Jamie était convaincu que ce jeu n'est pas qu'un jeu. Il avait sa théorie personnelle là-dessus. Jamie pensait qu'il y a forcément quelque chose qui se cache derrière. Un objectif, tu comprends ? Tous ces événements qui se produisent dans la réalité, elles doivent bien profiter à quelqu'un, tu ne crois pas ? Mais je ne pourrai le découvrir qu'en regardant moi-même Erebos. C'est pour ça que j'ai fait savoir de-ci de-là que j'étais intéressée par une copie, ces derniers temps.

Nick s'en souvenait. Lui-même avait d'ailleurs transmis la nouvelle au Messager et d'autres joueurs en avaient sans doute fait autant.

– Le seul but du jeu dont j'aie connaissance consiste à éliminer un méchant nommé Ortolan, expliqua Nick. Les événements qui se produisent dans la vraie vie ne servent qu'à protéger le jeu contre ceux qui s'opposent à lui.

– Comme Jamie ? Dans ce cas, nous devrions essayer d'y mettre fin pour l'empêcher de nuire, tu ne crois pas ?

Y mettre fin. Nick repensa à l'accident et à la flaque de sang : il savait qu'Emily avait raison. Même si cela signifiait que plus jamais il ne se baladerait dans la Ville Blanche ni ne participerait aux combats dans les arènes. Il soupira :

– Je ne sais pas comment c'est possible, mais nous pouvons essayer.

La porte de la bibliothèque s'ouvrit et se referma doucement. Il fit signe à sa camarade de se taire. Ce n'était que Mr Bolton, le professeur de religion.

– Nous devons faire extrêmement attention, murmura-t-il. S'ils le remarquent, il se peut que... Ça peut devenir vraiment dangereux. Le jeu est extraordinairement malin. Je n'ai pas encore la certitude absolue qu'il a cherché à se débarrasser de Jamie, en revanche je sais ce qu'il avait prévu à l'encontre de Mr Watson.

Elle haussa les sourcils d'un air interrogateur.

– Je te le raconterai une autre fois, répondit-il. Ce sera plus difficile de le tromper que tu ne crois. En plus, dès que tu es suspect ou que tu as échoué, tu te fais éjecter en moins de temps qu'il ne faut pour le dire.

L'image du démon de pierre déployant ses ailes lui revint en mémoire.

Emily lui adressa un petit sourire malicieux, une expression qu'il ne lui connaissait pas :

– Je te promets de faire très attention. Par ailleurs, je me demandais si tu accepterais de m'aider, ajouta-t-elle en baissant la voix. Je n'y connais rien en jeux vidéo, je ne joue qu'au solitaire.

La deuxième règle lui revint aussitôt à l'esprit : quand tu joues, tu dois veiller à être seul.

Que se passerait-il s'ils étaient deux ? Le jeu s'en rendrait-il compte ? Nick prit une grande inspiration. Il n'y avait qu'à essayer.

– Bien sûr que je vais t'aider, et avec plaisir. Tu progresseras beaucoup plus vite si je te donne des tuyaux.

– Parfait, conclut-elle avec un sourire radieux. Tu passes chez moi dans l'après-midi, ça te va ? Cinq heures et demie, ce serait bien.

Nick fut plus que ponctuel. Dix minutes avant l'heure convenue, il était devant la maison d'Emily à Heathfield Gardens, se demandant quelle fenêtre était la sienne.

Il avait été prudent. Après l'incident avec Colin, il s'attendait à être suivi. Pourtant ça n'avait pas été le cas. Nick balaya du regard la rue autour de lui : pas un chat. Personne ne savait où il était.

Il ne voulait pas sonner tout de suite pour ne pas avoir l'air trop pressé. Il fit donc un tour du pâté de maisons. Des maisons qu'il trouva soignées et à son goût.

Il se reprocha de ne rien avoir apporté. Un cadeau rigolo aurait été une bonne occasion de montrer qu'il était un type original, avec un peu de savoir-vivre. Dommage, c'était trop tard maintenant ! Mais, s'il ne faisait pas de gaffe, il pourrait y avoir une prochaine fois.

À cinq heures et demie précises, il appuya sur la sonnette et Emily vint lui ouvrir. Elle occupait la pièce mansardée sous le toit. Ce n'était pas une de ces chambres de poupée en satin rose et en dentelle, avec des peluches sur le lit et des posters d'acteurs au mur. Nick se fit la remarque que c'était une vraie chambre d'adulte. Deux étagères chargées de livres, un futon et un petit canapé avec une table basse également couverte de livres. Un bureau parfaitement rangé était installé contre le mur en pente. Son notebook était ouvert dessus, attendant d'être utilisé. Si jamais Emily devait un jour lui rendre visite à son tour, il aurait intérêt à procéder à une grande opération de rangement.

– Nous ne devons pas faire de bruit : ma mère s'est couchée il y a une demi-heure. Il est fort possible qu'elle ne ressorte pas de sa chambre de la journée.

Nick s'abstint de poser une question, même si ça lui paraissait bizarre, une adulte qui allait se coucher en plein milieu de l'après-midi. Quoi qu'il en soit, pour leur projet commun, c'était idéal.

– Nous ne ferons pas de bruit. Au début, le jeu est plutôt silencieux. Après, il faudra que tu utilises un casque. Pour différentes raisons. J'ai vu une personne mourir parce qu'elle n'avait pas entendu quelque chose.

– D'accord pour un casque, acquiesça Emily. Bon, on peut commencer ?

Elle sortit le DVD de son sac et l'inséra dans le lecteur :

– J'installe le jeu tout à fait normalement, n'est-ce pas ? Rien de particulier à faire ?

– Non, pas encore à ce stade.

La page d'accueil s'afficha. Tout y était, de nouveau : la tour en ruine, la terre brûlée. L'épée, avec son tissu rouge noué au manche, était plantée dans le sol desséché. « Erebos » se détachait en lettres rouges sur le ciel nocturne.

Nick essuya ses mains moites sur son pantalon. L'excitation lui vrillait l'estomac.

– J'y vais ? demanda Emily.

– Bien sûr.

Elle cliqua sur « Installer ». La barre bleue commença à se charger paresseusement, comme d'habitude.

– Ça va prendre un certain temps, prévint Nick sans lâcher des yeux la barre de chargement.

C'était comment, le début, déjà ? Dans la forêt. Oui, c'est ça. Dans un instant, il la verrait. Chaque millimètre gagné par le ruban coloré le rapprochait d'Erebos. Comme s'il était assis dans un train qui le ramenait à la maison.

Emily le regardait du coin de l'œil :

– Y a quelque chose qui t'inquiète ?

– Hein ? Non ! Je suis juste... je suis curieux de savoir comment tu vas le trouver.

– Pour le moment, je le trouve surtout lent, répondit-elle en posant le menton sur ses mains jointes.

Pendant un temps, ils attendirent en silence. Le regard de Nick allait du pot à stylos, à l'écran du notebook et au profil de la jeune fille. Il avait beau chercher dans la pièce, il ne voyait aucun de ses dessins. Pas de chance, ils auraient fourni un bon sujet de conversation.

– Ta mère va toujours se coucher aussi tôt ? demanda-t-il lorsqu'il finit par trouver le silence trop pesant.

Aussitôt, il eut honte de son indiscrétion et aurait voulu retirer sa question.

– Elle est dans une de ses mauvaises phases. Elle dort beaucoup, elle mange peu et elle parle encore moins, répondit Emily en fixant la barre de chargement avec plus d'intensité qu'avant. C'est comme ça depuis la mort de Jack. Elle a des hauts et des bas. Maintenant, je m'y suis habituée, un peu comme aux changements de saison.

– Et ton père ?

– Remarié, deux enfants, Derek et Rosie. Tout beau, tout neuf ! continua-t-elle en agitant la souris fébrilement. Comprends-moi bien : je ne lui en veux pas. C'était devenu intenable. Donc, il n'a pas tenu. Je suis rudement contente qu'il y ait les deux petits. J'aurais juste aimé pouvoir me tirer, moi aussi.

Nick avait besoin d'un peu de temps pour digérer ces informations :

– Tu n'en as jamais parlé au lycée.

– Pas avec toi. C'est vrai.

*Mais certainement avec Eric*. Il sentit soudain la vieille jalousie se réveiller. Maintenant, pourtant, c'était lui qui était assis à côté d'elle. Et elle lui parlait.

– Et toi ? Tu as des frères et sœurs ? demanda-t-elle.

– Oui. Un frère. Il a cinq ans de plus que moi et il a déjà quitté la maison.

– Vous vous entendez bien ?

– Oui, très bien.

Nick pensa à Finn. Il essaya une demi-seconde d'imaginer ce que ça ferait de le perdre, mais il arrêta aussitôt. Il ne savait pas comment Emily pouvait le supporter.

– L'ennui, c'est qu'il s'est brouillé avec mes parents. Avec mon père, plus exactement. Ils ne se parlent plus.

– Comment ça se fait ?

Il prit une grande inspiration avant de poursuivre :

– Alors voilà : mon père aurait toujours voulu être médecin, mais ses parents n'ont pas pu lui payer d'études. Il est devenu infirmier au Princess Grace-Hospital. Je ne sais pas s'il l'acceptera jamais. Quoi qu'il en soit, il a toujours été acquis que, à défaut, ce serait Finn qui serait médecin.

– Mais il ne voulait pas.

– Au début, si. Il a bossé comme un malade et, avec ses résultats, il aurait certainement pu y arriver. Mais, après, il a changé d'avis. Il a rencontré Becca et hop ! Adieu la médecine !

– Et pourquoi donc ? demanda Emily, qui l'observait du coin de l'œil.

– Sa copine venait de racheter un studio de tatouage. Il s'est immédiatement pris de passion pour le truc. Il s'est payé quelques cours, et depuis il tatoue et il fait des piercings comme un champion. Mon père a décrété qu'il ne lui parlerait plus jamais.

Un minuscule sourire éclaira le visage d'Emily, et disparut aussi vite.

– C'est toi qui dois devenir médecin désormais ?

Sans le connaître, elle avait parfaitement compris le fonctionnement de son père.

– Disons que ça lui ferait plaisir et que ça m'intéresse.

Elle tourna enfin la tête vers lui et le regarda dans les yeux comme pour s'assurer de sa sincérité.

– Tu veux dire que tu n'en veux pas à ton frère de t'obliger maintenant à assumer les désirs de ton père ?

En guise de réponse, il se tourna et releva sa natte pour lui montrer sa nuque :

– Non. Je ne lui en veux pas du tout.

Bien qu'il ne les regarde presque jamais, Nick savait parfaitement à quoi ressemblaient les deux corbeaux en vol que Finn lui avait tatoués à la racine des cheveux. Il sentit la caresse aérienne de la pointe des doigts d'Emily sur son tatouage. Il fit un effort pour avaler sa salive.

– Pourquoi des corbeaux ?

– Quand nous étions petits, ma mère nous appelait toujours « les frères corbeaux » parce que nous avions tous les deux les cheveux très noirs. En plus, Finn dit que ce sont des oiseaux porte-bonheur et que ça peut toujours nous être utile. Et puis, ils sont comme une sorte de... sceau. Un symbole pour dire que nous faisons la paire.

La jeune fille retira doucement sa main, au grand regret de Nick. Sa tresse reprit sa place habituelle.

– C'est un pro, ton frère. Ils sont très beaux.

L'installation touchait lentement à sa fin. Emily descendit à la cuisine pour aller chercher une bouteille de *ginger ale* et deux verres. Lorsqu'elle revint, l'écran était devenu noir.

– C'est normal ?

– Oui. Moi aussi, j'ai d'abord cru qu'il y avait quelque chose qui n'allait pas. Attends encore un peu.

Du noir. Rien que du noir. Puis les lettres rouges apparurent, avec leur vibration si particulière :

« Entre.

Ou fais demi-tour.

Voici Erebos. »

– Eh bien, allons-y !

Emily cliqua sur « Entre ».

Forêt plongée dans l'obscurité, clair de lune. Au cœur de la clairière, l'Anonyme. Il ressemblait exactement au personnage de Nick avant qu'il devienne Sarius. En regardant son amie se familiariser avec les commandes de son Anonyme, Nick fut pris d'un nouvel accès de nostalgie, contre lequel il eut du mal à lutter.

– Pour le faire avancer, ça va, c'est facile, dit-elle. Qu'est-ce qu'il sait faire encore ?

– Grimper, se battre... tout ! Plus tard, tu auras des raccourcis clavier pour ses compétences particulières, mais il faut attendre encore un peu.

Emily fit marcher son Anonyme en long et en large dans la clairière. Elle examina tout en détail avant de se décider pour une direction.

– Je crois que je vais aller là où la forêt est moins dense. À quoi bon chercher la difficulté ?

Des branches craquaient, le vent bruissait dans la cime des arbres. S'il n'avait tenu qu'à Nick, elle aurait fait progresser son personnage beaucoup plus vite dans cette première séquence, mais il fit un effort pour dissimuler son impatience. Elle se débrouillait d'ailleurs très bien, pour une novice en matière de jeux vidéo. Contrairement à lui, elle ne poussait pas l'Anonyme à la limite de l'épuisement. Elle dosait soigneusement ses efforts. Ce n'est qu'après vingt minutes d'errance qu'elle se tourna à nouveau vers son partenaire :

– Il y a un objectif ? Ou c'est juste une épreuve pour tester ta patience ?

– Oui, il y a un objectif. Quelque part se trouve un feu et quelqu'un avec qui tu vas pouvoir parler.

Alors que Nick avait fait grimper son personnage en haut d'un arbre pour avoir une vision d'ensemble, c'est un gros rocher qu'Emily choisit de faire escalader à son Anonyme. Il monta au sommet et, pour la première fois, sa barre d'endurance baissa un peu. Mais il fut largement récompensé par ce qu'il découvrit. Autour de lui, un océan de cimes d'arbres et à sa droite une colline tachetée de points lumineux, qui signalaient la présence d'une zone habitée.

– Là ! s'exclama Nick en pointant le doigt sur une tache dorée qui luisait faiblement entre les arbres. C'est là que tu dois aller !

Devant le regard étonné et amusé d'Emily, il comprit qu'il devait avoir l'air passablement excité.

– Bon, c'est par là que ça continue. Au cas où ça t'intéresserait...

Sur le chemin du petit feu de camp, elle rencontra elle aussi un obstacle. Ce fut un remblai qui se révéla impossible à franchir. En effet, chaque fois que l'Anonyme trouvait une prise pour se hisser, des pierres et des mottes de terre se détachaient et dégringolaient sur le sol.

– Et maintenant, comment je peux m'en sortir ? demanda-t-elle, au bout de la cinquième tentative avortée.

– Il faut que tu apprennes à résoudre ce genre de problème. Ça te sera souvent utile. Tu dois t'imaginer que tu es dans la vraie vie. Comment réagirais-tu dans ce cas ?

Nick se faisait l'impression d'être une caricature de prof, mais il voulait qu'elle comprenne à quel point le jeu était génial et incroyablement réaliste.

Emily s'avéra une élève très douée. Elle envoya son Anonyme chercher de petits blocs de roche, sans jamais perdre de vue sa barre d'endurance, lui accordant de courtes pauses, jusqu'à ce qu'il finisse par franchir le mur sans difficulté.

De l'autre côté, ils apercevaient déjà la lumière tremblotante du feu. Nick reconnut aussi la silhouette devant. Son cœur se mit à battre plus vite. Il décida de ne plus donner de tuyaux à sa camarade. Il fallait qu'elle constate par elle-même tout ce dont Erebos était capable.

L'homme près du feu ne bougea pas d'un pouce quand l'Anonyme s'approcha. Mais les mots en lettres argentées apparurent à la base de l'écran.

– Salut à toi, Anonyme. Je t'attendais.

Ce n'était pas ce qu'il avait dit à Nick, la dernière fois. Il l'avait félicité pour sa rapidité et son ingéniosité.

Emily fit avancer son personnage plus près de l'homme. Elle essaya de regarder ce qui se dissimulait sous la capuche noire. Mais l'autre releva la tête de lui-même. Nick avait déjà presque oublié le visage en lame de couteau avec la bouche étroite. L'homme ne s'était plus jamais montré dans le jeu.

– Tu es curieux. C'est un trait de caractère qui peut soit t'aider, soit te mener à ta perte, Anonyme. Tu dois en être conscient.

La jeune fille lança un coup d'œil inquiet à Nick.

– Veux-tu continuer ? demanda l'homme. Ce n'est qu'en t'alliant avec Erebos que tu auras une chance de réussir. Sache-le.

Elle était de plus en plus perplexe. Son regard allait de l'écran à son camarade.

– Il attend une réponse, répondit-il en indiquant le clavier.

– Tu es sérieux ?

– Oui. Tu n'as qu'à essayer, tu verras bien.

Elle posa ses doigts sur le clavier, d'abord hésitante, puis elle se mit à taper :

– Qu'entend-on par « s'allier avec Erebos » ?

L'homme tisonna le feu avec son bâton. Des étincelles en jaillirent et s'élevèrent dans le ciel nocturne avant de s'éteindre.

– Cela signifie dépasser ses limites. En définitive, ça dépendra de toi.

Emily retira ses mains du clavier et fixa Nick, interloquée :

– Il vient de me répondre. Comment est-ce possible ? Comment ça fonctionne ?

– Je n'en ai pas la moindre idée. C'est une des particularités de ce jeu.

Il ne put s'empêcher de sourire en voyant son amie s'enflammer.

Une musique délicate égrena ses premiers accords, mariant flûtes et violons. La mélodie était suave et enchanteresse. Le plus étonnant était qu'il ne l'avait jamais entendue pendant tout le temps où il était dans Erebos. Pas une seule fois.

– Me conseillez-vous de m'allier avec Erebos ? tapa la jeune fille. Me conseillez-vous de continuer ?

L'homme la regarda longuement :

– Non.

– Pourquoi pas ?

– Parce que les ténèbres sont pleines de précipices. Il en est d'où on ne ressort pas indemne. Certains vous engloutissent à jamais.

Nick avait l'impression qu'Emily avait entièrement oublié son existence. Elle était fascinée par les mots de l'homme et ses mains volaient sur le clavier. Elle finit par poser la même question que lui, au début.

– Qui êtes-vous ?

L'homme pencha la tête de côté d'un air pensif, sans quitter Emily des yeux.

– Je suis un mort. Rien de plus.

Elle prit une profonde inspiration :

– Si vous êtes mort, dans ce cas, que faites-vous ici ?

– J'attends et je veille. Veux-tu continuer ? Ou préfères-tu rebrousser chemin ?

Ses yeux étaient verts, comme le constata Nick. Ils avaient l'air si réels qu'il aurait pu jurer les avoir déjà rencontrés. Dans un visage en chair et en os.

– Je continue, écrivit-elle. Je ne vous surprends pas, n'est-ce pas ?

– Ils continuent tous, dit l'homme mort. Prends à gauche et suis le ruisseau jusqu'à ce que tu arrives à un ravin. Traverse-le. Ensuite... tu verras.

*C'est ce qu'il m'a dit aussi*, se souvint Nick. *Mais ce n'était pas tout*.

– Et méfie-toi du Messager aux yeux jaunes !

Nick mit en garde Emily contre les crapauds belliqueux qui lui avaient donné du fil à retordre, mais, lorsqu'elle atteignit le ravin, l'ennemi vint du ciel. Des chauves-souris aussi petites qu'agressives entourèrent l'Anonyme pour l'attaquer de leurs dents acérées. La barre de vie rouge diminuait régulièrement.

– Il faut que tu utilises ton bâton ! Fais clic gauche sur ta souris !

Nick devait se contrôler pour ne pas arracher la souris des mains de sa camarade et exterminer lui-même les agresseurs.

– Avec la touche « Échap », tu les fais tomber. Et la barre d'espace te permet de sauter.

Le combat dura un certain temps et fit perdre pas mal de sang à l'Anonyme. Cependant Emily finit par venir à bout de toutes les bestioles.

– Je te conseille d'emporter la viande. Plus tard, en ville, tu pourras la vendre.

Avec un haussement d'épaules, elle fourra les restes dans son sac :

– Et maintenant ?

Sa question ne couvrit pas entièrement le bruit de sabots qui approchaient. Instinctivement, Nick baissa la tête. Que dirait le Messager s'il le voyait ici ? Il se ressaisit aussitôt, se moquant de son réflexe. *Il ne peut pas me voir. Il ne voit que l'Anonyme. Je suis vraiment débile.*

La jeune fille fit avancer son personnage dans le ravin. Devant lui se dressait la paroi rocheuse dans laquelle était creusée la caverne. Posté sur la saillie de la paroi qui précédait l'entrée de la grotte, la silhouette familière du Messager sur son cheval caparaçonné attendait déjà.

– Waouh ! Il est terrifiant, celui-là, murmura Emily.

Le Messager observait l'Anonyme sans bouger. Son cheval, en revanche, était agité. Il frappait des sabots et soufflait bruyamment.

– Salut à toi, Anonyme. Pour un début, tu t'es bien débrouillé.

– J'en suis ravie, tapa Emily.

– Cela dit, il faudrait que tu t'entraînes au combat, sinon tu risques de ne pas rester longtemps en vie.

– Entendu.

Le Messager détourna son regard de l'Anonyme pour scruter Emily, qui recula instinctivement son siège.

– Il est temps pour toi de recevoir un nom. Temps de procéder au premier rituel.

– Que dois-je faire ?

De son doigt osseux, le Messager montra la caverne derrière lui :

– Entre dedans. Le reste te sera expliqué. Je te souhaite d'avoir de la chance et de prendre les bonnes décisions. Nous sommes appelés à nous revoir.

Il fit tourner bride à sa monture et partit au galop sur un étroit sentier qui disparaissait dans les hauteurs, loin au-dessus de la tête de l'Anonyme.

– Je suppose que je dois monter cet escalier, n'est-ce pas ? demanda Emily à Nick.

– Oui. Tu prends l'escalier et tu entres dans la grotte.

L'Anonyme disparut dans l'obscurité de la montagne et l'écran de l'ordinateur devint noir.

– Ça va encore durer un certain temps, avertit Nick. Pas la peine de s'énerver.

Emily agita la souris dans tous les sens, mais le curseur restait invisible.

– C'est fou comme ça semble réel ! J'avais l'impression que ce Messager me regardait pour de bon. Comme s'il voulait me montrer qu'il savait que l'important, ce n'est pas le personnage mais celui qui est derrière, celui qui le commande.

– Tu auras très souvent cette sensation.

Ils contemplaient leur reflet dans l'écran.

– Est-ce que ce premier rituel est difficile ? Autant que le truc avec les chauves-souris ?

– Non, c'est très différent. Tu vas vite être fixée.

*Toc toc ! Toc toc !*

– On dirait des battements de cœur. Qu'est-ce que c'est ?

– Ça veut juste dire que ça continue. Clique sur « Entrée ».

Les lettres rouges se détachèrent sur l'écran noir.

– Voici Erebos. Qui es-tu ?

Emily allait-elle mentir ? Donnerait-elle un faux nom ?

– Je suis Emily.

– Indique-moi ton nom complet.

– Emily Carver.

Une voix fantomatique chuchota : « Emily Carver. Emily. Emily. Carver. EmilyCarver. »

*Tu as droit à ça au moment où on t'accueille dans le jeu et avant qu'on te jette au fond de l'abîme*. Emily lui lança un regard interrogateur et il lui sourit. Tout allait bien.

– Bienvenue, Emily ! Sois la bienvenue dans le monde d'Erebos. Avant de commencer à jouer, tu dois te familiariser avec les règles d'Erebos. Si elles ne te plaisent pas, tu es libre d'arrêter le jeu à tout moment. D'accord ?

– Je ne pensais pas, murmura Emily, tout en tapant « OK ». À tout moment. Ça paraît réglo.

– Très bien. Voici la première règle : Tu as une chance et une seule de jouer à Erebos. Si tu la gâches, c'est fini. Si ton avatar meurt, c'est fini. Si tu enfreins les règles, c'est fini. D'accord ?

– Oui.

– Deuxième règle : Quand tu joues, assure-toi que tu es seul. Ne communique jamais ton vrai nom dans le jeu. Ne communique jamais le nom de ton avatar en dehors du jeu.

Emily retira ses mains du clavier et planta ses yeux dans ceux de Nick :

– Concrètement, ça veut dire que je devrais te jeter dehors maintenant, c'est ça ?

– Tape juste « oui », dit Nick. Tu as encore besoin d'un peu d'aide.

Allait-elle vraiment le mettre à la porte ? Il n'avait pas envie de partir si tôt. Il voulait assister au premier rituel. Et si possible même à son premier combat.

Un petit sourire se dessina sur les lèvres d'Emily lorsqu'elle écrivit « oui ».

– Bon. Troisième règle : Le contenu du jeu est secret. Tu ne dois en parler à personne. En particulier à ceux qui ne sont pas inscrits. Quand tu joues, tu peux échanger avec d'autres joueurs autour des feux de camp. Tu n'as pas le droit de diffuser des informations dans ton cercle d'amis ou dans ta famille. Tu n'as pas le droit de diffuser des informations sur Internet.

– Je commence à comprendre pas mal de choses, commenta-t-elle.

– Quatrième règle : Garde le DVD d'Erebos en sécurité. Tu en as besoin pour démarrer le jeu. En aucun cas, tu ne dois le copier, sauf si le Messager te le demande.

– D'accord.

La lumière inonda l'écran. Elle semblait même irradier la pièce.

L'Anonyme était assis dans la clairière ensoleillée. Derrière lui se dressait la tour en ruine dans laquelle se déroulerait le premier rituel.

Son personnage se leva dès qu'Emily l'effleura avec le curseur. Il arracha la peau de son visage et marcha vers la tour.

– Tu vas devoir prendre des décisions importantes, maintenant, avertit Nick. Pas de précipitation : donne-toi le temps de réfléchir. Je vais t'aider.

L'Anonyme était arrivé devant la première plaque de cuivre : « Choisis ton sexe. »

– Ce que tu choisis n'est pas absolument déterminant. Encore que les hommes soient un peu plus forts...

Emily avait déjà cliqué sur « Femme ». Le corps de l'Anonyme se transforma, devint plus mince. La poitrine et les hanches s'arrondirent.

– Désolée, Nick, mais ce sera *mon* personnage.

« Choisis ta race. »

– Bon, je ne m'en mêle pas. Je te signale quand même que les barbares sont géniaux. Ils sont forts et particulièrement endurants. Si j'avais le choix de nouveau, j'opterais pour un bar...

Cependant Emily avait déjà décidé.

Un *être humain* ? Déçu, il lui jeta un regard en biais. Pourquoi prenait-elle un être humain ?

– Tu sais, c'est encore ma propre race que je connais le mieux, dit-elle, répondant à sa question muette. Je suis contente d'être un humain.

« Choisis ton apparence. »

Emily gratifia son avatar de cheveux roux coupés court et coiffés en pétard. Elle l'habilla en noir de la tête aux pieds : bottes, pantalon, chemise et veste. Seule la ceinture était rouge, comme pour tous les personnages.

Elle passa plus de temps sur les traits du visage. Elle les fit harmonieux, avenants et pleins d'humour, avec des yeux marron et des sourcils arqués.

« Choisis ton métier. »

– Y a rien qui m'emballe vraiment dans cette liste. Si j'opte pour le barde, est-ce que je serai obligée de chanter ?

Nick n'en savait rien. Il avait été chevalier, mais ses missions n'avaient aucun rapport.

– Je crois que le métier n'est pas si important que ça ! conclut-il.

Emily opta pour « Barde ».

À ce moment, un gnome fit irruption dans la tour. Nick avait complètement oublié cette visite déplaisante.

– Un être humain, c'est pas vrai ? Quelle blague ! Ridicule, en plus. Tu ne trouves pas ? ironisa-t-il en guise de salutation.

– Non, pas le moins du monde.

– Ha, ha, ha ! Et barde, qui plus est. On n'est pas fan de batailles, on dirait ? On préfère pousser la chansonnette ?

Emily ignora le nabot et chercha la plaque de cuivre suivante :

« Choisis tes aptitudes. »

– Soigner, c'est pourri, prévint Nick aussitôt. Ça se fait au détriment de ta propre force vitale. Je l'ai pris et je m'en suis repenti.

Le curseur de la souris tournait autour des mots : Force, Endurance, Sort de mort, Capacité de faire du feu, Peau métallique, Grimper...

– « Capacité de soigner » me paraît encore le mieux, annonça Emily au bout d'un moment, tandis que le gnome sautillait dans tous les sens en faisant d'horribles grimaces. On joue avec d'autres gens, non ? Une fois, je soigne l'un, la fois d'après, c'est lui qui me soigne. Très pratique, au contraire.

– Mais c'est pas comme ça que ça marche ! objecta Nick. Tu dois avant tout veiller à progresser, toi. Si tu t'affaiblis, tu ne t'en sortiras pas.

Le gnome tourna la tête d'un mouvement vif :

– Es-tu seule, femme-humaine ? Respectes-tu la deuxième règle ? Réponds !

– Bien sûr que je suis seule. Pourquoi je ne le serais pas ? tapa Emily.

D'un coup, elle était devenue livide. Nick aussi sentit son sang se glacer. Comment le gnome en venait-il à poser une question pareille ? Il ne pouvait pourtant ni voir ni entendre. Jamais de la vie. Même le Messager en était incapable.

– Je mets trop de temps, chuchota-t-elle. Si j'étais seule, je me déciderais plus vite. C'est pour ça qu'il demande, je suppose.

Alors, elle se dépêcha. Elle choisit Capacité de soigner, Rapidité, Capacité de faire du feu, Peau métallique, Capacité de sauter. Puis elle ajouta encore : Bonne vue, Endurance, Marcher sur l'eau, Grimper et Se faufiler.

– Assez bon choix, décréta la créature. Pour un humain. Dommage que tu sois condamnée à une mort prochaine.

– C'est le destin, répondit Emily, qui était passée au choix des armes.

Elle exhuma de la malle un élégant sabre recourbé, avec une poignée sertie d'émeraudes, puis un petit bouclier en bronze.

– Très joli, tout ça. Mais ce sont des joujoux, persifla le nain.

Dernier panneau de cuivre : « Choisis ton nom. »

– On va se trouver un bien vilain nom d'humain, continua le gnome sur le même ton moqueur. Petronille, Bathildis, Aldusa ou Berthegund ? Voyons ! J'attends.

Emily hésita un instant :

– J'y ai déjà pensé, murmura-t-elle. On verra ce qu'il en dit.

– Hemera, tapa-t-elle.

Nick était un peu déçu. « Hemera » ne sonnait pas particulièrement bien. Pour lui, ça ressemblait à un nom de robot ménager. Le gnome, au contraire, était impressionné :

– On est une petite maligne, à ce que je vois ! Ça promet. Hemera ! Prends garde à ne pas perdre ton nom en indisposant mon maître, jeune humaine !

Il se dirigea vers la porte d'entrée en boitillant. Nick s'attendait à ce qu'il prenne congé en tirant son interminable langue verte, comme la dernière fois. Mais le gnome n'était pas d'humeur, à ce qu'il semblait. Il claqua la porte derrière lui sans un mot, faisant tomber une pluie de crépi des murs.

– Qu'est-ce qu'il a voulu dire par « petite maligne » ? demanda Nick.

– À toi de trouver ! répondit Emily, qui avait l'air de s'amuser comme une folle. De même que je vais découvrir la suite toute seule. On se voit demain, d'accord ? À partir de maintenant, je continue seule.

*Mais c'est maintenant que ça devient captivant !* La déception s'abattit sur Nick comme une chape de plomb.

– Écoute-moi, tu sous-estimes la difficulté du truc. Tu progresseras beaucoup plus vite si je t'aide. Tu auras moins de blessures. Crois-moi !

Emily retira les écouteurs de son iPod et les brancha sur son ordinateur.

– C'était bien ce que tu m'avais suggéré, non ? Si je les ai dans les oreilles, je ne t'entendrai plus.

– Mais...

– C'est bon, Nick. Tu as bien vu comme le gnome est devenu méfiant, tout à l'heure. J'y arriverai, t'inquiète pas ! Je vais respecter les règles comme tout le monde et je jouerai seule.

Il dut s'avouer vaincu.

– Si tu vas bientôt cueillir des baies, fais attention. Et, si tu es bloquée ou si tu as besoin d'un coup de main, ce sera avec plaisir ! fit-il, soucieux de lui glisser un dernier conseil.

– C'est bon à savoir, répondit Emily avec un sourire. Merci, Nick !

De retour chez lui, il interrogea Wikipédia. Il apprit qu'Hemera était la fille d'Erebos et par ailleurs l'exact opposé de son père. Hemera était la déesse du Jour, du Matin, de la Lumière.

*

* *

*Certains disent qu'on naît vainqueur. Plus j'y pense et plus je dois leur donner raison. J'ai surmonté depuis bien longtemps la déception de ne pas compter au nombre de ces élus, cependant je ne me sens pas prêt à assumer une nouvelle défaite. Si je suis appelé à triompher à la fin, je ne serai pas là pour le voir. C'est une décision mûrement réfléchie. Ma présence au moment du final n'est pas requise. Les acteurs seront d'autres que moi. Ils mettront toutes leurs forces au service de l'accomplissement de mon objectif.*

*L'heure a bientôt sonné. Alors, j'aurai fait ce que j'avais à faire et je pourrai partir. À la fin, il y aura des vainqueurs et des vaincus. Peu importe qui seront les vainqueurs. Ce qui importe, ce sont les vaincus, et je prie pour que ce soient les bons.*

# Chapitre 24

Dès la sonnerie du réveil, le lendemain, la déesse du Jour lui revint en mémoire. Hemera. Nick était terriblement impatient d'entendre le compte rendu d'Emily : ce qui lui était arrivé, comment ça s'était passé, si elle avait déjà reçu une mission. Il l'aiderait et il pourrait bientôt la regarder jouer de nouveau. Il était peut-être plus facile de comprendre les tenants et les aboutissants quand on n'était pas complètement impliqué dans le jeu. Il se doucha en sifflotant et s'habilla en chantant. La journée serait bonne.

Généralement, Emily était là avant lui. Elle discutait devant le lycée avec des copines. Pourtant, ce matin-là, il ne la vit nulle part. En revanche, Eric était là, occupé à parler avec des filles d'une autre classe. Il avait l'air plus détendu que les jours précédents. Il semblait avoir surmonté le choc de l'affaire avec Aisha. *Mais serait-il prêt à se mobiliser encore contre Erebos ?* Nick en doutait. Son rival était sans doute soulagé de ne plus être au cœur de l'attention générale.

Enfin, Emily parut. Elle marchait vite, l'air pressé. Eric l'invita à se joindre à eux, d'un geste de la main, mais elle le salua d'un petit signe de tête sans s'arrêter. Nick l'aborda devant la porte :

– Salut, Emily !

– Salut.

Il n'était pas question de parler d'Erebos comme ça devant tout le monde, c'était clair, mais elle allait bien lui adresser un petit clin d'œil, un minuscule sourire de connivence... enfin, quelque chose ! Il chercha sur son visage : il était dénué de toute expression et froid comme un mur de prison.

– Midi ? À la bibliothèque ? lui glissa-t-il, mal à l'aise.

Emily haussa les épaules :

– On verra...

Puis elle le planta là sans un mot.

À quelques mètres, Rashid était en train de discuter avec Alex. Elle se dirigea vers eux. Qu'est-ce qu'elle pouvait bien leur vouloir ? Nick n'y comprenait plus rien. Il n'en croyait pas ses yeux : Emily suspendue aux lèvres de cet imbécile d'Alex, qui lui racontait un truc avec de grands gestes et une mine de conspirateur ! Raconter quoi ? Bonne question ! On l'imaginait mal dévoilant des détails du jeu.

Durant la journée, il ne la quitta pas des yeux, mais elle fit tout pour l'éviter, regardant à côté de lui comme s'il était transparent. Jamais il ne réussit à la coincer seule.

C'est sans doute pour ça – parce qu'il était si concentré sur Emily – qu'il ne remarqua pas tout de suite que Colin était collé à ses basques. Il ne s'en rendit compte que dans l'après-midi. Où qu'il soit, son ancien copain se trouvait dans les parages. Difficile de dire s'il l'épiait, en tout cas il était scotché à lui telle une ombre noire. Nick se demanda s'il devait aller le voir et lui parler pour passer l'éponge sur la dispute de la veille. Après tout, ils étaient amis, il n'y avait pas si longtemps. Mais l'idée que Colin avait glissé à Jamie la lettre de menace, qu'il avait peut-être même saboté son vélo coupa court à ses velléités. Il savait qu'il suffirait que l'autre dise un mot de travers pour qu'il lui casse la figure.

Plus la journée avançait – cette journée qui s'annonçait pourtant si prometteuse –, plus Nick se sentait paumé. Son meilleur ami était dans le coma, Colin et lui n'osaient plus se croiser et Emily faisait comme s'il n'existait pas. Des gens avec lesquels il était autrefois vaguement copain, comme Jerome, le regardaient de travers. Et ceux, tel Greg, qui avaient été éjectés du jeu, essayaient de se rendre invisibles et ne répondaient même pas à ses questions.

Dans le courant de l'après-midi, Nick aperçut le trench vert dans la cour. La fille qui le portait devait être Darleen Pember. Il la connaissait seulement de vue. Cependant il se souvenait que Jamie en pinçait pour elle. Et il avait une sacrée dette envers Jamie.

Nick s'assura qu'il n'était pas suivi ; il chercha Colin. Pas question d'adresser la parole à la jolie blonde s'il était à proximité. Il n'était pas en vue. Il fallait agir vite.

Il l'aborda alors qu'elle discutait avec deux filles et l'attira à l'écart :

– Dis-moi, Darleen ! As-tu trouvé hier un papier dans la poche de ton manteau ? Ou ailleurs, dans un de tes livres, par exemple ?

Elle le dévisagea avec une expression mêlée de peur et de curiosité :

– Non. Pourquoi ?

– Juste comme ça. Si tu en trouves un, garde-le. Donne-le à Mr Watson, mais sans te faire remarquer des autres.

– Un papier comme celui qu'a reçu Mohamed ? Ou Jeremy ?

*Qui sont Mohamed et Jeremy ?*

– C'était quoi, ces papiers ?

Elle haussa les épaules :

– Je n'ai pas pu les voir de près. Ce que je sais, c'est qu'ils n'étaient pas écrits à la main. C'était imprimé à l'ordinateur, ça, j'en suis sûre. Après, Mohamed est tombé malade. Ça fait deux jours qu'il est absent. Tu sais ce qu'il y a dessus ?

Nick secoua la tête :

– Pas précisément. Je peux encore te demander un truc ?

Le sourire qu'elle lui adressa était plein d'espoir. Pourvu qu'elle n'attende rien de lui ! Il jeta un coup d'œil rapide dans la cour :

– Dedans ou dehors ?

Elle ne comprit pas immédiatement. Nick simula quelques gestes d'escrime.

– Oh ! Dehors, malheureusement. Mais ils ne peuvent pas me faire ce coup-là. J'ai déjà essayé de me procurer une nouvelle version du jeu, je suis allée dans plusieurs magasins et puis j'ai...

– Il vaut mieux que tu arrêtes, l'interrompit-il. Arrête tout ! Fais comme si le jeu n'avait jamais existé.

– Mais...

– Je sais. Mais quand même.

Elle le regarda, interloquée. Il essayait de l'imaginer main dans la main avec Jamie sur un banc dans un parc, au cinéma, dans un pré, l'été. L'idée lui plaisait bien. Il espéra que Darleen demanderait de ses nouvelles, mais elle n'en fit rien.

Quand il se retrouva le soir dans sa chambre, Nick était totalement désemparé. Il ne supportait pas de ne pas savoir. S'il réfléchissait froidement, il comprenait qu'Emily s'était comportée de façon logique en l'ignorant. C'était sûr. Sauf... sauf si le jeu l'avait dénigré auprès d'elle, d'une manière ou d'une autre. Depuis le matin, il était obsédé par une vision, celle du Messager expliquant à sa camarade que Nick l'avait espionnée virtuellement, qu'il avait aidé à introduire une arme dans l'enceinte du lycée. Pour finir, il montrerait la photo de Brynne au café avec lui, et c'en serait terminé à tout jamais de son histoire avec Emily.

N'importe quoi ! Tout ça, c'étaient des âneries. Elle s'était juste montrée distante pour ne pas compromettre sa couverture. Il allait lui téléphoner pour en avoir le cœur net. Sans attendre.

Malheureusement, elle ne décrocha pas. Il n'eut même pas la messagerie. Au bout de dix minutes, il réessaya, puis une demi-heure plus tard encore. Peine perdue.

Elle devait être en train de jouer. Lui non plus ne répondait jamais au téléphone, quand il était pris par le jeu.

Il envisagea d'aller sonner chez elle. *Oui, ce serait une excellente idée d'aller carillonner à la porte et de réveiller la mère dépressive parce qu'Emily n'entendrait pas la sonnette, avec ses écouteurs sur les oreilles !* C'était sans doute ce qui venait de se passer avec le portable.

Il s'assit devant l'ordinateur et réfléchit. Il se rendit sur le site *artManiak* et explora la page d'Emily à la recherche de nouveaux contenus. Depuis le poème *Nuit*, elle n'avait rien posté de nouveau.

Il passa le reste de la soirée avec son père et sa mère devant la télévision. Ça faisait une éternité qu'il ne l'avait pas fait et son père était aux anges, ça se voyait sur son visage :

– On ne peut pas bosser tout le temps non plus, dit-il en caressant maladroitement les cheveux de son fils.

Cette nuit-là, Nick rêva qu'il se trouvait dans le cimetière d'Erebos et qu'il cherchait désespérément la tombe de Sarius. Mais brusquement toutes les inscriptions s'étaient transformées en symboles tortueux inconnus.

Le lendemain, Emily ne vint pas au lycée. Nick était en cours de chimie et de voir sa place vide lui donnait envie de pleurer. Il connaissait la chanson : le jeu avait pris possession d'elle, comme de tous les autres.

*Je n'aurais jamais dû la laisser jouer seule. Qu'est-ce qui me permettait de croire qu'Emily pouvait être à l'abri de la contagion ?* Maintenant, c'était trop tard. Ça ne servait à rien : elle ne voudrait plus parler avec lui, ni le laisser s'approcher d'elle. La seule chose qui compterait serait de réussir ses missions. Il aurait dû lui en dire plus sur le jeu, la mettre en garde. Au lieu de ça, il l'avait laissée se jeter dans la gueule du loup.

Pendant la récré, il appela chez elle. Évidemment, elle ne décrocha pas. Très bien. Dans ce cas, il se rendrait chez elle après les cours.

Dès qu'il eut pris cette résolution, il se sentit beaucoup mieux. Il parlerait avec elle et lui rappellerait leur plan de bataille : arrêter Erebos. L'idée venait d'elle, après tout.

Son euphorie fut de courte durée. En cours d'anglais, il trouva entre les pages de son manuel un papier plié qu'il était sûr de ne pas y avoir glissé.

Son cœur se mit à battre plus vite. Il déplia la feuille.

« Il y a encore un lit disponible à côté de Jamie », pouvait-on lire en lettres majuscules maladroites.

Il respira à fond. Il espéra que personne n'avait remarqué sa frayeur. Du coin de l'œil, il scruta les visages pour voir si quelqu'un l'observait en guettant sa réaction. Mais il ne constata rien de particulier. Helen bâillait en se grattant la nuque, l'air absent. Colin ? Il lisait. Dan et Alex faisaient des messes basses. Peut-être que c'étaient eux ? Alex lui faisait toujours des sourires trop appuyés. Était-ce sa façon à lui d'avancer masqué ?

Il replia le mot doux et le fourra dans sa poche. Ainsi, il y avait encore un lit disponible à côté de Jamie. Ces salopards ! En écrivant ces mots, ils l'avaient pratiquement reconnu : l'accident avait été prémédité, quelqu'un avait saboté les freins de Jamie. Et tout ça, à cause d'un jeu merdique.

D'un coup, il fut pris d'une haine féroce, d'une envie folle de se lever et de leur balancer sa chaise à la figure. Ils comprendraient quel effet ça fait d'avoir un traumatisme crânien ! Il regarda de nouveau dans la direction de Colin. Il se sentait perdre le contrôle : il allait lui sauter à la gorge. Il se leva d'un bond.

– Oui ? demanda Mr Watson. Ça ne va pas, Nick ?

*Je vais devenir fou.*

– Je ne me sens pas bien. Quelque chose qui me pèse sur l'estomac.

Il était convaincu que son professeur avait capté le sous-entendu contenu dans sa réponse. Ça se voyait sur son visage, mais il ne posa pas de question.

– Dans ce cas, il vaut mieux que tu rentres chez toi.

– Oui. Merci.

Les autres pouvaient bien penser que la lettre de menace l'avait impressionné et que c'était la peur qui lui faisait fuir le lycée. Il s'en moquait. Ça lui était bien égal. L'important, c'était Emily. Il devait lui parler. Elle était certainement encore tellement à fond dans le truc qu'aucun argument n'aurait prise sur elle. Il fallait juste qu'il arrive à lui exposer sa théorie sur Jamie et qu'il lui montre la lettre. Maintenant. Sans perdre une minute.

Il sortit son téléphone de sa poche pour tenter un dernier appel.

L'écran indiquait : « 1 nouveau message ». Il appuya sur « Afficher ».

Ne m'envoie surtout pas de mails et n'essaie pas de me joindre par MSN ou Skype. Si t'as le temps, viens à 16 h à Bloomsbury, 32 Cromer Street. Surtout, n'en parle à personne et assure-toi que personne ne te suit. Emily

Aussitôt, il sentit une boule dans sa gorge ; il regarda fébrilement autour de lui. Nouveau coup d'œil sur l'écran. Pas de mails, pas de MSN : pourquoi ça ? Emily avait-elle du nouveau ? Prenant une profonde inspiration, il tâcha de calmer son cœur qui s'emballait et de mettre de l'ordre dans ses idées. Une chose était sûre : à en juger par ce SMS, elle était encore en pleine possession de ses moyens. Et elle voulait le voir ! Encore près de trois heures avant le rendez-vous ! Nick se demandait comment il allait pouvoir patienter jusque-là.

En définitive, il mit le temps à profit pour prendre toutes les précautions possibles contre une éventuelle filature. Jamais on ne fit plus grand détour pour atteindre Cromer Street.

# CHAPITRE 25

Arrivé devant le numéro 32, il découvrit un type extrêmement bizarre posté devant l'entrée. Barbe d'un roux flamboyant, longue chevelure de la même couleur. L'une et l'autre nattées. Il devait l'attendre, car il vint au-devant de lui dès qu'il l'aperçut.

– Tu es Nick, c'est ça ? La demoiselle t'a fidèlement décrit. Je suis Speedy. Allez, amène-toi !

Il le guida par un escalier étroit jusqu'au deuxième étage de la maison. Là, il ouvrit une porte en bois vert.

– Viens, entre ! Tu bois du coca, de la bière ou du Ginseng Oolong ? Victor prétend que le thé c'est bon pour le cerveau. Chez lui, en tout cas, ça marche.

Nick qui n'avait encore rien dit, à part un rapide bonjour, demanda un verre d'eau. Pourquoi Emily l'avait-elle fait venir ici ? Était-elle là, elle aussi ?

Emboîtant le pas au rouquin, il traversa une cuisine bourrée à craquer et pénétra dans une grande pièce qui résonnait de multiples bourdonnements. Nick dénombra douze ordinateurs, sans compter le notebook d'Emily. Elle était assise dans un renfoncement, près de la fenêtre, les écouteurs dans les oreilles, le regard fixé sur l'écran.

– C'est pas le moment de la déranger, chuchota Speedy. Elle est en pleine action. Viens, je vais te présenter Victor.

Il conduisit Nick jusqu'à un gigantesque échafaudage de divers appareils techniques derrière lequel disparaissait un type rondouillard, tout de noir vêtu. Nick lui accorda à peine un coup d'œil. Son attention fut immédiatement captée par l'écran, qui mesurait pas moins de 22 pouces et sur lequel un homme-lézard aux reflets violets était en train de terrasser un ver monstrueux. Il maniait son épée avec une habileté incroyable et ses mouvements étaient d'une rapidité époustouflante. Les doigts boudinés du joueur volaient sur les touches du clavier et dirigeaient la souris avec une précision chirurgicale. Malgré ses dents acérées, le ver géant n'avait aucune chance contre son adversaire. Clac ! D'un coup, il fut coupé en deux. La moitié antérieure, celle avec les dents, continua le combat jusqu'à ce que le lézard lui tranche la tête.

Speedy se pencha vers le joueur et écarta l'un des écouteurs de son casque :

– Nick est là.

– Parfait, c'est le moment idéal ! Tu prends le relais ?

– D'accord. À propos, il ne veut que de l'eau.

– Pas question.

L'homme se leva de sa chaise et se déplia. Debout, Nick vit qu'il lui arrivait à peine au menton.

– Il faut au moins que tu goûtes mon thé. Je suis Victor.

– Enchanté.

– On va passer à côté. Comme ça, on pourra discuter tranquillement.

Victor glissa son casque sur la tête de son copain, puis indiqua à Nick une porte couverte de graffitis. Ce dernier avait déjà la main sur la poignée lorsqu'une idée lui vint à l'esprit.

– Découpe le ver en morceaux ! lança-t-il au joueur. Hache-le menu : peut-être que tu vas trouver quelque chose.

Speedy leva le pouce et se mit à tailler le cadavre en pièces.

– Pas trop vite, conseilla Victor, sinon il va se rendre compte de la différence. Tu dois aller au même rythme que moi.

Un profond soupir échappa à Speedy, qui obéit à contrecœur. Mais, même en se contrôlant, l'homme-lézard continuait d'officier avec la dextérité d'un cuisinier japonais découpant des sushis.

– Entre. Installe-toi. Je vais nous chercher du thé.

Derrière la porte, il découvrit trois immenses canapés flanqués de trois tables de salon. Tout était disparate. Nick n'était pas du genre sensible, mais la simple association des couleurs lui donnait mal à la tête. Il s'assit sur le plus hideux des sièges – vert olive avec des boutons de roses jaunes et des voiliers bleus – en se disant que, celui-là au moins, il ne serait pas obligé de le regarder. Quand le maître des lieux se présenta à la porte avec son plateau, quelques secondes plus tard, Nick prit conscience qu'ici le mélange des genres était érigé au rang de principe.

– Porcelaine victorienne à motif de violettes ou les Simpsons ?

– Étant donné que tu te prénommes Victor, je te cède la tasse victorienne, répondit l'invité.

Et il prit la tasse sur laquelle Homer posait au-dessus de la devise « *Trying is the first step towards failure*[1] ».

Tandis qu'il savourait son thé à petites gorgées, en fermant les yeux, Nick eut tout loisir d'examiner son hôte. Il devait avoir vingt-deux ou vingt-trois ans. Il lui avait d'abord paru plus âgé, sans doute à cause de la barbe. C'était une barbe de mousquetaire : longue et tortillée aux extrémités au-dessus de la lèvre supérieure, taillée en pointe au menton. Le jeune homme ressemblait à Portos. Mais en version gothique. Il portait en effet des boucles d'oreilles à tête de mort de la taille d'une pièce d'une livre, et chacun de ses doigts s'ornait au minimum d'une bague en argent, les têtes de mort étant là aussi majoritairement représentées, suivies de près par les serpents. Pour contrebalancer le tout, un ange solitaire pendait à son cou au bout d'une chaîne.

– Bois ton thé, suggéra-t-il.

Nick s'exécuta docilement et fut surpris de le trouver bon.

– Emily nous a dégoté là quelque chose de pas banal, constata Victor après une autre gorgée. Il faut que tu saches que je m'y

1. NdT : « Essayer est le meilleur moyen de se planter. »

connais un peu en jeux vidéo, mais je n'ai encore jamais rien rencontré qui ressemble à Erebos.

– Elle te l'a donné comme ça, tout simplement ?

– Pas le moins du monde. Elle a fait ça dans les règles, dans le cadre du troisième rituel. Je suis son novice, annonça-t-il avec un sourire. Je suis vraiment débutant, puisque j'ai commencé à jouer ce matin.

Il mima une révérence :

– Squamato, homme-lézard. Au départ, je voulais m'appeler Brokkoli, mais le charmant gnome de la tour a failli m'assommer avec mon bouclier en bronze. Il m'a expliqué qu'il n'était pas question de tourner Erebos en dérision. Disons que l'humour n'est pas le point fort de ce jeu.

Il reposa sa tasse et continua :

– Mais question interactivité, alors là, chapeau !

– Il dialogue avec le joueur, je sais, c'est incroyable ! s'exclama Nick. On lui pose une question et il donne des réponses logiques et exactes. As-tu idée de la façon dont ça peut fonctionner ?

– Pas la moindre. J'ai d'abord pensé qu'il y avait un type dans un terminal central qui mimait le Messager ou le mec mort. Mais c'est pas possible. Emily dit qu'il y a des tonnes de gens qui jouent. D'après toi, il y en a combien ?

Nick revit en pensée les jeux dans l'arène. Et encore, tous n'étaient pas présents !

– Je dirais trois cents ou quatre cents. Peut-être plus, même.

– C'est bien ce que je pensais. Il faudrait une armée de Messagers qui devraient tous avoir en tête les différentes missions et les liens existant entre elles et entre les personnages. L'ordinateur maîtrise ce genre de performance dix mille fois mieux que n'importe quel être humain, mais, normalement, il n'est pas capable de maîtriser une conversation complexe.

La tasse de Victor était vide. Il se resservit et en versa à Nick.

– Parle-moi un peu de ce qu'on te demandait de faire. Hier, Emily a dû espionner une gamine de treize ans qui allait acheter du gaz lacrymogène. Elle ne connaissait pas la fille et réciproquement. Elle venait sans doute d'un autre établissement. Cependant, le Messager a donné à notre amie une photo et le nom de la fille, avec l'heure de la course et l'adresse du magasin. C'est dingue ! Tu peux nous dire ce que tu as dû accomplir pendant le jeu, toi ? Ça nous permettrait peut-être d'en déduire un modèle.

Nick réfléchit intensément :

– Malheureusement, je ne vois aucune logique. Une fois, j'ai dû porter une caisse en bois depuis Totteridge jusqu'au viaduc sur la Dollis Brook. Plus tard, la caisse est réapparue dans notre lycée : elle contenait un pistolet. Sinon, j'ai pris en photo un type et sa voiture et j'ai... invité quelqu'un au café.

Victor eut un petit rire amusé :

– Rien de bien méchant là-dedans. T'as idée de la raison pour laquelle tu devais faire ça ?

– Non, aucune idée. En revanche, pour la dernière mission, là, je suis à peu près sûr. Je devais verser de la digitaline ou quelque chose du genre dans le thé de notre prof d'anglais. Il trouve Erebos... disons, dangereux, et il essaie d'en détourner les élèves. À un moment, un des gnomes nous a ordonné de traiter les ennemis en ennemis. Je suppose que c'est comme ça qu'ils l'entendent, concrètement, dans le jeu.

Victor eut l'air effaré :

– Dans son thé ? répéta-t-il, comme si c'était ce qu'il y avait de plus choquant dans cette affaire.

– C'est ça. Mais j'ai eu la trouille et c'est pour ça que je me suis fait éjecter.

Nick n'en revenait pas de constater à quel point ça lui faisait du bien d'en parler. Brutalement, tout semblait moins menaçant.

– Tu t'es jamais demandé quelles étaient les motivations du jeu ? questionna Victor après un court silence.

Non, il ne s'était pas posé la question. Pas sérieusement, en tout cas. Enfin si, une ou deux fois, elle lui avait traversé l'esprit, en particulier lors du rendez-vous avec Brynne ou quand il avait dû prendre le type en photo. Il s'était vaguement demandé à qui ça profitait.

L'idée avait été rapidement refoulée dans les profondeurs de son cerveau. C'étaient des quêtes, rien de plus. Des obstacles qu'on devait surmonter pour progresser, comme dans n'importe quel jeu de piste.

– Je pensais qu'il s'agissait juste de rendre la partie plus captivante et de faire monter le suspense, dit-il, réalisant soudain en le formulant à quel point c'était improbable.

– Si je ne m'abuse, le jeu fait interagir ses joueurs de façon très organisée, commenta Victor, d'un air soucieux. L'un planque un truc, le suivant va le chercher et l'apporte ailleurs. L'un achète quelque chose, le deuxième l'observe et fait son rapport, pour que le jeu puisse programmer la suite de ses coups. D'après ce qu'Emily m'a raconté, je crois que vous collaborez tous à un objectif que personne ne peut percer à jour, parce que chacun n'en connaît qu'une infime parcelle. Une ou deux petites pièces de la grande mosaïque.

Victor s'interrompit et émit un bref gloussement :

– Maintenant, je suis entré dans la course moi aussi, mais je veux voir l'ensemble du tableau, nom d'un chien !

« L'ensemble du tableau »... Pendant une fraction de seconde, une image colorée et familière lui revint à l'esprit, mais elle disparut avant que Nick l'ait identifiée.

– Sais-tu ce qui pourrait nous faire progresser ? Ce serait de connaître d'autres histoires comme la tienne. Si nous savions quelles sont les autres missions imposées aux joueurs, ça nous permettrait de reconstituer le puzzle. Et, qui sait, peut-être qu'à la fin il apparaîtrait que nous sommes à la recherche d'une sorte de Saint Graal, ha, ha ! conclut-il en se frottant les mains.

Sa bonne humeur était contagieuse.

– Si tu veux, je peux essayer d'interviewer quelques anciens participants, proposa Nick. Mais il est possible que personne ne consente à raconter quoi que ce soit. Quand tu te fais virer, tu reçois la consigne de ne rien dire.

– En tout cas, ça vaut le coup d'essayer. En attendant, nous allons créer notre propre laboratoire de recherche, ici. J'espère qu'il va bientôt être temps de changer de niveau. Mon joli Squamato n'est encore qu'un minable un. C'est à pleurer !

– Il faut que tu lui fasses prendre des risques. Et, quand il est à deux doigts de crever, le Messager arrive. Il te sauve et te file une mission. Si tu réussis, tu passes au niveau au-dessus.

Le geek se frappa le front avec la paume de la main :

– Tu veux dire que je joue trop bien pour progresser ? C'est complètement pervers. Attends, je vais prévenir Speedy qu'il faut qu'il fasse des conneries...

Il se précipita dans l'autre pièce et revint une minute plus tard avec un grand sourire :

– Il est en train de se battre contre un squelette géant. Tu veux voir ?

L'excitation si familière revint aussitôt chatouiller l'estomac de Nick. Bien sûr qu'il voulait voir. Qu'il voulait participer.

Ils se placèrent derrière le joueur, qui lança Squamato dans une attaque téméraire à l'encontre du plus fort des squelettes. Ils ne pouvaient pas entendre ce qui se passait, car Speedy portait un casque, mais ils voyaient la ceinture de son personnage devenir de plus en plus grise. Il suffit d'un coup de son adversaire qu'il para maladroitement, puis d'un autre, pour qu'il s'effondre sur le sol, ne gardant plus qu'une ultime étincelle de vie.

Nick était désorienté. La plupart des guerriers lui étaient inconnus. Ah, non ! Il aperçut Sapujapu ! Il était donc toujours en vie, lui. Tant mieux ! Et là-bas, dans le fond, il reconnut Lelant, ce qui l'agaça prodigieusement. Il scruta l'écran et se surprit à chercher Sarius. C'était débile. Le plus débile dans l'histoire était de constater à quel point son autre moi lui manquait toujours.

Quelques minutes plus tard, le combat arriva à sa fin et le Messager fit son apparition, juché sur son cheval. Nick recula instinctivement. Il se reprit et revint derrière Speedy. Les paroles de l'homme aux yeux jaunes s'affichèrent dans les habituels caractères argentés sur fond noir.

– Lelant s'est battu en héros : il a droit à la récompense suprême.

Ce disant, il tendit à l'elfe noir un sac d'or et un bouclier brillant comme un astre. Sapujapu, qui s'en tirait avec une blessure légère, reçut trois bouteilles de potion de guérison. C'était beaucoup, et Nick s'en réjouit pour lui. Quant aux autres, ils récupérèrent des présents sans grand intérêt. Pour finir, le cavalier se tourna vers Squamato :

– C'est curieux. Tu as commencé par faire preuve d'une habileté exemplaire. Après, tu t'es montré étonnamment faible. Je n'aime pas ça.

– Ouille, ouille, ouille ! commenta Victor.

– Je suis désolé, j'ai été dérangé. Mais ça ne se reproduira pas, tapa fébrilement Speedy.

– Je l'espère pour toi. Tu es à l'article de la mort. Si tu restes ici, tu n'en réchapperas pas. Si tu me suis, je vais te sauver. Quelle décision prends-tu ?

– Je viens avec toi.

– Bien.

Le Messager souleva Squamato de terre, l'installa derrière lui, sur sa monture, et l'équipage s'éloigna. Nick déplora de ne pas entendre la petite musique qui accompagnait certainement leur chevauchée.

La suite se déroula selon le schéma habituel. Dans une grotte, le Messager exposa les règles du jeu : l'homme-lézard vivrait et passerait au niveau deux s'il s'acquittait d'une mission.

– Tu vas te rendre aujourd'hui, à 19 heures, au Cavalry Memorial à Hyde Park. Derrière le monument, il y a des bancs blancs. Sous le troisième banc en partant de la droite, tu trouveras une enveloppe contenant une adresse et quelques mots. Va à l'adresse indiquée et tague les mots avec une bombe sur la porte du garage. Après, photographie ton œuvre, et Erebos t'accueillera à nouveau dans le jeu, au niveau deux, cette fois.

– C'est pas une mince affaire, murmura Nick.

Speedy réagit exactement comme il fallait : il fit semblant d'être surpris.

– Je crois que je ne comprends pas. Ça n'a rien à voir avec le jeu !

– Bien sûr que si, Squamato. Plus que tu ne le penses.

– Vous voulez parler du vrai Hyde Park et du vrai Cavalry Memorial ?

– C'est cela.

– Et si je ne trouve rien, là-bas, sous le banc ? S'il n'y a rien ?

– Dans ce cas, tu reviendras et tu me feras ton rapport. Mais attention, pas de mensonges. Je le saurais.

Le joueur échangea un regard avec son ami, dont le visage exprimait une surprise consternée.

– La mission n'est pas très légale, tapa-t-il. Que se passera-t-il si je suis pris sur le fait ?

Le Messager tira davantage sur sa capuche, masquant complètement ses traits. Ses yeux jaunes brillaient dans le noir.

– Jusque-là, ils ne t'ont attrapé qu'une seule fois. Inutile de m'importuner avec tes lamentations. Tu n'as qu'à te débrouiller pour qu'il ne t'arrive rien. Nous nous reverrons quand tu auras accompli ta mission.

Et l'obscurité s'abattit sur Erebos.

– C'est énervant ! constata Victor.

Il fit signe aux deux autres de le suivre dans la pièce d'à côté pour ne pas gêner Emily qui se trouvait dans une phase critique. Il l'entendait cliquer frénétiquement.

– Qu'a-t-il voulu dire par « attrapé qu'une fois » ? demanda Nick, sincèrement étonné. Attrapé en train de faire quoi ?

– J'ai eu une brève carrière de tagueur, dans une vie antérieure. Quelques graffitis et actes de vandalisme, il y a plusieurs années, répondit Victor. Mais comment le mec aux yeux jaunes le sait... alors, là, c'est un mystère. Ça ne me plaît pas. J'aurais préféré transporter des caisses en bois dans Londres plutôt que de m'exposer à une plainte pour détérioration de biens matériels.

– Mais vous avez vu ? intervint le joueur. Il n'a pas remarqué que j'avais joué à la place de Victor. Il a juste été agacé parce que j'avais joué n'importe comment, à la fin.

– Oui, ça a marché. N'empêche, nous n'allons pas prendre le risque une deuxième fois. Le jeu est bien trop intelligent. Nous allons jouer la sécurité tant que nous n'en saurons pas plus. Et puis tu ne vas pas tarder à être mon novice. On est d'accord ?

– J'espère bien, acquiesça le rouquin en passant la main dans ses cheveux. Appelle-moi quand tu en seras là. Maintenant, je vais y aller. Kate doit s'impatienter.

Quand Speedy fut parti, Victor se mit à fouiller dans ses armoires, sans doute à la recherche de vieux stocks de bombes de peinture, comme Nick le supposa. Emily n'avait pas bougé ; elle était toujours aussi concentrée.

Devait-il partir ? Ou rester pour attendre Emily ? Indécis, il feuilletait un des magazines informatiques dont des piles traînaient sur toutes les tables. Il se posait également pas mal de questions sur Victor. Était-ce son appartement ? Son bureau ? Les deux ? Qu'est-ce qu'il pouvait bien faire comme métier ?

Ce n'était pas le moment de l'interroger, car il était en train de se débattre avec des montagnes de papiers qui menaçaient de s'échapper de l'armoire et de se répandre par terre.

Où en était Emily ? Qui était-elle en train d'affronter ?

Il s'approcha d'elle sur la pointe des pieds pour ne pas la perturber et jeta un coup d'œil par-dessus son épaule. Hemera courait dans une sorte de tunnel. Pour un niveau trois, elle avait déjà un assez bon plastron et une épée correcte.

Des personnages bien connus couraient devant et derrière elle. Il identifia Drizzel, Feniel et Nurax. Hemera évoluait dans les mêmes cercles que Sarius autrefois.

*Badaboum !* Des classeurs s'écrasèrent sur le sol avec un fracas de tonnerre. Victor avait dérangé l'équilibre instable de son armoire, dont le contenu était en train de se déverser sur lui. Une boîte à chaussures explosée répandit sur sa tête une pluie de cartouches d'imprimante vides.

Emily leva à peine la tête, puis retourna au jeu. Elle était sortie du tunnel et se trouvait maintenant à la lumière, sous un arbre gigantesque qui abritait dans son feuillage une couronne en or. Sous ses branches brûlait un feu de camp, autour duquel une conversation s'engagea.

Y avait-il du nouveau ? À première vue, non : la discussion tournait autour de la difficulté à trouver des cristaux magiques.

En consultant sa montre, Nick s'aperçut qu'il était bientôt six heures. Il valait mieux qu'il parte maintenant. Victor n'allait pas tarder à se mettre en route également s'il voulait arriver à temps au Cavalry Memorial.

Les derniers rayons du soleil jouaient dans les cheveux d'Emily. Ils n'avaient pas encore échangé un seul mot depuis son arrivée. Bizarrement, ça ne le gênait pas. Il ne fallait pas la déranger. Pourtant, elle était si belle ! Il ne pouvait pas partir comme ça ; il avait besoin d'emporter un souvenir. Il sortit son portable de sa poche et prit Emily en photo devant son notebook. Elle ne s'en rendit même pas compte. Désormais, elle serait auprès de lui.

Victor avait fini par mettre la main sur ses fameuses bombes de peinture.

– J'espère qu'elles ne sont pas complètement sèches, chuchota-t-il en secouant l'une d'elles, munie d'une étiquette verte.

– Je m'en vais, lança Nick.

– Parfait. Pense que tu ne dois pas nous envoyer de mails compromettants ! Je n'en suis pas encore certain, mais j'ai l'impression que le jeu peut aussi accéder à nos messages. Et il comprend ce que nous écrivons, ne l'oublie pas !

Nick promit. Pour tout dire, cela l'obsédait. Le Messager lisait-il aussi son courrier ?

Pendant son trajet de retour, il ne se lassa pas de regarder la photo d'Emily. Pour un peu, il aurait embrassé l'écran, mais il préféra attendre d'être seul chez lui...

# CHAPITRE 26

– N'y compte pas ! répondit Greg d'un ton sans appel.

Bien que sa chute remonte à près de deux semaines, les éraflures se voyaient encore nettement sur son visage.

– Juste les missions, implora Nick pour la deuxième fois. Je n'ai pas besoin de savoir quel personnage tu étais, mais seulement ce que le Messager t'avait imposé comme épreuve. C'est important.

– Pour quoi faire ? T'es dehors, de toute façon. Crois-moi, t'as aucune chance de rentrer de nouveau, quoi que tu fasses.

C'était à devenir dingue ! Depuis le début de la semaine, Nick essayait de trouver d'anciens joueurs pour leur tirer les vers du nez, mais jusqu'à présent la moisson avait été plus que maigre. Comme les autres avant lui, Greg, refusant de parler, voulut prendre la tangente. Nick tenta de le retenir :

– S'il te plaît ! Personne ne nous regarde. Je te raconterai aussi mes histoires. Allez, dis-moi !

– Pourquoi je le ferais ? Dans le lot, y a des choses dont je ne suis pas très fier. Je ne vais pas m'en vanter devant toi, Dunmore. Et maintenant, lâche-moi !

Il se dégagea et disparut dans une des salles de classe.

Nick se mit à jurer. En se retournant, il aperçut Adrian qui s'enfuyait en rasant les murs. Il lui courut après :

– Hé ! Halte là ! Tu nous épiais ?

Le jeune garçon leva vers lui son visage blafard :

– Je n'ai rien entendu. C'était quoi, les trucs que Greg ne voulait pas te raconter ?

Nick se rendait bien compte que ce n'était pas sympa de sa part de déverser toute sa frustration sur Adrian, mais il n'avait personne d'autre sous la main.

– Arrête de m'espionner ! Fais gaffe, si tu continues, tu vas bientôt t'en prendre une sur le coin de la figure ! Tu ne sauras même plus où t'habites !

– Fiche la paix au petit ! prononça une voix grave derrière Nick.

Helen ? Il n'y comprenait carrément plus rien.

– En quoi ça te regarde ? aboya-t-il.

– Je t'ai dit de lui ficher la paix. Si j'apprends que tu l'as encore menacé, je te fais la tête au carré.

Nick n'en revenait pas. Son regard allait de l'un à l'autre.

– Je n'ai rien fait de tel, fulmina-t-il. Je lui ai juste dit quelque chose. C'est toi qui es en train de me menacer.

Adrian était manifestement aussi stupéfait que Nick de l'intervention de la fille :

– C'est bon, Helen. T'inquiète pas ! Il ne s'est rien passé.

– Mouais, dit Nick. Il se trouve qu'on le sait tous les deux. Pourtant on dirait qu'Helen pense que t'as besoin d'une nounou.

Nick avait anglais l'heure suivante. Mr Watson parla du théâtre élisabéthain. Il l'observait sans l'écouter vraiment. Ça faisait plusieurs jours qu'il ne leur avait pas donné de nouvelles de Jamie. En soi, c'était mieux que de mauvaises nouvelles, mais les leur communiquerait-on s'il y en avait ? À la fin de l'heure, il s'approcha du bureau du professeur, de façon démonstrative, pour couper court à toutes les rumeurs malveillantes. Il ne s'agissait pas qu'on le soupçonne d'avoir quelque chose à cacher.

– Savez-vous comment va Jamie ? demanda-t-il, la bouche sèche. Je voulais appeler ses parents, mais je n'y arrive pas. C'est pour ça, j'ai pensé que vous pourriez peut-être me dire...

– Il est toujours placé en coma artificiel, répondit Mr Watson. Mais ça ne se présente pas trop mal. La hanche se consolide.

C'est la blessure à la tête qui cause le plus d'inquiétude. Ce genre de chose peut laisser des séquelles, comme tu dois le savoir.

Il n'y avait donc rien de nouveau sur ce front-là. Nick remercia le prof et sortit de la salle, non sans avoir jeté un petit coup d'œil à Emily, qui ne le lui rendit pas. Elle papotait avec Gloria, salua Colin, mais l'ignora. Cela faisait des jours qu'ils n'avaient pas échangé un mot. Victor ne donnait pas signe de vie non plus. Nick vérifiait constamment son téléphone dans l'espoir d'y découvrir un SMS avec une invitation pour Cromer Street. En vain.

L'heure d'après, il était de nouveau en permanence. Cette perspective qui l'avait tant réjoui à l'entrée en première – tout ce temps libre entre les cours – le déstabilisait maintenant. Il n'avait personne avec qui passer ces moments.

D'un autre côté, peut-être qu'il se trompait. Il y avait des milliers de sujets en dehors d'Erebos dont il pouvait discuter avec les autres, qu'ils soient joueurs ou non. Jerome par exemple, qui était assis un peu plus loin devant et qui se cramponnait à sa canette de Red Bull.

– Hello, Jerome. Comment tu vas ?

– Mmm.

– Tu es allé au dernier entraînement de basket ? Je l'ai séché, mais, cette fois, j'ai envoyé un mail à Betthany pour qu'il ne pique pas une nouvelle crise.

– Bonne idée ! répondit son camarade en fermant les yeux pour déguster sa boisson.

– Et toi, tu y as été ?

– Mouais.

– Et alors ?

– C'était cool.

Il renonça. De toute façon, c'était une mauvaise idée d'adresser la parole à ce mec. Il n'avait jamais été un grand bavard. Chaque mot semblait lui écorcher la bouche.

– Bon, ben, à plus ! conclut Nick en s'éloignant.

Il arriverait bien à tuer le temps d'une façon ou d'une autre.

Alors qu'il se rendait à la bibliothèque, Eric l'arrêta au passage :

– Tu as une minute ?

C'était plus fort que lui : dès qu'il l'apercevait, sa jalousie revenait au galop. Ça tenait à un ensemble de choses, sa façon d'être, si posé, si responsable...

– Oui ?

– Je me fais du souci pour Emily. Est-ce possible qu'elle joue maintenant à votre jeu, elle aussi ?

Nick ne put réprimer un sourire. Ainsi, elle ne l'avait pas mis dans la confidence.

– Je n'en ai pas la moindre idée. Tu sais, je ne suis plus dedans.

– Ah bon ? répondit Eric en haussant les sourcils. Tant mieux pour toi.

*Qu'est-ce que t'en sais, d'abord, si c'est mieux pour moi ?* La réplique faillit lui échapper, cependant il se mordit les lèvres. Son interlocuteur pouvait peut-être l'aider.

– Oui, je finis par le croire aussi. Mon problème, c'est que j'aimerais bien parler avec quelques-uns des élèves qui sont dans le même cas. Je sais que je ne suis pas le seul ex-joueur, ici, mais je ne trouve pas de moyen de les aborder.

Eric fit une grimace :

– Ça t'étonne ? Pour quelle raison devraient-ils te faire confiance ? Tu ne peux même pas prouver que tu es sorti d'Erebos.

Il n'avait pas complètement tort. Pourtant...

– Si tu leur disais qu'ils peuvent me croire, ils le feraient certainement.

– Possible. Mais je te connais à peine. Jamie m'a dit que tu avais énormément changé. Je ne peux pas m'engager pour toi.

C'était incroyable ! Ce garçon réussissait à être sympathique même quand il te rembarrait ! Nick tenta un dernier essai :

– Je veux me mobiliser contre Erebos. J'ai été dedans, je connais les mécanismes. La plupart, tout au moins. Mais il y a autre chose derrière le jeu. Il faut que je le découvre et, pour ça, j'ai besoin de davantage d'informations.

Eric haussa les épaules en signe de regret :

– Je te comprends. Mais j'ai donné ma parole à ceux qui m'ont parlé de ne rien raconter. Je dois tenir ma promesse. C'est normal, non ?

*Ils sont tous fermés comme des huîtres, dans un camp comme dans l'autre.*

– D'accord, alors c'est chacun pour soi.

Nick était profondément contrarié à la perspective d'arriver les mains vides au prochain rendez-vous chez Victor. À qui pouvait-il encore s'adresser ? Pourquoi pas à Darleen ? Elle était sortie du jeu. Elle avait par ailleurs fait allusion à un Mohamed et à un Jeremy qui avaient reçu des lettres de menace. Cependant, ça ne voulait pas forcément dire grand-chose, car Aisha en avait reçu une et elle était encore dedans. Greg était certainement dehors et il était muet comme une tombe.

Nick décida de tenter sa chance auprès de Darleen. Elle n'avait paru ni intimidée ni fermée. Il se mit à sa recherche et finit par la localiser à la cafétéria. Sous les ricanements et les gloussements de ses copines, il l'entraîna à l'extérieur, dans le couloir, afin d'y être plus tranquille et de mieux contrôler la situation. Pas de Colin, ni de Dan, ni de Jerome.

– Encore toi ! lança-t-elle avec un sourire malicieux. Kelly et Tereza sont déjà mortes de jalousie.

*Elle s'entendrait bien avec Jamie ; ils iraient bien ensemble.*

– Écoute, Darleen, commença-t-il prudemment, tu m'as dit que tu ne jouais plus. Tu pourrais me rendre un service ? Ça t'ennuierait de me raconter deux ou trois trucs que tu as vécus lorsque tu étais dedans ?

Elle eut l'air perplexe :

– Tiens, tiens ! C'est toi-même qui m'as conseillé de faire comme si le jeu n'avait jamais existé !

Il jeta un rapide regard alentour.

– Je te demande juste d'en parler cette seule fois. Avec moi.

Entendant des élèves arriver, il prit Darleen par la main et la conduisit dans une salle vide. Il tira la porte derrière lui et s'appuya contre le chambranle.

– Que veux-tu donc que je te dise ?

– Par exemple, ça m'intéresserait de savoir quelles missions tu as dû accomplir. Si on t'a demandé des choses spéciales.

Elle eut l'air de réfléchir, observant Nick du coin de l'œil, sans trop savoir si elle pouvait lui faire ce genre de confidences.

– Tu te souviens du vol des notebooks ?

– Bien sûr !

– C'est moi qui faisais le guet. J'étais censée donner l'alarme avec mon téléphone si quelqu'un se pointait. Tu ne le dis à personne, hein ? Je nierais en bloc, de toute façon.

Il cherchait à comprendre les implications de cette information :

– Tu sais ce que sont devenus ces notebooks ?

– Non, mais je m'en doute. Ils étaient destinés aux gens qui ne pouvaient pas participer au jeu parce qu'ils ne possédaient pas leur propre ordinateur. Je crois qu'Aisha en a reçu un.

Ça se tenait. Néanmoins, ça n'avancerait guère Victor pour reconstituer son grand puzzle.

– Quoi d'autre ?

– Qu'est-ce que tu peux être curieux ! répondit-elle en soupirant. Oui, j'ai photocopié des documents que je suis allée pêcher dans une corbeille à papier dans Kensington Gardens. De la paperasse juridique. Toute une liasse. Je n'y ai rien compris.

Nick aurait donné cher pour savoir ce que contenait cette « paperasse juridique ».

– Rien d'autre ? As-tu menacé quelqu'un ou... cassé quelque chose ?

Elle détourna son regard :

– Non. Mais je vois ce que tu veux dire. Non, je n'ai rien fait de tel. Mes autres missions étaient inoffensives. Rédiger un devoir pour quelqu'un, acheter une carte de portable et la planquer. Des tâches de ce genre.

– Et tu t'es fait virer pour quoi ?

– Parce que mon abrutie de mère m'a coupé l'accès à Internet pendant trois jours. Après ça, le Messager a prétendu que je ne pouvais plus lui être d'aucune utilité. Tu imagines ? C'est invraisemblable, non ? J'en pleure encore de rage ! Comme si c'était ma faute !

– Très bien. Merci, Darleen. Tu m'as beaucoup aidé. Maintenant il vaut mieux que tu partes avant que l'un des gardiens des règles ne nous surprenne ici.

Elle hocha la tête :

– C'est une histoire complètement dingue, non ? Tu crois que nous nous sommes rencontrés dans le jeu ?

– Je n'en sais rien, répliqua Nick en riant. Comment tu t'appelais ?

Elle hésita un bref instant avant de répondre, puis haussa les épaules :

– Samira.

– Ça alors ! Dans ce cas, nous nous connaissons ! Tu étais une femme-chat, n'est-ce pas ? Et tu étais présente lorsque j'ai démarré dans le jeu.

– C'est vrai ? T'étais qui ?

Quelque part au fond de lui, Nick éprouvait toujours un pincement au cœur en parlant de son autre moi au passé.

– Sarius, répondit-il. J'étais Sarius.

# CHAPITRE 27

Ouf, c'était à nouveau le week-end. Et il avait enfin une invitation de Victor. Ils passeraient tous la nuit chez lui, dans son « studio ». « À jouer, parler et boire du thé », comme il le lui annonça au téléphone. « Il faut absolument que tu viennes. J'ai fait quelques sacrées découvertes ! »

– C'est bien que tu ressortes et que tu voies du monde, commenta sa mère quand il lui fit part de ses projets. Ces derniers temps, tu étais vraiment trop collé à ton bureau !

Nick se mit en route, muni de son sac de couchage, d'un petit matelas de camping et d'une bonne provision de sucreries. Ainsi équipé, il ne passait pas inaperçu d'autant que, à chaque carrefour, à chaque coin de rue, il se retournait pour voir s'il était suivi. Une fois de plus, il fit d'incroyables détours en métro pour semer d'éventuels poursuivants invisibles.

– Bienvenue, l'ami ! le salua Victor en le débarrassant de ses bagages. Ça fait longtemps que je n'ai pas organisé de soirée pyjama ! Partant pour boire un thé et dire bonjour à Emily ?

Elle occupait la même place que la dernière fois. Quand Nick entra dans la pièce, elle leva la tête une fraction de seconde, montra son ordinateur en s'excusant du regard et se replongea dans le jeu. Derrière elle, un sac à dos rouge était adossé au mur. Resterait-elle dormir, elle aussi ?

Dans la pièce d'à côté, Speedy était avachi avec une fille sur un des canapés perroquet. Elle avait les cheveux d'un noir de jais, tout au moins sur la moitié du crâne, celle qui n'était pas rasée.

– Kate, dit-il en la présentant. Ma fiancée.

– Enchanté.

Kate lui sourit, découvrant des incisives décorées de strass.

– Ça va bientôt être à toi, Speedy, déclara Victor. Et tu te souviens, retiens-toi. Fais gaffe à pas lâcher le champion !

– J'suis pas complètement débile, grogna l'intéressé, qui passa dans la première pièce. Il s'assit devant un ordinateur différent de celui de la dernière fois.

– Il faut faire très attention, expliqua Victor, qui avait intercepté le regard de Nick. À tous les coups, la première chose que le programme contrôle, c'est l'adresse IP. S'il la reconnaît, il ne te laissera même pas entrevoir le plus petit sapin de la séquence d'ouverture.

Il songea qu'il n'était pas totalement à côté de la plaque en voulant emprunter le notebook de Finn.

– Comment s'est déroulée ton opération graffiti ?

– Oh, sans problème ! répondit Victor en posant devant Nick une drôle de tasse en forme de pieuvre. J'ai trouvé le papier, j'ai filé à l'adresse, j'ai tagué et je ne me suis pas fait piquer.

Il poussa quelques-uns des magazines spécialisés qui encombraient la table et tira une photo de sous la pile : on y voyait la porte du garage d'une maison ornée de la phrase « Celui qui vole nos rêves nous condamne à la mort », écrite en caractères d'un beau bleu sombre.

– C'est une citation de Confucius. Celui qui programme Erebos est un grand amateur de citations.

Devant l'air contrarié de Nick, le tagueur lettré se mit à rire :

– Il est temps que tu te fasses à l'idée qu'Erebos ne s'est pas créé tout seul. Il y a quelqu'un, quelque part, qui a écrit des milliers de lignes de code, comme pour n'importe quel logiciel. Sauf que celui-ci est le roi des logiciels. Un truc incroyablement génial.

Sa voix vibrait d'émotion et il avait presque les larmes aux yeux :

– Sais-tu depuis combien de temps on essaie d'écrire un programme qui parle et qui pense comme un être humain ? As-tu la moindre notion de la valeur d'une telle découverte ? Des millions ! Des milliards ! Et nous, on nous sert le jeu sur un plateau d'argent, gratuitement, comme un vulgaire cadeau dans un paquet de cornflakes ! Pourquoi ça, d'après toi ?

Nick n'avait jamais envisagé les choses sous cet angle. Depuis le début, le jeu lui était apparu comme une sorte d'interlocuteur vivant. Jamais il ne s'était préoccupé de réfléchir à sa valeur économique.

– Parce qu'il... cherche à atteindre un objectif ?

Sa réponse lui valut un regard radieux.

– Exactement ! C'est un outil, le plus cher, le plus sophistiqué du monde ! Je m'incline mentalement devant son créateur, plein d'humilité et d'adoration, déclama-t-il en buvant une gorgée de thé. Quelqu'un qui réussit cet exploit ne fait pas d'allusions fortuites. Que nous dit-il ? Ou plutôt que dit-il au propriétaire inconnu du garage ?

– « Celui qui vole nos rêves nous condamne à la mort. »

– Qu'il veut le tuer ? Ou que l'autre le menace de mort ?

– C'est ça ! Pour moi, il s'agit d'une menace. En tout cas, ce n'est pas n'importe quelle citation, pas plus que ce n'est la première adresse venue.

Victor émiettait un gâteau sec, jouant avec les nerfs de Nick, qui bouillait d'impatience.

– Et alors ? Qui habite dans cette maison ?

– Ben voilà, le résultat n'est malheureusement pas très probant. Un comptable, divorcé, sans enfant, cadre moyen d'une entreprise d'export dans le secteur alimentaire. Plus banal, tu meurs ! Mais, naturellement, rien n'empêche qu'il soit le diable en personne, en privé.

Un comptable. Ça n'avait rien d'exaltant.

– Et toi, t'as déniché des pièces du puzzle ? demanda Victor.

– Je crains que non. Je n'ai trouvé qu'une seule ex-joueuse qui accepte de se confier.

Nick relata les missions de Darleen. Victor prit note de tout.

– Qui sait, il y aura peut-être un moment où nous y verrons plus clair. Pour commencer, je propose que nous nous intéressions aux allusions qui sont cachées dans le jeu. Elles pourraient nous en apprendre plus long. Dis-moi, tu t'y connais en histoire de l'art ?

*Aïe, aïe, aïe !* Nick secoua la tête :

– Désolé de te décevoir ! Ce n'est vraiment pas mon point fort.

– Bon, d'accord. Alors démarrons par un peu d'ornithologie. Que t'évoque la notion d'Ortolan ?

– C'est l'ennemi contre lequel les joueurs d'Erebos se battent, répondit Nick, satisfait de connaître enfin une réponse.

– Parfait, approuva Victor.

Il tortillait une des pointes de sa moustache, de l'air du magicien qui s'apprête à sortir un lapin de son chapeau.

– Je peux te montrer une image d'Ortolan.

Il existait donc un portrait ?

– Bien sûr, répliqua Nick, au comble de l'excitation.

Victor alla chercher un autre ordinateur dans la pièce voisine.

– Celui-ci n'est pas pollué par Erebos. Ça signifie que nous pouvons surfer sur Internet sans que le programme le remarque et nous tape sur les doigts.

Il ouvrit le couvercle :

– Voilà, et maintenant cherche-moi « Ortolan », ordonna-t-il.

Nick entra le mot dans Google. La première réponse le mena à Wikipédia. Il cliqua sur le lien.

– C'est stupide, je ne vois pas le rapport, constata-t-il.

« Ortolan » n'était rien d'autre que le nom d'une variété de bruant à gorge jaune, un petit oiseau dont la chair, très appréciée en France et en Italie, en faisait un mets particulièrement coûteux et raffiné.

– Très troublant, n'est-ce pas ? gloussa Victor. Je n'ai malheureusement pas encore identifié ce que monsieur le programmeur voulait nous dire avec ça. En revanche, je ne doute pas un instant qu'il veuille nous dire quelque chose. J'ai fait une autre découverte qui va te plaire, ajouta-t-il en tapant dans ses mains comme un enfant devant le sapin de Noël.

Il posa ses doigts ornés de têtes de mort sur le clavier, puis sembla se raviser :

– Non, d'abord je vais te demander un truc. As-tu assisté à l'un de ces fameux combats dans les arènes ? Il y en a un qui est programmé pour demain soir, et tous les héros sont tellement excités à cette perspective qu'ils en font presque pipi dans leur cotte de mailles.

– Oui, je n'y ai participé qu'une fois. C'est un grand moment, sacrément palpitant, tu verras !

– Magnifique. Tu as certainement dû t'inscrire pour ça, non ? Dis-moi auprès de qui.

Il adorait les énigmes, c'était manifeste.

– La deuxième fois, c'était directement dans l'arène, auprès du maître de cérémonie. La première, auprès d'un soldat quelconque dans la taverne d'Atropos.

Le sourire de Victor fit place à une expression de stupeur comique :

– Tu as dit Atropos ?

– Oui. Et alors ?

– Où va le monde ? Je vous le demande ! se lamenta-t-il en singeant le désespoir. De nos jours, les enfants n'apprennent plus rien à l'école ! Dis-moi au moins si tu as remarqué quelque chose de particulier chez ce maître de cérémonie.

– Il faisait tache dans le jeu. Il ne ressemblait pas aux autres. Il avait quelque chose de faux, d'artificiel. Je l'avais surnommé « Mr Gros-Yeux ».

Victor se régalait visiblement :

– Très joli, très adapté. Mais tu n'as pas eu l'impression de le connaître, ton Mr Gros-Yeux ?

Et, ce disant, il roulait des yeux exorbités pour mimer la ressemblance avec le maître de cérémonie.

– Non. Désolé.

– Alors regarde là !

Il tapa une adresse dans le moteur de recherche et la page d'accueil des musées du Vatican s'afficha. Deux clics plus tard, il tourna le notebook vers son interlocuteur pour qu'il puisse mieux voir l'écran :

– Le voilà, ton Mr Gros-Yeux ! Peint par Michel-Ange en personne.

Il fallut quelques instants à Nick pour se repérer. Le jeune homme lui montrait un tableau immense sur lequel s'agitaient des centaines de personnages. Au centre, il identifiait Jésus et Marie, entourés de créatures à moitié nues assises ou posées sur des nuages. En dessous, des anges soufflaient dans leurs trompettes, tandis que d'autres entraînaient des hommes vers le ciel. Dans la partie inférieure, des créatures rampaient et se tordaient dans la boue. Et Nick l'aperçut. La copie conforme du maître de cérémonie qu'il avait rencontré dans Erebos. Nu, à l'exception de son espèce de pagne. Avec ses drôles de touffes de cheveux sur la tête et son long bâton qu'il brandissait comme s'il allait frapper les gens qui étaient dans son bateau.

– Oui, c'est lui ! s'exclama-t-il, au comble de l'excitation.

– Sais-tu comment il s'appelle ?

– Non.

Victor se redressa, l'air important :

– Il s'agit de Charon. Dans la mythologie grecque, c'est le passeur qui transporte les défunts au royaume des morts en leur faisant traverser le fleuve Styx.

En regardant l'image de plus près, Nick ne put réprimer un frisson. Charon *frappait* les morts plus qu'il ne les convoyait.

– Ça t'intéressera peut-être aussi de savoir qui sont les parents de ton Mr Gros-Yeux. Charon est le fils de Nyx, la déesse de la Nuit... et d'Erebos.

Pour Nick, tout ça était vertigineux :

– Et qu'est-ce que ça signifie ?

– Difficile à dire. Mais peut-être que nous y verrons plus clair en jetant un coup d'œil au nom du chef-d'œuvre de Michel Ange. Regarde !

Il pointa le curseur de la souris sous la photo :

« Michel-Ange

*Le Jugement dernier*

Chapelle Sixtine »

– Lors du Jugement dernier, Dieu départage les élus et les réprouvés. C'est pas très joli à voir. Je me demande si ce n'est pas exactement ce que fait le jeu. S'il ne procède pas lui aussi à une sélection. Sinon, pourquoi éliminerait-il de façon aussi impitoyable ceux qui échouent dans leur mission ?

– C'est pas un peu délirant ?

Victor zooma sur l'image de manière à pouvoir scruter de près les traits du visage de Charon.

– C'est fort possible. Mais ce qui est certain, c'est que tout est pensé dans le moindre détail. Qu'as-tu dit tout à l'heure ? Que la boutique dans laquelle tu t'étais inscrit pour la grande baston dans l'arène s'appelait la Taverne d'Atropos ?

– En réalité, elle s'appelait « À la dernière coupe ».

– Oh, pauvre enfant ! Pauvre enfant aveugle ! s'exclama-t-il d'un ton théâtral, avant de taper à nouveau quelques lettres. Regarde donc : Atropos est l'une des trois Moires[1], les divinités grecques du Destin. Elle est la plus âgée et la moins sympathique : sa vocation consiste à couper le fil de la vie des hommes. La dernière coupe.

Il referma le notebook en soupirant :

– Le jeu nous donne des indications très précises. Premièrement : le programmeur a un faible pour la mythologie grecque. Deuxièmement : tous les symboles qu'il utilise ont un lien avec la ruine et la mort. Le tout combiné avec ce programme génial

---

1. NdT : Ou Parques dans la mythologie romaine.

et l'addiction qu'il crée… aïe, aïe, aïe ! Ce jeu, c'est un cocktail détonant ! Je serais moins inquiet si j'étais assis sur un tonneau de dynamite.

Pour autant, Victor n'avait pas l'air très angoissé. Il semblait même profondément réjoui. Il se resservit une pleine tasse de thé et s'enfonça dans son siège.

– Tout ça, c'est très bien, mais qu'est-ce qu'on fait maintenant qu'on sait ça ?

– Déjà, on se félicite d'être aussi malins. Et on cherche d'autres indices. Tôt ou tard, on en trouvera un avec lequel on pourra faire quelque chose.

Nick passa la demi-heure qui suivit à regarder Speedy devenir Quox, le barbare. Victor lui avait donné un bloc et un stylo pour qu'il puisse noter tous les détails qu'il découvrirait dans la tour. Les plaques étaient en cuivre : cela avait-il une signification ? Il écrivit chaque phrase prononcée par le gnome à la recherche de messages cachés. Kate l'aidait : elle attira son attention sur des rayures et des entailles dans le mur. Nick les reproduisit sur une feuille. Peut-être qu'une image, un plan, un nom s'y trouvait caché ? Quelque chose.

Victor avait repris place devant son ordinateur et il promenait Squamato, l'épée à la main, à travers un paysage de lande désolée. Tous les dix mètres, des vipères de la taille d'un homme surgissaient du sol. Elles essayaient de le mordre, avant de disparaître sous terre. Mais il semblait disposer d'un sixième sens : il esquivait toujours et parvint à ne pas se faire mordre une seule fois.

Pendant ce temps, Hemera se tenait près d'un feu de camp en compagnie de quatre autres guerriers – dont Nurax –, avec lesquels elle discutait du prochain combat d'arène. Nurax expliqua qu'il s'était fixé pour objectif de progresser de deux niveaux au moins et que, si tout se passait comme il l'avait prévu, il tenterait même de gagner une place au sein du Cercle Intérieur.

Emily commençait à s'agiter sur sa chaise. Nick comprit que ça la rendait nerveuse de le sentir derrière elle. Il se retira dans la pièce voisine avec ses notes, s'assit sur le canapé avec les roses et les voiliers et ouvrit le portable que Victor avait décrit comme propre. L'idée que son ordinateur personnel puisse ne plus l'être le perturbait.

Puisque cet ordinateur n'était pas surveillé par Erebos, que se passerait-il si Nick cherchait le jeu sur Google ?

Il trouva le même lien qui lui avait lancé un avertissement personnel. Il recliqua dessus : le texte qui apparut alors n'était plus le même.

> « Joie[1] ! Belle étincelle des dieux
> Fille de l'Élysée,
> Nous entrons l'âme enivrée
> Dans ton temple glorieux.
> Tes charmes lient à nouveau
> Ce que la mode en vain détruit ;
> Tous les hommes deviennent frères
> Là où tes douces ailes reposent. »

Nick ferma la page. Il connaissait ces paroles : elles avaient été mises en musique sur une symphonie de Beethoven. Dans le contexte actuel, le texte n'avait aucun sens. Il s'agissait sans doute juste de faire du remplissage, au cas où des non-joueurs viendraient à s'égarer par là. Peu importait. Il fallait continuer les recherches.

Nick retourna sur Google et tapa « plaque de cuivre ». Il trouva une tripotée de vendeurs qui en fabriquaient. La formule avait aussi un rapport avec l'impression d'illustrations dans les livres anciens. Encore un coup d'épée dans l'eau, vraisemblablement.

---

1. Traduction du poème de Schiller qui a été mis en musique dans la 9e symphonie de Beethoven. Il existe une autre version française, communément chantée, de l'Ode à la joie : « Que la joie qui nous appelle nous accueille en sa clarté / Que s'éveille sous son aile l'allégresse et la beauté ; / Plus de haine sur la terre, que renaisse le bonheur ! / Tous les hommes sont des frères quand la joie unit les cœurs. »

Il essaya ensuite la combinaison de « serpents » et de « mythologie grecque ». Il obtint l'hydre à neuf têtes – mais les vipères de Victor n'en avaient qu'une. Il y en avait un aussi qui entourait le bâton d'Esculape et un autre qui veillait sur l'oracle de Delphes. Mais aucun reptile qui jaillissait du sol. Encore raté !

Que chercher d'autre ? Nick jeta un coup d'œil par la porte entrouverte. Ils étaient tous plongés dans leur jeu. Seule Kate s'activait dans la cuisine. Il la rejoignit pour voir s'il pouvait lui donner un coup de main. Mais elle venait à l'instant d'enfourner les deux plaques de pizza.

– Dis-moi, c'est quoi, le nom de famille de Victor ? demanda-t-il.

– Lansky, répondit Kate... Je déteste les fours des autres, reprit-elle en tournant le bouton du thermostat dans tous les sens. Mes pizzas en ressortent soit toutes molles, soit cramées. J'espère que tu n'as rien contre le jambon italien avec des tas d'oignons.

– Non. J'adore. Merci en tout cas.

Nick retourna s'asseoir sur son canapé et tapa « Victor Lansky » dans Google. Il en trouva un au Canada et un à Londres. Bingo ! Victor était loin d'être un inconnu dans le milieu des jeux vidéo. Il publiait même un petit magazine de jeux qui avait bonne réputation. Ah, et puis encore un truc : un certain Zobbolino écrivait sur sa page d'accueil qu'il était un bon pote du célèbre Victor Lansky.

> Victor et moi, on a gardé un max de bons souvenirs de l'époque où pas un mur, pas une rame de train n'était à l'abri de notre talent. *To spray or not to spray*, la question ne se posait jamais. Nous étions les dieux vivants du tag et s'ils ne nous avaient pas chopés, ce malheureux jour, nous continuerions de peindre Londres de toutes les couleurs.

Il relut ce texte plusieurs fois. Il était écrit noir sur blanc que Victor avait été un graffeur très actif et qu'il s'était fait pincer.

Erebos savait lire. En outre, il exigeait de chacun qu'il s'enregistre sous son vrai nom. Il y avait fort à parier qu'il faisait des recherches sur chaque novice. Waouh !

« Erebos tire ses informations d'Internet, nota-t-il. Nous ne l'avions pas envisagé jusque-là. De tout le réseau ? Il a sûrement accès au disque dur et consulte aussi les pages qu'on a visitées sur le web. C'est ça qui rend le jeu quasiment omniscient. »

Si ce qu'il venait d'écrire était vrai, il avait dû entrer aussi dans le programme MSN de son ordinateur et avait exploité ses échanges avec Finn. C'est pour ça qu'il était au courant pour le tee-shirt Hell Froze Over...

Nick aurait bien aimé partager ses réflexions avec Victor, mais Squamato se trouvait en pleine action, occupé à escalader un mur gigantesque dont il risquait de tomber à chaque instant. Il avait du mal à contrôler son impatience. Il ingurgita d'abord deux tasses de thé, devenu glacé entre-temps. La troisième, il la renversa en attrapant le bloc pour relire ses notes.

– Merde !

Il évacua l'ordinateur portable plus cinq kilos de magazines informatiques et ses papiers, qui avaient sérieusement souffert.

– Oh ! On dirait qu'on a des problèmes ici aussi ?

Emily se tenait dans l'entrebâillement de la porte et le fixait de ses yeux rougis.

– Oui, je suis décidément d'une maladresse affligeante ! Attends, je vais chercher un torchon.

Nick se précipita à la cuisine et revint en courant avec un rouleau de papier absorbant. Pendant ce temps, la jeune fille s'employait à empêcher le thé de dégouliner sur le sol avec des mouchoirs en papier.

– Comment va Hemera ? demanda-t-il tout en essuyant avec la dernière énergie.

– Elle a une blessure au ventre et une autre à la jambe. Le sifflement qui sortait du casque était presque insupportable.

Elle s'affala sur un autre canapé et poussa un énorme bâillement.

– Il me faut un café de toute urgence, et Victor n'en a pas. J'ai encore une mission à accomplir aujourd'hui. Heureusement, rien de méchant. Mais c'est quand même un truc qui ne me plaît pas.

Elle bâilla de nouveau.

– Je fais un saut au Starbucks et je te rapporte un café, proposa-t-il.

– C'est bien trop loin. Attends, je viens avec toi. J'ai besoin d'air frais de toute façon. Et d'une cabine téléphonique.

– Pour ta mission ?

Elle acquiesça :

– Par chance, n'importe quelle cabine téléphonique. Ça veut dire que je ne suis pas obligée de traverser tout Londres.

Par précaution, Nick s'était déjà assuré que la voie était libre en regardant par la fenêtre. Dans l'obscurité, il n'avait rien vu de suspect. Une fois sur le perron, il inspecta à nouveau soigneusement les environs.

– Si quelqu'un nous espionne, le moins qu'on puisse dire est qu'il se cache bien.

Ils prirent Cromer Street et bifurquèrent dans Gray's Inn Road. La rue était vide à cette heure de la journée. Emily se retournait dès qu'ils croisaient des groupes de jeunes. Ils pressèrent le pas, peu rassurés. Ils parvinrent enfin à la gare de King's Cross et en vue des premières cabines téléphoniques. Emily s'arrêta avant de les atteindre.

– Je n'y arriverai pas, constata-t-elle simplement.

– Tu n'arriveras pas à quoi ?

– Passer un coup de fil de menace.

Elle leva vers Nick des yeux implorants, comme s'il pouvait trouver une solution à son dilemme :

– Je ne peux même pas essayer d'adoucir un peu la tonalité du message. On m'a imposé le texte.

– Oh, je comprends, c'est très désagréable, commenta Nick, conscient de la platitude de sa réponse. Mais considère ça comme un exercice. Tu ne le penses pas pour de bon. Tu le fais dans le but de neutraliser Erebos.

– Sauf que ma victime ne le sait pas, murmura-t-elle.

– Pense à Victor et à sa citation de Confucius.

– Mon message n'est malheureusement pas de Confucius. Loin de là.

Le visage empreint de colère, elle se dirigea vers la première cabine.

– Allez, j'y vais ! Je me débarrasse de cette corvée, murmura-t-elle en sortant de son sac à main quelques pièces de monnaie, son smartphone et un papier.

– Pourquoi l'iPhone ?

– Je dois enregistrer la conversation et la télécharger. Comme si c'était pas assez pénible comme ça !

Nick la regarda composer le numéro avec une grimace de désespoir, déclencher la fonction dictaphone de son appareil et le tenir contre l'écouteur. Dès que la tonalité retentit, elle ferma les yeux. Il entendit quelqu'un décrocher.

– Ce n'est pas terminé, prononça-t-elle d'une voix d'outre-tombe. Vous ne serez plus jamais tranquille. Il n'a rien oublié. Il n'a rien pardonné. Vous ne vous en tirerez pas comme ça.

– Qui est là ? hurla une voix d'homme à l'autre bout de la ligne. Je vais lancer la police à vos trousses, bande de criminels !

Puis plus rien, si ce n'est un lointain « Bordel ! » et la tonalité « occupé ». Elle reposa le combiné d'une main tremblante.

– Je crois que je vais vomir, dit-elle d'une voix blanche. C'est immonde ! Je ne referai plus jamais ça. Il me faut vraiment un café maintenant.

Ils trouvèrent un coin tranquille dans le Starbucks de Pentonville Road. La jeune fille commanda un double cappuccino. Il fit comme elle et prit en plus deux muffins aux pépites de chocolat, heureux qu'elle veuille bien se laisser inviter.

– Comment tu connais Victor ? demanda-t-il au bout d'un moment.

– C'était un ami de Jack, répondit-elle avec un petit sourire songeur. Naturellement, Victor dit qu'il *est* un ami de Jack, que c'est pas une petite noyade comme ça qui va détruire une vraie amitié.

Avant d'avoir réalisé ce qu'il faisait, Nick posa la main sur celle d'Emily. Elle ne la retira pas. Au contraire, elle enchevêtra ses doigts dans les siens.

– Il m'a beaucoup aidée. Il m'a adoptée comme petite sœur.

– Il est génial, approuva le garçon, qui le pensait sincèrement.

Il était incapable d'en dire plus. D'une seconde à l'autre, il allait décoller et se mettre à planer. Pour masquer sa gêne, il plongea le nez dans sa tasse et sirota son café, devenu enfin buvable.

– On va avoir des ennuis avec Kate, finit-il par suggérer. On se bourre de muffins et elle a fait de la pizza.

– T'inquiète pas. J'adore mélanger les muffins et la pizza. Mais nous devrions tout de même songer à rentrer. Primo parce que l'endroit n'est pas très sûr et deuxio parce que je veux chercher le numéro de ma victime sur Google.

Une fois dehors, elle prit tout naturellement la main de Nick. Le quartier n'était pas le décor rêvé pour une promenade romantique, mais, pour lui, celle-ci aurait pu durer toute la nuit.

Quand ils arrivèrent dans l'appartement, il ne restait plus que des fragments de pizza.

Kate leva les bras au ciel dans un geste d'impuissance et s'excusa :

– C'est Victor. Il dit qu'un génie a besoin de nourriture. De tonnes de nourriture. Il y a encore une demi-pizza. Je pourrais aussi vous faire cuire des pâtes.

Ils refusèrent d'un signe de la main, prirent la part de pizza et ouvrirent un sachet de cacahuètes. Le canapé aux voiliers était devenu le plus bel endroit de la terre. Nick ouvrit l'ordinateur portable et tapa dans le moteur de recherche le numéro qu'Emily lui dicta.

– Pas de réponse. Malheureusement.

– Je m'y attendais, répondit-elle. Numéro caché. Certainement sur liste rouge. C'est dommage qu'il ait juste répondu « allô », qu'il n'ait pas donné son nom.

Le mot « caché » toucha une corde sensible chez Nick : il y avait quelque chose qu'il devait dire à Emily. Maintenant. Pourvu que son sourire ne s'efface pas.

– Je voulais t'avouer un truc. Ça fait déjà plusieurs mois que je regarde ton blog sur *artManiak*. Tes poèmes aussi. Ils sont magnifiques. Comme tes dessins.

Elle eut l'air interloqué :

– Comment tu sais que c'est mon blog ?

– Quelqu'un a lâché le morceau, une fois. Ne m'en veux pas. Il ne faut pas que tu sois gênée.

Elle regarda ailleurs :

– Dommage.

– Pourquoi dommage ?

– Parce que j'aurais bien aimé te montrer les choses moi-même. Une fois.

Elle posa la tête contre son épaule et bâilla. Le garçon, au septième ciel, venait seulement de remarquer la présence de Victor dans l'embrasure de la porte.

– Autour du feu de camp, c'est l'heure des câlins chez les guerriers, commenta-t-il. Alors, je me suis dit que j'allais venir voir comment vous alliez. Mais il semblerait qu'il y ait aussi du câlin dans l'air, ici. Hum, hum !

Il s'affala sur le canapé en face d'eux. Emily lui fit un compte rendu de sa mission.

– J'ai proféré des menaces à l'encontre d'un complet inconnu. Je me demande ce qu'il peut bien penser en ce moment. Selon toute vraisemblance, il n'a pas la moindre idée de ce dont il s'agissait.

– Que devais-tu dire exactement ? Tu t'en souviens ?

Emily tendit le papier à Victor.

– « Ce n'est pas terminé. Vous ne serez plus jamais tranquille. Il n'a rien oublié. Il n'a rien pardonné. Vous ne vous en tirerez pas comme ça », lut Victor, la voix vibrante d'excitation. C'est fou ! Bon, je résume : un certain « il » est très fâché contre ton interlocuteur. Je parie qu'il aimerait bien l'expédier dans le bateau de Charon ou voir Atropos couper le fil de sa vie.

Elle eut l'air déconcerté. Ce qui donna à leur ami une nouvelle occasion d'étaler sa culture.

– Ce numéro de téléphone n'appartient sans doute pas à mon propriétaire de garage, sinon il aurait eu droit à un avertissement en des termes plus aimables.

Il regarda s'il restait du thé dans la théière et eut l'air déconfit de ne pas en trouver.

– Si vous me posez la question, reprit-il, je dirai qu'Erebos n'a qu'un seul objectif : se venger de quelqu'un. D'Ortolan, notre bel oiseau.

– Des garages tagués et des coups de fil douteux. C'est pas vraiment ce que j'appelle une vengeance, observa Nick.

– Je serais très étonné si on en restait là, répondit Victor. Je crois me rappeler que tu as parlé d'un pistolet dans une boîte de cigares.

Il frissonna à cette évocation :

– Tu penses qu'Erebos veut que nous abattions quelqu'un avec ce pistolet ?

– Tout à fait possible. Si je ne m'abuse, le jeu est en train de constituer une troupe d'élite pour mener des missions spéciales, continua l'enquêteur en chef avec un petit sourire sans joie. Ce serait bien de savoir qui sont les membres du Cercle Intérieur.

Pendant la demi-heure qui suivit, Nick tourna et retourna la question du Cercle Intérieur dans sa tête. Une troupe d'élite. Un commando vengeur. Mais dans quel but ?

Lorsque Victor fut reparti jouer, Nick et Emily allèrent dans la cuisine pour refaire du thé.

– Tu vas bientôt recommencer, hein ? demanda-t-il. Maintenant que tu t'es acquittée de ta corvée ?

– Ça attendra demain. Je veux participer au combat dans l'arène. Peut-être que j'y apprendrai des choses. C'est trop bête qu'on ne sache pas qui se cache derrière les personnages.

Elle versa de l'eau bouillante sur les précieuses feuilles de thé.

– Tu sais qu'il y en a un dans le jeu qui te ressemble trait pour trait ?

– Je sais. Ça m'a toujours gêné, mais qu'est-ce que je pouvais faire ?

– À chaque fois, je suis contente de le voir, répliqua Emily en souriant.

Lorsqu'ils regagnèrent la pièce aux canapés, il lui parla de Sarius :

– Si tu avais vu comme il était cool ! Il maniait son épée avec une rapidité incroyable et il courait super vite. À partir du niveau cinq, je les laissais tous sur place.

– Pourquoi tu t'es fait éjecter ?

– À cause de Mr Watson et de sa bouteille Thermos.

Nick lui décrivit sa mission en détail, expliquant qu'il avait bien failli l'exécuter.

– Il s'en est fallu de peu, conclut-il. J'étais drôlement tenté de le faire.

Emily frissonna.

– C'est terrifiant : le jeu ne recule devant rien pour se protéger contre ses opposants. Tu crois que l'histoire entre Aisha et Eric a été montée de la même façon ?

Nick la regarda de côté, mais ne lut rien d'autre qu'un intérêt sincère sur son visage.

– C'est bien possible. C'est même extrêmement vraisemblable.

– Nous devons être prudents, Nick. Surtout toi. Colin a lâché une remarque à ton sujet récemment : « Il est temps de couper le sifflet à Nick. » C'était juste après votre bagarre à la cafétéria. Méfie-toi de lui !

*Mouais, Colin est surtout fort quand il s'agit d'ouvrir sa grande gueule.*

Il remplit la tasse de Victor et la lui porta devant l'ordinateur. Squamato était en train de discuter avec Beroxar des mérites comparés des haches et des épées.

Beroxar. Nick attrapa un stylo et un bout de papier. « Beroxar faisait partie du Cercle Intérieur, avant de s'en faire sortir par BloodWork », écrivit-il.

Le joueur leva le pouce de la main droite en signe de remerciement.

La soirée s'achevait ; l'heure de dormir approchait. Emily sortit ses affaires de son sac à dos et s'enveloppa dans son sac de couchage. Ils passèrent en revue les gens du lycée, essayant de deviner quel élève se cachait derrière quel personnage. Mais ils n'arrivèrent pas à se mettre d'accord.

Peu après minuit, leur ami fit irruption dans la pièce :

– Ça suffit pour aujourd'hui ! Je suis lessivé. L'un de vous a encore quelque chose à manger ?

Emily sortit une tablette de chocolat praliné de son sac et la lui tendit. Il en préleva la moitié en s'excusant du regard.

– Il se trame un truc énorme, dit-il en mâchant. Des gnomes à tout bout de champ. Tous parlent d'une grande bataille et du temps de la probation qui est imminent.

– Je parie que la lutte pour les places dans le Cercle Intérieur va être sanglante, demain, ajouta Nick. J'avais l'intention de tenter ma chance lors du dernier combat dans l'arène, avant de me faire virer. Le Messager m'avait promis qu'il m'indiquerait le guerrier le plus faible parmi les élus. Il l'aurait fait sans doute si... j'avais accompli la mission qu'il m'avait confiée.

– Très juste ! approuva Victor d'un air sentencieux. Il t'aurait donné des tuyaux pour t'avoir dans le Cercle Intérieur. Question : Pourquoi serait-il censé te vouloir à ses côtés ? Réponse : Parce que tu aurais prouvé que tu étais prêt à passer sur des cadavres pour Erebos. Ou à aller en prison.

Les deux autres échangèrent un regard. Quelqu'un l'avait fait et Jamie avait failli y laisser la peau. Ce quelqu'un paraderait-il le lendemain sur le bouclier doré ?

– Il n'en faut pas beaucoup pour avoir envie de tuer un prof, murmura Victor en s'emparant du reste du chocolat. Ça m'est arrivé plus d'une fois, sans avoir besoin des encouragements d'un Messager.

Puis vint le moment où Victor se retira dans sa chambre et où Speedy cessa de jouer pour s'installer, avec Kate, sur un matelas pneumatique dans la pièce des ordinateurs.

Ensuite Nick et Emily poussèrent deux des canapés l'un contre l'autre pour former un grand lit, où les accoudoirs et les dossiers les protégeaient contre le reste du monde.

– Bonne nuit, chuchota la jeune fille en posant sur les lèvres du garçon un baiser infiniment doux. Bonne nuit, corbeau !

Elle lui caressait tendrement la nuque de ses doigts. Puis elle cala la tête contre son épaule et ferma les yeux. Il sentait ses cheveux qui lui chatouillaient le cou et entendit bientôt sa respiration devenir plus calme et plus lente. Il aurait voulu rester couché là éternellement. Il aurait voulu arrêter la course du monde.

# CHAPITRE 28

Toasts, confiture d'orange et thé. Le lendemain matin, Victor leur servit le petit déjeuner au lit.

– Il faut prendre des forces pour le grand combat.

Emily le remercia en bâillant. Nick ne bougea pas, tétanisé par son bras engourdi et par la vision du peignoir Snoopy dont le jeune homme était affublé.

Il vécut les jeux de l'arène comme dans une transe. Il changeait constamment de poste d'observation, passant d'Emily à Victor, puis à Speedy, chacun d'eux appartenant à une race différente. Chez les humains, il y avait toujours aussi peu de monde. LordNick attendait dans la même salle qu'Hemera, et Emily lança à Nick un clin d'œil appuyé.

Les barbares, en revanche, étaient nombreux. Quox semblait être le plus faible du groupe avec son niveau un, mais il n'y avait pas de souci à se faire pour lui, compte tenu des talents de Speedy.

Il en allait de même pour Victor et Squamato. L'homme-lézard n'était qu'au niveau trois en pénétrant dans l'arène, cependant il la quitterait sans doute avec quelques niveaux de plus.

Mr Gros-Yeux fit son apparition. Maintenant que le garçon connaissait son origine, il trouvait le maître de cérémonie encore plus inquiétant. L'envoyé du monde souterrain.

Mais ce qu'il guettait avec le plus d'impatience, c'était l'arrivée du Cercle Intérieur. Il retint son souffle lorsque le bouclier doré fut porté sur la piste.

BloodWork, qui en faisait encore partie, semblait plus gigantesque que jamais. Nick reconnut l'elfe noire Wyrdana, déjà croisée lors des dernières joutes d'arène. Il y avait aussi un autre barbare du nom d'Harkul, un loup-garou appelé Telkorick et... Drizzel ! Drizzel avait donc réussi ! Étonné, mais pas entièrement surpris, Nick vit sauter sur sa poitrine le symbole rouge et rond accroché à une chaîne.

Avant le début des jeux, le maître de cérémonie s'avança au centre de l'arène.

– Admirez les guerriers du Cercle Intérieur. Il est encore temps pour vous de prendre leur place si vous faites vos preuves et si vous voulez être initiés aux secrets les plus profonds d'Erebos. Aujourd'hui, certains vont triompher, d'autres vont mordre la poussière. Que les combats commencent !

Nick avait oublié que tout allait aussi vite. Un combattant chassait l'autre, chacun choisissant son adversaire. Bientôt ce fut au tour de Quox, que défia un autre barbare, comme lui au niveau un. Speedy travaillait vite et avec précision : il vainquit l'autre en deux temps, trois mouvements.

Hemera sortit victorieuse, mais blessée, d'un duel avec une femme loup-garou. Emily souffrait visiblement du bruit qui filtrait par son casque.

Quant à Squamato, il dut patienter longtemps, et son combat s'avéra long et difficile, car il avait choisi un adversaire trop fort. Il gagna de justesse.

En dépit de ses efforts, le garçon ne parvenait pas à décrypter de nouveaux messages dans les événements qui se déroulaient sous ses yeux, qu'il s'agisse des combats, des paroles de Mr Gros-Yeux ou des visages des spectateurs. Il ne découvrit aucune figure extraordinaire susceptible de faire l'objet d'une recherche dans un tableau. Les jeux d'arène étaient une boucherie ordinaire, ni plus ni moins. Ils n'apporteraient aucune révélation.

En fin d'après-midi, quand tous les affrontements furent terminés, Nick et Emily rassemblèrent leurs affaires et s'apprêtèrent à repartir. Hemera avait atteint le niveau six, Victor, le sept. Speedy avait gagné trois niveaux et il était déjà au quatre, sans avoir dû accomplir la moindre mission.

– Nous sommes bloqués, constata Victor en raccompagnant ses amis à la porte. Certes, nous nous débrouillons bien dans le jeu, mais nous ne comprenons toujours pas les tenants et les aboutissants de cette histoire. Si j'avais plus de temps, je tenterais une intrusion dans le Cercle Intérieur. Mais je crains que cette dernière bataille dont tous parlent ne soit imminente.

Pendant le trajet du retour, le garçon ne parvenait pas à quitter son amie des yeux.

– Qu'est-ce qui va se passer demain ? Est-ce que... Est-ce qu'on se reverra quand on sera au lycée ? On ira manger ensemble à la cafétéria, le midi ? Ou on va continuer à faire comme si de rien n'était ? Comme si on ne se connaissait pas ?

Elle prit sa main :

– Ce sera plutôt la deuxième option, j'en ai bien peur. Mais seulement jusqu'à ce que toute cette histoire soit terminée. Ce sera notre couverture, O.K. ?

– D'accord. Tu me tiendras au courant par SMS ? Je pense qu'on est à peu près en sécurité avec les téléphones mobiles, dès lors que personne d'autre ne met la main dessus.

– Entendu. Et, mercredi après-midi, on se retrouve chez Victor.

Bien qu'ils se soient concertés et que Nick s'y soit préparé, l'indifférence qu'Emily afficha à son égard lui fit mal. Il en souffrait d'autant plus qu'elle se montrait particulièrement enjouée avec d'autres, notamment Colin, Alex, Dan, Aisha et même Helen. Elle sautait au cou du premier et passait les récréations avec la jeune Turque. Nick en était malade. Une fois, il vit Eric lui adresser la parole : elle le planta là au bout de deux phrases. Il n'était pas mieux traité que lui. C'était déjà ça.

Dans l'heure de permanence qui suivit le cours de maths, Brynne fit irruption au milieu des ruminations de Nick :

– Je peux te parler en vitesse ?

Devant son visage pâle et chiffonné et ses yeux plein d'espoir, il soupira intérieurement.

– D'accord.

– J'ai arrêté, chuchota-t-elle.

La surprise était tout de même de taille.

– Pourquoi ?

– Parce que c'est... mal. Je crois. Et... ça me poursuit nuit et jour, bredouilla-t-elle en regardant ailleurs. Tu n'es plus dedans non plus, n'est-ce pas ?

Il n'avait aucune envie d'en parler avec elle.

– Quelle différence ça fait ?

– Une différence énorme. Nous pourrions aller trouver Mr Watson ensemble et lui parler de ce que nous avons vécu. Je sais que ça l'intéresserait. Nous pourrions lancer une contre-offensive.

Oh non, pas ça ! Brynne et Nick contre le reste du monde. Il n'en était pas question !

– Cherche-toi quelqu'un d'autre. Il y a suffisamment d'anciens joueurs.

Du coin de l'œil, il voyait Dan approcher et ralentir le pas. Il sentait l'attention se concentrer sur eux.

– Qu'est-ce que tu veux dire à Watson ? murmura Nick. Ça fait belle lurette qu'il sait qu'Erebos est responsable des incidents qui se sont produits au lycée. Ce qu'il lui faudrait, c'est le nom des gens qui ont fait des conneries. Si tu les as, va le voir. Mais ne me mêle pas à cette affaire !

Maintenant, elle avait l'air perdu.

– Je ne supporte plus tout ça.

– Quoi donc ? Tu en es sortie. Tout est bien qui finit bien !

Dan s'était arrêté discrètement à moins de trois mètres et il était absorbé dans la lecture du panneau d'affichage de la classe de ballet. Nick devait absolument s'éloigner. Il n'avait aucune envie de devenir une cible. Moins il se ferait remarquer, mieux ça vaudrait pour leur petite équipe d'enquêteurs.

Brynne ne voulut pas se satisfaire aussi simplement de son refus.

– Nicky serait-il un froussard, par hasard ? clama-t-elle si fort que Dan dut forcément l'entendre.

Ainsi que tous les élèves à l'autre bout du couloir.

– Va te faire voir ! lui lança-t-il avant de la planter là.

– C'est bon ! lui cria-t-elle. Alors, je me débrouillerai seule ! J'y arriverai ! Je vous défie tous.

Malgré lui, Nick se retourna et revint sur ses pas.

– Ne crie pas comme ça ! Tu tiens absolument à t'attirer des ennuis ?

Elle rit, mais son rire était glaçant. Comme si elle était en train de devenir folle.

– Des ennuis ? Nicky, tu n'as pas idée. Tu es complètement à côté de la plaque ! De toute façon, ça ne peut pas être pire.

Tout le reste de la journée, Nick déambula dans les couloirs, la tête rentrée dans les épaules, dans l'attente de la catastrophe qui n'allait pas manquer de s'abattre sur lui. Pourtant, il ne se passa rien. C'était même plus calme que d'habitude. La fatigue pesait sur le lycée comme un éteignoir.

En cours d'anglais, Mr Watson arriva avec une bonne nouvelle :

– L'état de Jamie s'est suffisamment amélioré pour que les médecins envisagent de le réveiller dans les jours à venir. Ils ne savent néanmoins pas encore comment il se portera quand il sera sorti du coma artificiel. Inutile donc de vous précipiter pour lui rendre visite.

Cette information détendit l'atmosphère pendant un court instant. Quant à Nick, elle le laissa bizarrement de marbre. Même s'il n'avait pas été prononcé, le mot « handicap » restait trop profondément inscrit en lui pour qu'il se réjouisse vraiment.

*S'ils réveillent Jamie et qu'il ne parle plus ? Qu'il ne me reconnaisse plus ? Qu'il ne parle plus ? Qu'il ne plaisante plus ?*

Nick se frotta le visage des deux mains jusqu'à ce qu'il soit en feu. Ça n'arriverait pas. Point final.

L'après-midi, il attendit chez lui, les yeux rivés sur son téléphone. Victor avait dit qu'il lui enverrait un SMS, Emily aussi. Pourquoi personne n'appelait ? C'était trop bête qu'ils n'aient pas rendez-vous ce jour. Il n'aurait pas la patience d'attendre jusqu'à mercredi.

La matinée du mardi fut aussi grise et morose que le lundi. Nick avait l'impression que le temps avait cessé de s'écouler, comme s'il était figé en une masse compacte. Cette impression s'effaça quand, peu avant midi, un SMS arriva sur son portable :

Alerte rouge ! Avons besoin de ton avis. Viens dès que tu peux. Victor

Nick n'irait pas en cours l'après-midi. « Dès que tu peux », ça signifiait : maintenant si possible. Il partirait avant le déjeuner. Fallait-il en informer Emily ? Il la chercha et la trouva dans le foyer, où elle tapait fébrilement sur les touches de son téléphone. Pour une fois, elle était seule. Il prit le risque d'échanger en vitesse quelques mots avec elle.

– T'as reçu aussi un SMS de Victor ?

– Oui.

– Tu sais ce qui s'est passé ?

– Non.

– J'y vais. Tout de suite.

– O.K.

– Tu viens, après ?

– J'sais pas encore. Peut-être.

Victor ouvrit la porte. Son visage avait perdu sa gaieté coutumière. Il ne lui proposa même pas de thé.

– Je vais te montrer un truc et j'espère que ça ne va pas te mettre dans tous tes états. C'est possible que ce soit un mensonge, tu sais. Mais Speedy et moi, nous sommes perplexes.

Ils s'assirent tous les trois dans la pièce aux canapés, où Nick se sentit à nouveau submergé par les merveilleux souvenirs du week-end.

– Qu'est-ce qui s'est passé ?

– Notre ami que voilà a reçu une mission. La nuit prochaine, il doit coller des affiches sur les murs de votre lycée. Au moins dix, et elles doivent être aussi grandes que possible.

Jusque-là, ça n'avait pas l'air insurmontable.

– Et alors ? demanda le garçon.

– Le problème, c'est le texte. C'est... Ah, je n'en sais rien. Dans le meilleur des cas, c'est de la diffamation. Dans le pire, c'est une affaire pour la police.

Le rouquin lui tendit une feuille pliée en quatre :

– C'est ce texte que je dois afficher. On ne me demande pas de le taguer, c'est déjà ça, ajouta-t-il avec un sourire douloureux.

Nick déplia le papier. Il lut sans comprendre. Il le relut.

– Tu crois que c'est vrai ? demanda Victor.

*Non. Ou si. Vraisemblablement. C'est pas impossible.* Il fixait le papier, dévoré par une rage mêlée d'impuissance.

« Brynne Farnham a saboté les freins du vélo de Jamie Cox. »

– Si ce truc est placardé sur les murs de votre bahut, cette fille est foutue, que ce soit elle ou pas. Avec Speedy, on discute depuis des heures pour savoir ce qu'il faut faire. S'il ne met pas les affiches, il se fait forcément jeter du jeu, c'est ça ?

Nick était sous le choc. Même ses lèvres étaient anesthésiées et se refusaient à former un « oui ». Brynne. C'était donc pour ça qu'elle était aussi perturbée ! C'était pour ça qu'elle était sortie du jeu. Il aurait voulu ne pas le savoir. Ne pas avoir à décider seul.

– Je vais appeler Emily. L'ennui, c'est qu'elle est encore en classe.

Il sortit son portable et tapa un SMS :

Appelle-moi, c'est urgent.

– Elle va rappeler dès qu'elle l'aura, je pense, reprit-il. T'aurais du thé pour moi ?

Victor fila dans la cuisine.

– Tu sais quoi ? J'ai recruté Kate comme novice, l'informa Speedy. Elle se débrouille bien. C'est une elfe noire, comme toi avant.

Nick se contenta d'esquisser un petit sourire. Il ne se sentait pas la force d'avoir une conversation maintenant. Les pensées se bousculaient si vite dans sa tête qu'il parvenait à peine à les suivre. Si c'était Brynne la coupable, elle méritait que tout le monde le sache, c'était sûr. Sauf qu'elle avait déjà l'air d'avoir complètement perdu la boule. Le lycée avait sept étages et soudain Nick se l'imaginait très bien en train de sauter...

Si Speedy ne menait pas à bien sa mission, il se faisait éjecter. Quox ou Brynne ? Brynne ou Quox ?

Il enfouit la tête dans ses mains. Pourquoi Emily n'était pas là ? Il ne voulait pas être seul responsable de ce qui adviendrait de la fille. Elle lui faisait de la peine. En même temps, il la détestait dès qu'il pensait à Jamie. Comment prendre une bonne décision, dans ces conditions ?

Victor revint avec un plateau chargé de tasses colorées et d'une théière fumante.

– La journée d'hier s'est avérée très instructive. Notre campement se situait à l'ombre d'un temple et nous avons eu droit à un défilé de gnomes qui passaient leur temps à nous dire de redoubler de vigilance parce que nous nous trouvions tout près de la forteresse d'Ortolan. Soudain, nous avons vu surgir des fourrés toutes sortes de créatures – des orcs, des zombies, des géants : bref, la panoplie complète. Elles se sont jetées sur nous et ont fait de sérieux dégâts dans nos troupes.

Il versa le thé dans les tasses ; son parfum se répandit dans la pièce.

– J'ai l'impression qu'on approche de la fin. Mais je n'arrive toujours pas à comprendre. C'est désespérant ! Demain, je vais essayer...

Le portable de Nick sonna. Il prit une profonde inspiration avant de décrocher. C'était Brynne.

– Salut, Nick. Tu as changé d'avis ?

– Non, répondit-il, mal à l'aise. Tu es où ?

– Dans le parc en face du lycée.

– Seule ?

– Oui.

– J'ai appris quelque chose dont je dois te parler.

– Oui, d'accord.

Entendait-elle la menace de catastrophe qui vibrait dans sa voix ? Ou ne se doutait-elle de rien ?

– C'est au sujet de Jamie. Je sais maintenant que son accident n'en était pas un. Quelqu'un a trafiqué son vélo. Dis-moi, Brynne, est-ce que c'était toi ?

Il y eut un long silence. Il l'entendait respirer difficilement à l'autre bout de la ligne.

– Quoi ? dit-elle finalement dans un souffle. Pourquoi... pourquoi moi ?

– Réponds-moi.

– Non ! Comment tu peux dire ça ? Moi... non.

Sa voix tremblait. Nick sentit la fureur monter en lui. Une fureur sans borne, impossible à contenir.

– Tu mens ! Je sais que tu mens !

– Non ! Comment tu peux le savoir ? Tu dis ça juste pour me démolir. Alors que, moi, je t'ai rien fait !

Il échangea un regard avec Victor, qui affichait un air de nounours malheureux.

– Au contraire. Je veux te mettre en garde. Il est fort possible que, demain matin, les murs du lycée soient couverts d'affiches sur lesquelles on pourra lire exactement ce que je viens de te dire : à savoir que c'est toi qui as saboté les freins de Jamie. Que c'est à cause de ça qu'il a eu un accident.

– Quoi ? répéta-t-elle dans un sanglot, malgré les efforts qu'elle faisait pour se retenir. Mais... mais... c'est pas... pas vrai !

– Si ! répliqua-t-il d'un ton assuré, étonné lui-même de sa soudaine certitude. Allez, crache le morceau ! De toute façon, demain, tout le monde sera au courant.

– Non ! C'est pas moi ! Comment... ? Pourquoi tu dis ça ?

La panique était palpable dans sa voix.

– C'est le jeu qui le dit, et personne n'est mieux placé pour le dire que le jeu. Il veut le révéler à la Terre entière.

Nick se demandait pourquoi il n'éprouvait aucun sentiment de triomphe. Où était la satisfaction qu'il escomptait de la confrontation avec le salopard responsable de l'état de son ami ? Il ne ressentait rien de tout ça. Seulement de la pitié et un peu de dégoût.

– Mais j'ai jamais voulu ça ! bredouilla-t-elle, en pleurant sans retenue. Au maximum, qu'il se prenne une gamelle, qu'il se torde le poignet, mais pas plus ! Pas ça...

Elle ne put continuer. Nick supposait qu'elle avait la même image que lui devant les yeux : Jamie gisant dans une mare de sang, ses membres désarticulés.

– Il a dévalé la rue à une telle vitesse. Je lui ai même crié quelque chose, mais il ne m'a pas entendu. Il a encore accéléré..., se souvint-il d'une voix blanche.

Il songea que c'était sa part à lui de responsabilité dans la catastrophe.

– Pourquoi tu l'as fait ? demanda-t-il, la gorge serrée.

– Tu me demandes pourquoi ? Allons, tu le sais bien ! Parce que le Messager le voulait. Il m'a décrit le vélo. M'a expliqué comment on démonte les freins. Il y avait même une notice avec des dessins, ajouta-t-elle avec un rire sans joie. Tu peux pas imaginer combien de fois, depuis, j'ai rêvé de pouvoir revenir en arrière, de faire que tout ça n'ait pas existé. Maintenant, j'ai peur tout le temps, nuit et jour. Chaque nuit, je rêve qu'il meurt, puis qu'il vient me rendre visite.

De nouveau, elle rit, d'un petit rire de gamine, haut perché, incontrôlé, qui lui donna la chair de poule.

Il consulta Speedy et Victor du regard.

– Écoute, dit-il. Peut-être que je peux empêcher les affiches.

Speedy acquiesça.

– Bien sûr, murmura-t-il. Quox va se récupérer une jolie place au cimetière. Un vrai héros se fait toujours un plaisir de se sacrifier pour une dame.

– Donc, continua Nick en se frottant le front, écoute-moi bien, d'accord ? Tu vas dire toute la vérité sur l'affaire. À la police ou à Mr Watson, comme tu voudras. Et surtout à Jamie, dès qu'il sera réveillé. Je pense que ce sera moins douloureux pour toi.

Elle se tut pendant un long moment. Puis sa réponse vint, à peine audible :

– Je ne sais pas si je pourrai. Il faut que je réfléchisse.

– Une chose est sûre, je révélerai à Jamie ce qui s'est passé.

*Si son cerveau est en état de me comprendre.*

– Oui, c'est clair, dit-elle d'une voix presque redevenue normale. Y a des gens qui arrivent, Rashid et Alex, je crois. Il vaut mieux que je te laisse. Nick ?

– Oui ?

– Je n'ai rien voulu de tout ça. Lorsque je t'ai donné le jeu, c'était juste pour te faire plaisir.

– Je sais.

– Tu me dis qui tu étais ? Quel personnage ?

– À quoi bon ?

– Juste comme ça. Je me le suis souvent demandé.

– Sarius.

– Ah bon ? C'est pas ce que je pensais, soupira-t-elle avec un sanglot dans la voix. Moi, j'étais la Fille d'Arwen.

Deux heures plus tard, Emily sonna à la porte. Elle avait l'air épuisée, pourtant elle sourit quand Nick passa le bras autour de son cou. Il lui fit un résumé de la situation. Il fut content de voir qu'elle approuvait sa démarche.

– Il n'est pas exclu qu'une autre personne soit chargée de coller les affiches, fit-elle remarquer. Mais, au moins, elle gagne du temps. Peut-être qu'elle aura l'intelligence d'aller vraiment au commissariat. Pour quelle raison le jeu veut-il la punir ?

– Elle a décidé de lutter contre Erebos et, hier, elle l'a crié sur tous les toits.

– Aïe, aïe, aïe ! Le moment est mal choisi. Il semblerait que quelque chose se prépare. Il y en a certains, comme Alex, qui n'arrêtent pas de parler de l'objectif suprême, qui serait très proche. Colin, en revanche, en rajoute dans le mystère. Je trouve la vie fatigante, en ce moment.

Nick, au contraire, la trouvait beaucoup plus belle depuis qu'Emily était revenue. Ils regardèrent Victor jouer encore pendant une heure, puis ils repartirent.

– Dites adieu à Quox, soupira Speedy. Il est voué à une fin prématurée. Quel malheur ! Un garçon si prometteur !

– Rendez-vous demain ici, c'est ça ? s'assura Nick à la porte.

– Dès que vous vous serez acquittés de vos obligations scolaires. Oncle Victor ne veut pas porter la responsabilité de te voir finir monsieur pipi sur une aire d'autoroute.

# Chapitre 29

Pas d'affiches, le jour suivant. Pas de Brynne non plus. Il n'était pas difficile de comprendre pourquoi elle préférait rester chez elle. Elle n'allait pas faire de connerie, tout de même ? Nick se demanda s'il devait l'appeler. Il décida de déléguer plutôt cette tâche à Mr Watson, auprès duquel ils se rendit à la récréation :

– Brynne Farnham ne va pas trop bien, ces derniers temps. Je voulais juste vous le signaler. Peut-être que ce serait bien que vous lui parliez.

– Tu m'en diras tant !

Le visage de Watson était grave, et même empreint d'une certaine dose de reproche, comme s'il savait que Nick ne disait qu'une partie de la vérité.

– Sa mère a téléphoné ce matin, ajouta-t-il. Elle sera absente cette semaine et toute la prochaine. Elle est très éprouvée, psychiquement. Il semblerait qu'elle envisage de changer d'établissement.

*C'est aussi une solution*, songea Nick. *La fuite. Savoir si elle a avoué à sa mère le vrai motif ?*

Emily avait l'air totalement perturbée, ce mercredi, et encore plus épuisée que la veille. Elle fuyait les regards interrogateurs de Nick. Un peu plus tard, cependant, il trouva un SMS sur son portable :

Joué jusqu'à 3 h du mat'. Reçu mission insupportable. Vais pas tarder à me faire sortir. À +. Suis pressée de te revoir. Emily

Nick relut les cinq derniers mots au moins vingt fois. Elle était pressée de le revoir.

Il fit un gros effort pour ne pas afficher un sourire béat pendant le reste de la journée. Il se sentait léger, incroyablement léger. Ce serait bientôt l'après-midi avec, au programme, thé chez Victor, sans doute quelques nouvelles théories et, dans tous les cas, Emily. Parfois, la vie était simple et parfaite.

Après le dernier cours, Nick fila au métro, résolu à faire un moins long détour, ce jour-là. Il se contenterait de prendre la direction opposée pendant deux stations, trois maxi. Puis il changerait et reviendrait en passant par la City jusqu'à King's Cross.

Tout se passa comme sur des roulettes. Personne ne l'avait suivi, il s'en était assuré. Il eut aussi de la chance avec les correspondances : il n'attendit presque pas lors des changements.

La foule habituelle se pressait sur le quai de la station Oxford Circus et il entendait déjà la rame arriver. Dans dix minutes, se réjouit-il. Dans dix minutes, j'y suis. Plus que trois stations avant de retrouver Emily et la collection de tasses de V...

Le coup vint par derrière. Tout d'abord, Nick ne comprit pas ce qui se passait. Il vit juste le logo rond du métro se rapprocher de lui, il perçut les cris, sentit le sol se dérober. Puis, au ralenti, il vit son pied glisser au bord du quai, il vit les rails. Il comprit qu'il allait tomber sur la voie. Il entendit le train, tenta de rétablir son équilibre, ne trouva aucun appui. Des lumières surgirent de la nuit du tunnel. Des gens hurlaient.

« Dans dix minutes ». Les mots résonnaient dans la tête de Nick avec une signification horriblement nouvelle.

À cet instant, quelque chose l'agrippa brutalement. La locomotive ? Non, une main. Elle le tira en arrière, le projeta à terre, tandis que le train entrait dans la station dans un bruit de tonnerre.

Beaucoup de monde autour de lui. Plein de voix.

– On l'a poussé !

– Non. Sinon, je l'aurais vu.

– C'est à cause de la bousculade.

– Non. C'était intentionnel ! Le type est parti en courant.

Nick se remit péniblement sur ses jambes. Un type en bleu de travail, grand et costaud, l'aida à se relever.

– Il s'en est fallu de peu, dit-il, hors d'haleine. Dieu du ciel ! J'ai bien cru que tu passais sous le train !

Nick était sans voix. Il chancelait, l'homme le soutenait. Il se retenait à sa manche des deux mains. Il perçut des taches de peinture blanche sur l'étoffe bleue.

Le train redémarra. La plupart des voyageurs étaient montés dedans. Puis un policier vêtu d'une veste de sécurité les rejoignit pour lui poser quelques questions et prendre sa déposition. Il retrouva un filet de voix. Oui, il pensait qu'il avait été poussé. Non, il n'avait pas vu par qui. Oui, le monsieur en bleu de travail lui avait sauvé la vie. Non, il n'avait pas besoin de prise en charge médicale.

Le policier nota toutes les informations – y compris les noms et adresses des témoins, dont l'un assurait avoir vu s'enfuir un jeune avec une capuche rabattue sur le visage – et promit de le contacter si les images enregistrées par les caméras de surveillance du quai se révélaient utilisables.

Il monta dans le métro suivant. Il avait les jambes en coton et veillait à poser prudemment un pied devant l'autre. Surtout ne pas penser maintenant. Il penserait plus tard. Pour le moment, se contenter d'inspirer et d'expirer. Il fixait le plan de la ligne affiché sur la paroi intérieure du wagon. Toute diversion était bienvenue. Cette image familière l'apaisait et lui rappelait les jeux de devinettes auxquels il se livrait autrefois avec son père pendant les trajets. Central Line ? Rouge. Circle Line ? Jaune. Piccadilly Line ? Bleu foncé. Victoria Line ? Bleu clair. Hammersmith & City ? Rose.

Peu à peu, il sentait le rythme de son cœur se calmer et sa respiration devenir plus régulière. Il n'était pas mort. Il n'était même pas dans le coma. Il prendrait le temps de réfléchir à tout le reste plus tard.

– Quelqu'un a essayé de *faire quoi* ?

Victor l'avait attiré dans la pièce aux canapés. Sa moustache tortillée frémissait d'indignation, ce qui arracha un sourire involontaire à Nick.

– Il ne s'est rien passé, au final, dit-il en voyant le visage d'Emily se décomposer. Mais j'ai encore le vertige. Je peux avoir un truc à boire ? Un truc frais ?

Le maître des lieux se précipita à la cuisine, où il fit tomber quelque chose qui se fracassa avec un bruit retentissant. On l'entendit jurer, s'activer et ramasser les morceaux.

– Nous aurions dû faire le trajet ensemble, soupira la jeune fille en le serrant dans ses bras.

– Surtout pas. Ta couverture aurait été foutue. Je suis heureux qu'ils ne t'aient pas en ligne de mire.

– De toute façon, ma couverture sera bientôt foutue. Je ne vais sûrement pas exécuter la prochaine mission.

– De quoi s'agit-il ?

– Je n'ai pas envie d'en parler. Je suis encore trop choquée par ce qui t'est arrivé.

Victor revint avec un grand verre de thé glacé.

– Tu as vu qui c'était ? demanda-t-il.

– Non. Mais ça ne doit pas être quelqu'un que je connais, parce que j'ai fait super gaffe. J'ai passé mon temps à regarder si je n'étais pas suivi par des gens du lycée.

Ils restèrent quelque temps sans parler. Nick sentait que Victor moulinait toutes ces données dans sa tête et il aurait voulu le tranquilliser. *Ne t'inquiète pas. Il ne m'arrivera rien.* Mais pouvait-il encore l'affirmer avec certitude ?

Pour détendre un peu l'atmosphère, il demanda des nouvelles de Speedy.

– Il se porte comme un charme. Il attend juste que Kate ait besoin d'un novice pour entrer de nouveau dans le jeu. Sous un faux nom, bien sûr. Je possède six fausses identités sur Internet, ajouta-t-il en pointant son index vers la salle des ordinateurs. Speedy en prendra une. Ça devrait marcher. Mes moi virtuels ont même des adresses mail.

Il haussa les sourcils et reprit :

– J'y pense, Nick. Si tu veux, tu peux en avoir une aussi. Tu pourrais recommencer à jouer. Il suffit d'attendre que Speedy II recrute quelqu'un...

Est-ce qu'il le souhaitait ? Il se posa la question en toute sincérité. La réponse était claire : un non franc et massif. Ça ne l'intéressait plus. Au contraire. Il était content de n'être plus qu'un observateur extérieur.

– Laisse tomber, Victor. Je ne crois pas que j'en aie envie. En revanche, j'aimerais bien savoir s'il y a du nouveau. Comment ça se passe dans le jeu en ce moment ?

– C'est la folie ! J'ai l'impression que les choses s'accélèrent. La nuit dernière, nous avons eu droit à une bataille contre des monstres en terre qui balançaient des têtes à coups de canons. Il y a eu beaucoup de blessés graves. Ce qui implique toujours une tripotée de nouvelles missions.

– Comme la mienne, ajouta Emily. Mais je ne me battais pas sur le front des canons. Il a fallu que je défende une digue contre des esprits du fleuve.

Des monstres de terre, des esprits du fleuve. Des têtes lancées à coups de canons. Des canons. Nick sentait une pression aux tempes et un chatouillement dans la tête. Il y avait un truc – mais quoi ? – qui lui échappait depuis le début. Il y a quelques jours, il n'était pas passé loin, il le savait, et aujourd'hui encore, d'une certaine façon.

– Tu voudrais bien continuer à jouer un peu ? demanda-t-il à Victor. Je voudrais te regarder.

– Un peu, c'est pas possible dans Erebos, dit-il en soufflant bruyamment. Quand je commence, j'y reste des heures, tu le sais. Fini les conversations sympas, le thé et les petits gâteaux ! D'un autre côté, ajouta-t-il avec un sourire radieux, vous pourriez m'apporter à manger ! Imaginez ! Le paradis sur Terre : jouer tout en se faisant nourrir !

Ils décidèrent de lui préparer son Jardin d'Eden. Ils disposèrent des cacahuètes, des biscuits, des fraises Tagada et la grande théière à côté de son poste de travail, pendant que le joueur « réveillait » Squamato, selon son expression.

L'homme-lézard était seul. Il se tenait dans un grand pré dont l'herbe semblait sèche. Pas le moindre compagnon d'armes en vue.

Le casque de leur ami laissait filtrer un peu de musique. Nick essayait de la reconnaître : la mélodie était différente de celle qu'il avait entendue dans le jeu quand il était Sarius. Étrange.

Maintenant, Squamato se dirigeait vers une haie. C'était certainement une bonne idée. Quand on en trouvait une, il n'était pas rare qu'elle vous mène vers des contrées intéressantes. C'était pareil pour les fleuves. Nick reconnaissait celle-ci : Sarius l'avait déjà longée, il n'y a pas si longtemps. De nuit. Les fleurs jaunes en boutons brillaient et elles ne poussaient que d'un côté. Comme ici. Le garçon fronça les sourcils.

– Fraises Tagada, s'il vous plaît ! réclama le gourmand, l'interrompant dans ses réflexions.

Il ouvrit grand la bouche pour qu'Emily y enfourne une poignée de bonbons.

Squamato continuait d'avancer. Au loin devant lui se dressait une énorme forme blanche. Ça bougeait, ça se contorsionnait...

– Je suis passé par là aussi, s'exclama l'ancien elfe noir. C'est une sculpture qui représente trois hommes en train de se faire étrangler par des serpents. Assez connue.

L'expert lui lança un regard en coin :

– La statue de Laocoon, cher ami. Encore une référence à l'Antiquité grecque. C'est très malin, d'ailleurs.

Des guerriers se trouvaient au pied du monument, cette fois encore. Nick identifia BloodWork avec son cercle rouge lumineux autour du cou et, non loin de lui, Nurax.

– C'est un avertissement, je suppose, poursuivit l'érudit. Laocoon était celui qui s'opposait à ce qu'on laisse entrer le cheval de bois dans la ville de Troie. J'espère que tu connais cette histoire, tout de même. Alors Poséidon a envoyé des serpents de mer qui l'ont anéanti, lui et ses fils. Le jeu ressemble à s'y méprendre à un cheval de Troie, je dirais.

Nick encaissa le coup et Emily administra au causeur une poignée de cacahuètes pour interrompre son flot de paroles.

Il se souvenait d'une chose que le Messager avait dite avant d'envoyer Sarius à cet endroit. Ça l'avait visiblement amusé ; ses yeux jaunes avaient brillé d'un éclat plus vif. Était-ce l'allusion au cheval de Troie qu'il trouvait si réjouissante ?

Il examina la sculpture de Laocoon plus en détail. Les visages tordus de douleur des hommes, leurs efforts désespérés pour se dégager de l'emprise des serpents. Et, derrière, la haie, jaune et verte, avec ses boutons plantés de façon tellement régulière qu'aucun jardinier ne réussirait ce prodige. De nouveau, il vit le visage ricanant du Messager devant lui.

« Si tu suis la haie en marchant vers l'ouest, tu vas arriver à un monument, et pas n'importe quel monument. »

Pendant un court instant, sa vue se brouilla. Était-ce... Était-ce possible ? Monument...

– Je sais ! cria Nick en se levant comme un ressort, faisant tomber sa chaise à la renverse. Je sais maintenant. Je sais !

Victor le fixa avec des yeux ronds et retira son casque :

– Quoi ? Qu'est-ce que tu dis ?

– Le code ! Je sais où nous sommes ! C'est... Regarde... vert et jaune et le monument !

Emily et Victor échangèrent un regard dubitatif.

– Que veux-tu dire exactement ? demanda-t-elle d'une voix douce.

– Je sais où nous sommes. J'ai pigé le code. Jaune et vert et rouge et bleu.

Ils ne comprenaient toujours pas.

– Les couleurs correspondent aux lignes du métro londonien. Ça, c'est la station Monument. Elle est desservie par les lignes Circle et District. Jaune et vert. Comme la haie. Vous me suivez ?

Les yeux de Victor, stupéfait, allaient de l'écran au visage de Nick.

– Mais oui, murmura-t-il. C'est bien sûr. Nom de nom ! Je retire toutes mes critiques quant aux capacités de ton cerveau, reconnut-il en lui tendant la main d'un geste cérémonieux. Tu es un vrai génie !

Les minutes qui suivirent furent une torture pour lui, car, tandis que les deux autres fouillaient tous les tiroirs à la recherche d'un plan de métro, il devait se concentrer sur Squamato :

– Oh, pitié ! Pas de bataille maintenant ! Vous croyez que je peux faire une pause rapide ? Il ne se passe rien pour le moment. Rien du tout ! Mais, si un de ces gnomes s'avise de m'envoyer au combat, je serai bloqué pendant les deux heures à venir. Oh, et puis zut ! Le Messager peut aller se faire voir !

Il fit encore deux ou trois clics et se leva de sa chaise.

Emily avait fini par trouver ce qu'elle cherchait et elle déplia la carte sur une des tables du salon.

– Tu as raison, s'exclama-t-elle en prenant la main de Nick, la voix vibrante d'excitation. Le premier combat que j'ai mené, c'était au bord d'un fleuve rouge, bordé de moulins en ruine. J'ai d'abord pensé à Don Quichotte. C'était idiot. Holland Park sur la Central Line.

Elle posa le doigt à l'endroit correspondant du plan et poursuivit son observation.

Le fleuve rouge. Nick se souvenait de son odyssée souterraine qui l'avait conduit à la Ville Blanche.

– White City, constata-t-il, le doigt sur l'emplacement de la station. Ensuite, j'ai suivi la haie rose, c'est-à-dire Hammersmith & City Line. Voilà la première station : Shepard's Bush[1]. Je n'ai

1. NdT : Littéralement, « buisson du berger ». Nom d'une station de la ligne Hammersmith & City Line.

jamais vu des moutons aussi terrifiants ! Il ne restait presque plus rien des malheureux bergers. Puis Goldhawk Road[1]. Le faucon doré a bien failli avoir ma peau.

– La haie rose, s'écria la jeune fille. J'y ai été aussi ! C'est là qu'il y avait cet arbre gigantesque avec une couronne de roi dedans. Royal Oak[2]. C'est du délire !

Victor n'avait encore rien dit, mais on le sentait bouillonner.

– Hier et les jours d'avant, ils nous ont expliqué que nous nous trouvions tout près de la forteresse d'Ortolan, du lieu où se déroulerait la bataille ultime.

Son doigt décrivit un cercle au-dessus des lignes Circle et District.

– Temple, continua-t-il. C'est à proximité du temple que la nervosité des gnomes était à son comble. Aujourd'hui nous sommes entrés à Monument. Ha, ha ! Et regardez : Cannon Street est juste à côté. En revanche, ce que je ne comprends pas, c'est pourquoi ils ont tiré des têtes avec les canons.

Ils contemplaient tous les trois le plan avec ses lignes colorées.

*Knightsbridge*, songea Nick. *C'est là que l'aventure s'est arrêtée pour moi. Des chevaliers gigantesques qui vous poussent du haut d'un pont : pourquoi n'ai-je pas compris plus tôt ?*

– La forteresse d'Ortolan est située quelque part du côté de Temple, réfléchit Nick à voix haute. Au cœur de la City de Londres.

– Ce n'est certainement pas une forteresse au sens littéral du terme, objecta Emily. L'un de vous a une idée pour savoir comment la dénicher ?

Ce problème préoccupa Nick pendant toute la nuit qui suivit. Ils n'étaient que trois : comment étaient-ils censés contrôler une zone desservie par quatre ou cinq stations de métro ? D'ailleurs, que devaient-ils chercher au juste ? Et le temps risquait de manquer, si Victor avait raison.

---

1. NdT : Littéralement, « chemin du faucon doré ». Nom d'une station sur la même ligne.

2. NdT : Littéralement, « chêne royal ». Nom d'une station sur la même ligne.

# CHAPITRE 30

Au petit matin, Nick reçut un SMS très instructif de Victor :

Les gnomes parlent d'Ortolan et de ses frères sombres. Possible qu'ils désignent ainsi la station Blackfriars[1] ?

Il en avait également informé Emily.

« Qu'y a-t-il de spécial à Blackfriars ? » écrivit-elle à Nick.

Mais il n'y avait rien, mis à part le pont Blackfriars Bridge, le théâtre et la grande gare (pouvait-elle passer pour une forteresse ?). Sinon, des immeubles de bureaux, des restaurants et... ce garage dans lequel Nick avait pris des photos ! Il jouxtait la station Blackfriars. Peut-être était-ce un hasard. Ou peut-être pas !

Nick passa en revue les différentes options qui s'offraient à lui. Le garage et la Jaguar étaient les seuls éléments sur lesquels il pouvait s'appuyer. Il n'était que sept heures et demie du matin. S'il faisait le guet toute la journée devant le parking...

*Tu es complètement givré.*

L'ennui, c'est qu'il n'avait pas de meilleure idée. Il envoya un message à Emily pour la prévenir qu'il n'irait pas au lycée ce jour-là, puis il prépara son sac à dos.

---

1. NdT : Littéralement, « frères noirs ». Ce mot désigne des frères prêcheurs.

Lorsqu'il arriva devant le parking, il était huit heures et quart. On ne pouvait concevoir quartier moins adapté pour une planque. Pas le moindre recoin ni renfoncement où se cacher. Nick n'avait d'autre choix que de faire les cent pas dans la rue le plus discrètement possible, tout en gardant un œil sur les voitures. Le parking semblait très apprécié des employés des bureaux des environs, car les voitures se pressaient pour franchir la barrière jaune et noire. Mais pas de Jaguar.

*C'est pas étonnant, Dunmore. Encore une de tes brillantes inspirations ! C'est pas parce que le type s'est garé ici une fois qu'il va le faire tous les jours !*

Pourtant le Messager lui avait ordonné de revenir ici jusqu'à ce qu'il ait pris les photos, et le Messager savait de quoi il parlait.

Encore un aller et retour. Une Ford, une Toyota, une Suzuki, encore une Toyota. Une Golf. Nick sentait son attention se relâcher. Il se ressaisit. Il fallait rester concentré ; surtout ne pas laisser ses pensées partir à la dérive ! Une Mercedes arriva. Une Honda, encore une autre.

Une demi-heure plus tard, Nick était à bout. Son projet de rester à attendre toute la journée sur ce trottoir lui paraissait irréalisable. En outre, il commençait à se geler et se maudissait de ne pas avoir emporté une veste plus chaude. Il tiendrait encore une heure, il le devait à leur cause, mais après...

Une Jaguar gris métallisé s'arrêta devant la barrière. Était-ce la bonne ? Nick plissa les yeux pour mieux lire : LP60HNR. C'était le numéro. La barrière s'ouvrit, le véhicule disparut à l'intérieur.

*Victor a raison : je suis un génie, un génie, un génie !*

Maintenant, il s'agissait de ne pas rater le propriétaire quand il sortirait du parking. Où était la sortie des piétons ?

Nick se mit à courir. Là-bas devant, des gens sortaient : y avait-il plusieurs sorties ?

Il s'arrêta, se retourna encore et il le vit. Il n'y avait aucun doute, c'était bien l'homme qu'il avait photographié. Il marchait en direction de New Bridge Street. Bon, surtout ne pas se laisser semer ! Il le suivit à quelques mètres, osant à peine cligner des yeux de peur de le perdre de vue.

Ils descendirent New Bridge Street. L'homme se sentait-il traqué ? Il avait l'air inquiet, en tout cas. Tous les deux pas, il regardait par-dessus son épaule ou sur les côtés. Comme quelqu'un qui a peur. À contrecœur, Nick se força à mettre plus de distance entre eux. Il ne fallait surtout pas se laisser retarder par quoi que ce fût, pas même par le petit couple de touristes japonais qui lui demanda avec un grand sourire le chemin de la cathédrale Saint-Paul. Sans un mot, Nick leur montra la direction qu'il pensait bonne et continua son chemin.

Ils arrivèrent à Bridewell Place, où l'inconnu pénétra dans un immeuble de bureaux en cours de rénovation. Un échafaudage obturait la majeure partie de la vue sur l'entrée vitrée et la façade blanche. Hésitant, Nick s'immobilisa. Sa première impulsion fut de rentrer à son tour, mais il voulait éviter de se faire remarquer. Alors, il se contenta d'observer l'homme, qui salua le portier et se dirigea vers l'un des ascenseurs aux portes de cuivre rutilantes.

Son bureau devait être situé dans l'un des étages supérieurs. Normal ! Voiture de luxe, costume de luxe, bureau de luxe. Nick pouvait questionner le type à l'accueil, mais il renonça aussitôt. En revanche, il y avait les plaques des entreprises, à l'extérieur : peut-être qu'elles l'aideraient.

Une société de conseil, une boîte d'immobilier. À en juger par son apparence, l'homme pouvait appartenir à l'une comme à l'autre. Un laboratoire pharmaceutique et aussi… Le cœur de Nick s'arrêta de battre. Le quatrième nom était le bon :

« Soft Suspense
Jeux pour PC, téléphones mobiles et consoles
*Everything's done for you to have fun*[1] »

1. NdT : « On fait tout pour votre plaisir. »

Par mesure de précaution, Nick prit une photo avec son téléphone. Devait-il prévenir Emily ? Non, elle était encore en cours. Victor ! Il allait en parler à Victor. Mais il ne répondait pas au téléphone. Zut ! Il irait donc chez lui.

Il rebroussa chemin et partit en direction de la station de métro. Sans doute est-ce son instinct affûté par la filature à laquelle il venait de se livrer qui lui permit de remarquer Rashid sur le trottoir d'en face.

L'autre l'avait-il vu ? Il semblait que non. Il descendait la rue, tête baissée comme d'habitude, ne regardant ni à droite ni à gauche. Il portait une espèce de sacoche gris-vert qu'il pressait contre sa poitrine. Nick aurait rêvé de savoir ce qu'elle contenait.

Naturellement, le garçon marchait en direction de l'immeuble de bureaux. Il se plaqua dans la pénombre d'une entrée. Rashid s'arrêta, leva les yeux vers la façade et sortit un appareil photo de sa poche de pantalon. Il mitrailla le bâtiment sous tous les angles.

Nick avait photographié la voiture de l'inconnu et maintenant un autre joueur se chargeait du bureau. Sans doute voulait-il aussi prendre des vues latérales, car il tourna à gauche, l'appareil toujours en position.

Nick attendit que Rashid reparaisse, mais celui-ci ne revint pas. Nerveux, il sortit de sa cachette. S'il se lançait à sa poursuite, il y avait fort à craindre qu'il ne tombe nez à nez avec lui. Il ne voulait pas prendre ce risque. Il attendit cinq minutes de plus, se maudit de l'avoir laissé filer et partit.

Même si Rashid lui avait échappé, le butin de la matinée était plus qu'honorable.

*

* *

– J'espère pour toi que tu as une bonne raison de me tirer du lit au milieu de la nuit, grogna Victor, les yeux mi-clos, en ouvrant la porte, affublé de son habituel peignoir Snoopy.

– Je vais te faire du thé, dit Nick. Après, nous parlerons.

– Je croirais entendre mon ex-petite copine, répondit Victor en le précédant dans la cuisine. Je me suis battu jusqu'à quatre heures et demie du matin autour du temple. Figure-toi que mon armure est en or maintenant, ce qui s'harmonise à merveille avec mes écailles violettes.

Nick alluma la bouilloire électrique et mit des feuilles de thé dans la passoire.

– Est-ce que le nom Soft Suspense te dit quelque chose ?

– Forcément, soupira Victor en s'étirant. « *Everything's done for you to have fun.* » Ce sont eux qui ont fait Les Maudits de la nuit, First Shot ou Faucons du roi, par exemple. Ce sont d'assez bons jeux.

– Ils ont leurs bureaux près de Blackfriars. Sur Bridewell Place.

– Très intéressant ! répliqua Victor en fronçant les sourcils. Je suis désolé, mais je ne vois pas où tu veux en venir.

Nick lui raconta sa mission dans le parking.

– Pour moi, c'était le seul truc qui avait un quelconque rapport avec Blackfriars pendant tout le temps où j'ai joué à Erebos. C'est pour ça que je m'y suis rendu ce matin et que j'ai fait le pied de grue devant le garage. L'homme est arrivé, je l'ai suivi et devine où il allait ?

– Au siège de Soft Suspense, compléta Victor, l'air encore plus perdu. Ça ne fait toujours pas tilt chez moi. Je suis sûr que ce n'est pas Soft Suspense qui a développé Erebos. J'en aurais entendu parler ; les médias l'auraient annoncé depuis belle lurette. Tout le petit monde du jeu vidéo aurait été en effervescence et se serait frotté les mains en attendant de le découvrir.

– Que sais-tu d'autre sur l'entreprise ?

– Rien, à vrai dire. Je ne connais que leurs jeux. Je sais aussi qu'ils ont absorbé un certain nombre d'éditeurs de logiciels, ce qui est assez normal dans la branche. Ils sont bons, c'est tout.

Pensif, Nick versa l'eau bouillante sur les feuilles de thé et inspira le parfum qui s'en dégageait.

– Il doit y avoir un lien entre l'entreprise et Erebos. Ce matin, j'ai aperçu un gars de ma classe à Bridewell Place. Il photographiait l'immeuble.

– Ah bon ? Il suivait aussi le type à la Jaguar ? demanda Victor en secouant vigoureusement la tête. Toute cette histoire me laisse perplexe. Mon cerveau ne fonctionne pas encore. Il a besoin de plus de sommeil.

– Oui, mais nous avons enfin une piste. Je dois découvrir qui est cet homme.

– Oui, ce serait bien, murmura le faux Snoopy en fermant les yeux.

Nick décida de renoncer à tirer de lui des paroles sensées. Il le conduisit à un des canapés, lui versa du thé et racla le fond de ses poches à la recherche de petite monnaie pour aller leur acheter de quoi petit-déjeuner.

Tandis qu'il faisait la queue devant la boulangerie, il ne put résister à l'envie d'envoyer un SMS à Emily.

J'ai une nouvelle incroyable. Je suis à Cromer Street. J'aimerais que tu sois avec nous.

Lorsqu'il revint, Victor l'attendait. Il était toujours aussi pâle, mais bien réveillé, cette fois :

– Je ne peux rien manger maintenant.

– Comment ça se fait ?

– Pendant que tu étais parti, je suis allé sur Google. Tu ne le croiras pas !

Il attendit que Nick ait posé ses croissants et le tira jusqu'au portable :

– Regarde ça !

L'ordinateur était ouvert à la page d'accueil de Soft Suspense. On y faisait la promotion d'un nouveau jeu nommé Blood of Gods. Cependant les dieux n'avaient pas l'air grec. Ils semblaient plutôt faits d'acier et rien, dans le graphisme, ne rappelait Erebos.

– Et alors ?

Il mit la main sur l'épaule du garçon :

– Ce n'est que la première page. Il faut que tu ailles aux communiqués de presse.

Nick cliqua sur « News » et lut :

Soft Suspense se félicite de la vente record des Faucons du roi. Le jeu s'est vendu à plus de 600 000 exemplaires durant le premier mois de commercialisation.

En dessous venait une photo qui montrait le conducteur de la Jaguar posant dans le fauteuil en cuir de son bureau. *Ouais !* se dit Nick. *Ma piste était la bonne*. Puis il vit la légende et échangea un regard avec son ami.

– Alors, qu'est-ce que t'en dis ?

– C'est de l'or en barre. Tu es tombé sur la caverne d'Ali Baba. Nom d'un chien, nous devons le prévenir !

– Oui, tu as raison.

Nick observait le visage au sourire impersonnel. Son attention fut attirée par le texte en dessous.

Nous avons mis tout notre dynamisme et notre créativité dans Faucons du roi et nous sommes heureux que le jeu rencontre un accueil aussi enthousiaste, déclare le PDG de Soft Suspense, Andrew Ortolan.

*Un oiseau. Tu parles !*

– Nous aurions dû mieux chercher, murmura-t-il. Nous l'aurions trouvé plus tôt.

– Pas sûr ! Il y a des tas de gens qui s'appellent comme ça. Bon, peut-être pas des tas, mais un certain nombre.

Andrew Ortolan continuait de sourire sur sa photo, impassible. Erebos n'avait-il vraiment été conçu que pour le... détruire, comme l'avait dit le Messager ? Pourquoi ? Comment devaient-ils le mettre en garde ? Et surtout contre qui exactement ?

– Je m'en occupe, déclara Victor, en tapant le numéro qu'il avait trouvé sur la page d'accueil de la société.

– Oui ? Allô ? Je souhaiterais parler à Mr Ortolan. Oui, s'il vous plaît, Je vous remercie de me le passer.

Silence.

– Mon nom est Victor Lansky, répéta-t-il à un nouvel interlocuteur. Non, il n'attend pas mon appel.

Nick ne comprit pas la réponse de la secrétaire, mais il entendait sa voix haut perchée à l'intonation hostile.

– Si vous voulez, tenta encore Victor. Je suis journaliste et j'ai quelque chose d'important à communiquer à Mr Ortolan.

Nouvelle réponse stridente de la secrétaire.

– Écoutez, reprit Victor avec une patience appuyée, je suis sûr que votre patron souhaite entendre ce que j'ai à lui révéler. Non, vous ne pouvez pas lui transmettre de message. Comment ? Lansky. L-A-N-S-K-Y. Oui, il peut me rappeler. Qu'il fasse vite !

Il raccrocha en ronchonnant :

– Il ne rappellera pas, bien sûr. Sa gorgone ne m'a même pas demandé mon numéro de téléphone.

– Peut-être qu'elle l'a noté quand il s'est affiché.

– Impossible, marmonna Victor en sortant un pain au chocolat du sachet. Numéro caché.

Sans réfléchir plus longtemps, Nick appuya sur la touche « Bis ».

– Bonjour, je souhaiterais parler à Mr Ortolan.

– Je vous mets en relation avec son secrétariat.

Un air de saxophone retentit. Enfin, quelqu'un décrocha à l'autre bout de la ligne :

– Bureau d'Andrew Ortolan, Anne Wisbourn.

C'était de nouveau la voix désagréable.

– Euh, bonjour. Mon nom est Nick Dunmore et je dois absolument parler à Mr Ortolan. De toute urgence. C'est une question de vie ou de mort.

– Pardon ?

– De vie ou de mort ! Je suis sérieux.

Nick était tendu, sa bouche était sèche… Comment parviendrait-il à expliquer à Ortolan la situation sans que celui-ci le prenne pour un fou ?

Il y eut un craquement, Nick entendit des voix étouffées – la secrétaire devait poser sa main sur l'écouteur. Puis il y eut le bruit de quelque chose qui se déchirait, les sons redevinrent clairs et un homme hurla dans le téléphone : « Je vais faire installer un dispositif de localisation des appels ! C'est du harcèlement ! Je vous retrouverai, bande de criminels, et vous finirez sous les verrous ! C'est mon dernier avertissement, compris ? »

*Crac !* Il raccrocha.

Le cœur de Nick cognait comme après un cent mètres :

– Il a cru que je le menaçais.

– J'ai entendu. Il parlait suffisamment fort.

Il n'était pas difficile de comprendre ce qui s'était passé.

– Je parie qu'il a reçu un certain nombre d'appels inquiétants, ces derniers temps.

– Oui, d'Emily, par exemple.

Le petit déjeuner fut silencieux. Chacun était perdu dans ses pensées. Celles de Nick tournaient autour des possibilités qui leur restaient. Il pouvait retourner à Blackfriars et tambouriner à la porte du bureau d'Ortolan jusqu'à ce qu'il l'écoute.

*Mais tu ne sais pas pourquoi Erebos le hait autant. Il doit bien y avoir une raison.*

– Victor ? Tu t'y connais dans le milieu du jeu vidéo ?

– Absolument.

– Tu vois une explication à tout ce mystère ? Quelque chose qui ferait sens.

– Pas la moindre. Je suis dans le noir complet. Je pense qu'il faut que nous en sachions plus sur Mr Ortolan.

Quand Emily arriva – un peu plus tôt que prévu –, les deux garçons n'avaient pas avancé d'un pouce. Ils avaient appris qu'Ortolan était membre du club de golf de Wimbledon Park, qu'il organisait parfois des dîners de charité pour l'Unicef et qu'il accordait peu d'interviews.

La jeune fille, qui était encore sous le choc de la découverte de la véritable identité d'Ortolan, abordait la recherche avec une ardeur toute fraîche.

– Peut-être que ce n'est rien de personnel. Ça n'a peut-être rien à voir avec l'homme, juste avec l'entreprise.

Elle orienta le portable vers elle et tapa « Soft Suspense » dans Google.

– Tu cherches une aiguille dans une botte de foin, lui promit Victor. Le temps que tu aies passé en revue toutes les critiques de jeux et les enchères sur e-Bay, on sera à Noël.

– Tu as raison, convint-elle.

Plissant les yeux, elle entra « ennemis d'Ortolan » dans le moteur de recherche. Elle obtint pléthore d'informations sur les faucons pèlerins qui mangent les oiseaux chanteurs :

– Zut ! Mais tant pis, essayons autrement.

Les mots clés « Soft Suspense » et « Victime » remontèrent essentiellement des descriptions de jeux relatives à Faucons du roi. Le nom de l'entreprise associé à « Concurrence » fit émerger diverses données économiques du secteur.

La jolie brunette jurait comme un charretier :

– J'y comprends que dalle. Si c'est un concurrent qui veut ruiner Soft Suspense de cette façon, nous n'arriverons jamais à y voir clair.

Elle maugréait en voyant le répertoire interminable des éditeurs de jeux vidéo.

– Peut-être que la boîte a été impliquée dans une embrouille ? suggéra-t-elle en tentant un nouvel essai avec « Crime Soft Suspense ».

La liste des résultats n'était pas longue, quatre pages seulement, cette fois. Les premières références concernaient la copie pirate. Elles rappelaient que c'était un délit et que l'entreprise avait renforcé récemment la protection de ses créations. Elle continua à faire défiler les pages et à cliquer sur les différents liens. Une décision de justice vieille de deux ans retint son attention.

> ... a été reconnu coupable d'escroquerie et de vol et condamné à six ans de prison. Le jeu, qui se revendique d'une technologie entièrement nouvelle, est produit par la société Soft Suspense, dont...

Elle cliqua dessus. C'était un message d'archives du journal *The Independent*. Il leur suffit de lire les premières lignes pour comprendre qu'ils avaient trouvé ce qu'ils cherchaient. La réponse était là, noir sur blanc. Elle était bien pire que ce que Nick aurait jamais pu imaginer.

**Un concepteur de jeux condamné**

Au terme de deux ans de procédure, un jugement a enfin été prononcé dans le procès en paternité du jeu vidéo Étincelle des dieux. Larry McVay, propriétaire et PDG de la société londonienne d'édition de logiciels Vay too far, a été reconnu coupable d'escroquerie et de vol, et condamné à six ans d'emprisonnement. Le jeu, qui se revendique d'une technologie entièrement nouvelle, est produit par la société Soft Suspense. Son PDG, Andrew Ortolan, s'est félicité du jugement : « Nous avons investi des années de travail et des millions de livres dans ce jeu. Nous n'étions pas prêts à nous en laisser spolier. »

Dès le début du procès, McVay avait affirmé que c'était lui qui avait développé Étincelle des dieux et qu'il se l'était fait voler par Soft Suspense. À aucun moment cependant, il n'avait été en mesure de présenter des preuves, alléguant divers vols, pots-de-vin et actes de manipulation dont Soft Suspense se serait rendu coupable. Le PDG a rejeté ces accusations en bloc. « Nous sommes une entreprise parfaitement honnête, pas une organisation criminelle, et nous sommes heureux que notre intégrité ait été reconnue. Nous avons affaire ici à quelqu'un qui essaie de retourner les faits sans avoir le moindre élément. » McVay a annoncé qu'il allait faire appel du jugement, qu'il utiliserait tous les moyens légaux à sa disposition et « qu'il ne s'avouait pas battu ».

Nick ouvrit la bouche, mais aucun mot n'en sortit. Il regarda la jeune fille : elle était pâle et serrait les lèvres.

En revanche, Victor, qui avait lu le jugement en même temps qu'eux, applaudit sans réserve :

– Chapeau, Emily ! Tu as plus de flair que Sherlock Holmes et Philip Marlowe réunis !

Dans la tête de Nick, les pensées se bousculaient. Pouvait-il être sûr que l'adversaire en question était le père d'Adrian ? Ce nom de famille n'était pas très répandu. Une telle coïncidence était difficile à imaginer.

– Qu'est-ce qu'il vous arrive ? demanda leur ami, étonné. Vous ne dites rien. Pourtant, nous avons sacrément avancé. Ce Larry McVay pourrait être une pièce du puzzle, il a tout de même perdu un procès contre Ortolan. Il lui en veut certainement. Peut-être qu'il sait quelque chose au sujet d'Erebos. Nous devrions en parler avec lui.

Nick parvint à articuler quelques mots :

– Ça ne va pas être possible. Il s'est suicidé.

Ils mirent Victor au courant de la situation. Ils lui parlèrent d'Adrian et de son attitude étrange au cours des dernières semaines.

– Il voulait constamment savoir ce que contenaient ces DVD. Plus tard, quand il a compris qu'il s'agissait d'un jeu, il m'a littéralement imploré d'arrêter.

Pour quelle raison, Nick ne le comprenait toujours pas. Le jeu qui avait fait l'objet du procès ne s'appelait pas Erebos, mais Étincelle des dieux. « Joie, belle étincelle des dieux[1] », songea Nick, furieux contre lui-même, en se rappelant la citation sur laquelle il était tombé et qu'il avait prise pour du remplissage. Elle aurait pu lui mettre la puce à l'oreille.

Victor tira l'ordinateur vers lui et relut l'article.

– Je crois que je me souviens de cette histoire. Le plus intéressant là-dedans, c'est qu'aucune des deux parties n'était prête à dévoiler exactement ce que le jeu avait de si exceptionnel. Ils se disputaient le morceau comme des chiens enragés. Cela dit, il n'a toujours pas été commercialisé à ce jour.

---

1. NdT : Citation du premier vers de l'Ode à la joie, du poète Schiller voir page 347.

Tandis que Victor poursuivait sa lecture, Nick et Emily se concertaient sur la conduite à tenir.

– Il faut qu'on parle avec Adrian, dit Emily en poussant un long soupir. C'est un garçon incroyablement gentil. On a pas mal discuté ensemble, ces derniers temps. Il est drôlement mûr pour son âge et loin d'être idiot.

– Tu as raison, approuva Nick.

Il venait de se rappeler qu'Adrian lui avait confié, un jour, qu'il n'avait pas le droit de prendre le DVD, mais qu'il fallait qu'il sache ce qu'il y avait dessus. Quelque part dans son esprit, cette information commençait à faire sens, mais quel sens ? Il ne savait pas. Il allait jouer cartes sur table avec Adrian. Il allait lui raconter tout ce qu'il voudrait savoir et, en contrepartie...

– Non !

Le cri de Victor les fit sursauter tous les deux.

– Merde, c'est pas vrai ! Ça devient franchement glauque, les mecs !

– Quoi donc ?

– « Un programmeur se donne la mort, lut-il à voix haute. Au soir du 13 septembre, L. McVay, propriétaire d'une société d'édition de logiciels, a été retrouvé pendu dans le grenier de son domicile du nord de Londres. D'après la police, les premiers éléments de l'enquête ont permis d'exclure toute intervention extérieure et de conclure que McVay avait lui-même mis fin à ses jours. À l'origine de cet acte désespéré, il y aurait la condamnation dont il a fait l'objet, trois semaines auparavant, dans le cadre d'un procès en escroquerie, à l'issue duquel McVay devait purger une peine de six ans de prison. Il venait d'être libéré sous caution et avait annoncé son intention de faire appel du jugement. »

– Ben, on le sait déjà, objecta Nick.

Leur ami lui lança un regard sombre :

– Je suis bien d'accord, mais... tu connaissais Larry McVay ? Tu l'avais déjà rencontré ?

– Non. Adrian n'est arrivé dans notre lycée qu'après la mort de son père.

– C'est bien ce que je pensais. Alors, prépare-toi à une surprise ! ajouta Victor en tournant l'écran vers eux.

Emily poussa un petit cri étouffé et attrapa la main de Nick :

– C'est pas... c'est pas...

– Si, murmura ce dernier.

Il regarda le visage devant lui. Il reconnut les yeux, le visage en lame de couteau, la petite bouche. Larry McVay était l'homme mort. Celui qui avait accueilli chacun d'eux dans Erebos.

# CHAPITRE 31

Victor éteignit l'ordinateur.

– Qui a programmé le type dans le jeu ? demanda-t-il d'une voix à peine audible. Qui a pu avoir une idée aussi macabre ?

Pas de réponse.

Nick jeta un coup d'œil à l'horloge. Il était une heure passée de quelques minutes. Adrian devait être en train de déjeuner. Ensuite, il avait deux ou trois heures de cours. Ce n'était donc pas la peine de se pointer dès maintenant.

– Il faut absolument que nous ayons une discussion avec lui aujourd'hui même, décréta Emily, comme si elle avait lu dans ses pensées.

– Oui. Allons au lycée ! Nous arriverons peut-être à l'intercepter entre deux cours. Non, c'est stupide. Personne ne doit remarquer que nous avons quelque chose à lui demander.

– Pourquoi ? intervint-elle. Aucun élève n'aura de soupçon si c'est moi. Je suis officiellement accro à Erebos.

Elle avait raison. Il ne leur restait plus qu'à convenir d'un lieu de rendez-vous, où ils seraient sûrs de ne pas être vus ensemble.

– Ici ! proposa Victor.

– Trop dangereux. Si on est suivis, tu seras démasqué, alors que tu es notre dernier lien avec le jeu. Tu es le seul qui puisse nous dire ce qui se passe dans Erebos, objecta-t-elle.

– Attends ! Tu y es encore, toi aussi !

– Oui, mais seulement en théorie. Dans dix-sept minutes, je suis censée aller trouver Mr Watson et le mettre dans une situation compromettante. Comme je n'ai pas l'intention de le faire, adieu, Hemera !

– Bon, d'accord, ronchonna Victor. Mais c'est pas très sympa de me faire porter toute la responsabilité ! Qu'est-ce qu'il se passera si le jeu me demande à moi de séduire ce Mr Watson ? Je serai obligé de m'y coller pour qu'on continue à avoir un pied dans le jeu ?

Ils éclatèrent d'un rire qui détendit l'atmosphère.

– Après, il restera encore Kate, même si elle n'est pas aussi brillante que toi, dit Nick. Il faudrait peut-être que tu retournes jouer maintenant. Vous êtes si près de Blackfriars que la bataille ultime peut démarrer d'une minute à l'autre. Il vaudrait mieux qu'on le sache, non ?

Victor esquissa une moue boudeuse en se dirigeant vers la pièce aux ordinateurs :

– Alors, comme ça, je ne saurai pas ce qu'Adrian McVay a de beau à raconter ?

– Bien sûr que si. T'inquiète pas. Nous allons t'envoyer un pigeon voyageur anti-écoute, répondit la jeune fille avec le plus grand sérieux. Nick, où est-ce qu'on se retrouve ? Un café, c'est trop dangereux, mais peut-être un parc ? Un coin dans Hyde Park d'où on puisse avoir une vue panoramique sur les environs ?

– Non. On pourrait nous repérer.

Une idée lui traversa l'esprit. Il nota une adresse sur un bout de papier et le lui tendit :

– Là, nous serons en sécurité. À cent pour cent. C'est là que je vous attendrai.

Becca l'accueillit en le serrant affectueusement dans ses bras. Puis ce fut au tour de Finn :

– Petit frère ! Quelle bonne surprise ! Tu veux un café ? Tu viens pour l'ordi ?

Nick répondit par la négative aux deux questions :

– J'aurais besoin d'un coin tranquille pour un genre de... d'entretien. J'ai donné rendez-vous ici à deux amis dans une heure. Ça vous ennuie pas ?

Finn lui passa un bras autour de l'épaule, ce qui n'était pas évident vu que son cadet faisait une demi-tête de plus que lui.

– Tu as l'air à cran. Tu as des problèmes ? Ton... entretien, ça concerne quelque chose de pas tout à fait légal ?

– Quoi ? Oh non ! répondit-il en secouant vigoureusement la tête. Non, c'est plutôt le contraire. C'est très compliqué, mais certainement pas illégal.

– Bon, d'accord, puisque tu le dis.

Finn le conduisit dans une des trois cabines. Les murs étaient tapissés de photos de tatouages sur toutes les parties imaginables du corps.

– Ça te va, ici ? J'ai besoin de la grande cabine aujourd'hui et Becca attend encore plusieurs personnes pour des piercings.

– Ici, c'est parfait.

– Bien. Tout va bien avec papa et maman ?

– Oui. Nickel !

L'aîné haussa les sourcils – percés chacun de six trous –, étonné par les réponses monosyllabiques d'un frère habituellement plus loquace. Il sortit et revint un instant plus tard avec du jus d'orange et des biscuits :

– Personne ne pourra dire que les Dunmore ne savent pas recevoir !

– Merci.

Les minutes s'étiraient. Nick essayait de penser à autre chose en se concentrant sur les photos exposées au mur. Un dos couvert de roses grimpantes, un biceps orné d'un panorama alpin, une cheville décorée de dauphins qui s'embrassent.

Emily parviendrait-elle à convaincre Adrian de venir ? Mais pourquoi refuserait-il ? Il était tellement curieux d'en savoir plus sur le jeu...

Ça y est ! Les clochettes installées par Becca au-dessus de la porte d'entrée tintèrent.

– Bonjour, nous avons rendez-vous ici avec Nick Dunmore.

C'était Emily. Finn les fit entrer dans la cabine.

Nick ne put s'empêcher de remarquer qu'Emily observait son frère avec intérêt, intriguée par ce spécimen un peu moins monté en graine que celui qu'elle connaissait.

– Salut ! lui glissa-t-elle en plantant sur ses lèvres un baiser qui le fit décoller.

Adrian se tenait derrière elle. Il souriait. Ses cheveux blonds étaient hérissés sur la moitié de sa tête, lui donnant un air de lutin malicieux.

– Elles sont super, ces photos, s'exclama-t-il en désignant les murs. Peut-être qu'un de ces jours je m'en ferai faire un.

Finn eut un grand sourire :

– Tu n'as qu'à venir me voir ; je te ferai un prix d'ami. Et maintenant je vous laisse à votre conférence secrète. Si l'un de vous a besoin de quelque chose : la cuisine, c'est la deuxième porte à gauche, et les toilettes sont juste en face.

Puis il quitta la pièce.

Adrian prit place sur ce que Nick appelait le « fauteuil de dentiste » et fixa sur lui des yeux remplis de curiosité :

– Emily m'a dit que vous vouliez me parler. C'est à propos d'Erebos ?

On ne pouvait pas reprocher au garçon de tourner autour du pot.

– Oui, répondit Nick. D'abord, sache que, nous deux, nous ne sommes plus dedans. Tu n'as donc rien à craindre de nous.

– O.K.

Il avait du mal à trouver les mots pour commencer. Il était conscient qu'il s'apprêtait à rouvrir une blessure à peine refermée et à retourner le couteau dans la plaie. Il fit le geste de dégager une mèche de cheveux de ses yeux :

– Erebos a un lien avec ton père.

Il vit alors les pupilles d'Adrian se dilater et s'en voulut. *Bravo pour la délicatesse, imbécile !*

– Comment tu le sais ? murmura le blondinet. Pas par moi. Je ne l'ai confié à personne.

Nick et Emily échangèrent un regard.

– Je dois avouer que je suis un peu surprise que *toi*, tu le saches, rétorqua-t-elle.

– Bien sûr que je suis au courant. Seulement, pendant longtemps, j'ignorais ce que c'était, expliqua-t-il avec un sourire d'excuse. Mon père n'a programmé quasiment que des jeux. Mais je n'en étais pas certain.

Nick n'y comprenait rien. Il devait tout remettre à plat :

– La dernière fois, tu m'as dit que tu n'avais pas le droit de prendre un de ces DVD, mais que tu devais découvrir ce qu'il y avait dessus. Pourquoi ?

– Je n'avais pas le droit de les prendre parce que mon père me l'avait interdit.

Nouvel échange de regards entre Nick et Emily.

– Je ne saisis pas bien, osa-t-elle timidement, ton père est mort pourtant.

– Évidemment, expliqua-t-il en fixant la pointe de ses chaussures. Mon père me l'a écrit. Il m'a tout noté en détail.

– Quoi ? Qu'est-ce qu'il a noté ?

Sans lever la tête, Adrian fit un signe de dénégation :

– Non, d'abord vous. Je veux que vous me disiez quel genre de jeu est Erebos.

Nick poussa un soupir :

– C'est un jeu génial, terriblement prenant. Quand on commence à jouer, on ne peut plus s'arrêter. On devient accro.

Un grand sourire illumina le visage d'Adrian, toujours rivé au sol :

– Les jeux de mon père étaient toujours comme ça.

– Tu es sûr que c'est lui qui l'a programmé ?

Adrian redressa alors la tête : l'indignation se lisait dans ses yeux :

– À cent pour cent. Sinon, il n'aurait jamais dit que c'était son testament. Il l'a écrit. Dans cette lettre. Que c'était son testament et que je devais le transmettre.

Adrian regardait alternativement les deux autres, réalisant qu'ils ne comprenaient pas grand-chose à son explication.

– Mon père est mort il y a deux ans, reprit-il. Le lendemain de son décès, le notaire m'a téléphoné et m'a appris qu'il avait un courrier pour moi. L'enveloppe contenait une lettre et deux DVD.

Nick avait du mal à respirer :

– Tu veux dire que c'est toi qui as diffusé le jeu dans notre lycée ?

– Diffusé ? Ben oui, j'ai donné un DVD à un gars de ma classe. Le deuxième à un type que je connais d'avant et qui est dans une autre école. Papa ne voulait pas que les deux DVD atterrissent au même endroit. En outre, il souhaitait que je réfléchisse bien avant de les offrir. « Donne-les à quelqu'un dont la vie te semble vide, il m'a précisé. Et promets-moi de ne pas les regarder. Ils font partie de mon testament, mais cette partie ne t'est pas destinée. »

Nick sentait une vague de nausée monter en lui :

– Et tu t'y es tenu ?

– Bien sûr, chuchota Adrian. Tu imagines, c'est la dernière chose que j'ai entendue de mon père. Alors que je ne pensais plus jamais voir ou lire quoi que ce soit venant de lui... Ça m'a fait tellement chaud au cœur !

Il s'essuya discrètement le coin de l'œil.

*Et il t'a utilisé.*

– Maintenant, à vous de raconter. En quoi ce jeu consiste-t-il ?

Nick fut soulagé qu'Emily le dispense des explications :

– En apparence, il s'agit d'un monde de ténèbres dans lequel il faut accomplir toutes sortes de missions. Cependant, les épreuves dont on doit s'acquitter ne se limitent pas au monde du jeu. Elles interagissent avec la réalité : par exemple, tu dois photographier une personne ou rédiger un devoir pour quelqu'un.

Le jeune garçon buvait du petit-lait. Ses yeux brillaient.

– C'est Étincelle des dieux. Le projet préféré de papa. Il voulait que les joueurs se fassent mutuellement des cadeaux ou s'entraident d'une manière ou d'une autre dans la vraie vie. Qu'ils ne soient pas simplement scotchés derrière leur ordinateur, mais que des amitiés naissent entre eux. Il m'en a si souvent parlé avant...

Sa voix se brisa, son regard se perdit dans le vague, puis il reprit :

– ... avant que quelqu'un décide de le lui voler. Vous avez remarqué qu'il est un peu différent selon les joueurs ? Le choix de la musique s'oriente en fonction des fichiers mp3 que tu as sur ton disque dur ou des chansons que tu écoutes sur YouTube, par exemple. Quand le jeu a appris à mieux te connaître, il sait quelles sont les quêtes qui te plaisent le plus et ce sont celles-là qu'il te confie. Papa avait intégré dedans un logiciel de psychologie pour que le jeu s'adapte complètement à chaque joueur.

Adrian était transporté dans ses souvenirs.

De son côté, Nick sentait monter en lui une rage irrépressible contre Larry McVay.

– Tu crois... tu penses que c'est possible que ton père ait reprogrammé le jeu ? Qu'il ait ajouté quelques petits détails ? Tu comprends, il ne s'appelle plus Étincelle des dieux. Il s'appelle Erebos.

– Oui, c'est bien possible, répondit Adrian, dont le sourire avait disparu. Quelqu'un a tenté de lui voler Étincelle des dieux, il faut que vous le sachiez. Après ça, il y a eu un procès qui s'est éternisé... Pendant les deux dernières années, papa est devenu... différent. Il ne m'a plus tellement parlé. Du coup, je ne sais pas s'il a modifié des choses. En tout cas, il a travaillé comme un dingue. À vrai dire, il n'a plus fait que ça. Il s'est enfermé dans la cave, il mangeait à peine, il ne prenait même plus le temps de se laver. Maman affirme que, dès le début du procès, il n'était déjà plus lui-même. Il n'a pas supporté qu'ils l'accusent de vol et d'escroquerie. Alors qu'ils se sont introduits chez nous. À quatre reprises. Au bureau et à la maison. Même nos voitures ont été cambriolées.

La conclusion que Nick tirait de l'affaire telle qu'Adrian la présentait n'était pas belle. En résumé : Soft Suspense avait eu vent du nouveau projet de McVay. Ils avaient essayé de se l'approprier. Comme ça n'avait pas marché – tout au moins pas autant qu'ils l'auraient souhaité –, ils avaient attaqué le concepteur. Et ils avaient gagné devant le tribunal…

– Écoute-moi, commença-t-il. Je vais te raconter maintenant quel est le but du jeu Erebos, d'accord ?

Bien qu'il sente le regard d'Emily posé sur lui, il ne pouvait plus s'arrêter :

– L'objectif est de tuer un monstre. Dans cette perspective, on recherche les meilleurs guerriers, les plus forts, les plus impitoyables. Ils doivent vaincre tous ceux qui essaient de stopper Erebos et prendre les dispositions nécessaires pour se préparer à la dernière bataille. Cette dernière bataille est prévue pour bientôt. Et sais-tu comment s'appelle le monstre qui doit être anéanti lors de ce combat ?

Il vit dans ses yeux qu'Adrian avait deviné.

– Exactement, conclut Nick. Il se nomme Ortolan.

Le jeune garçon soupira bruyamment. Il émit un rire bref, puis redevint sérieux :

– Pour de vrai ?

– Je te le jure.

Plusieurs sentiments se mêlaient sur son visage : la satisfaction, la douleur et la haine.

– Tu veux dire que quelqu'un va tuer Ortolan ? demanda-t-il d'une voix rauque.

– Peut-être. Je crois qu'il va y avoir une opération de ce genre, en effet.

– Plus d'une fois, j'ai imaginé le faire moi-même. Quand papa s'est mis à changer et… encore plus après, raconta-t-il en souriant de nouveau à ses chaussures. Après avoir distribué les DVD, quand j'ai observé comment les gens se métamorphosaient, j'ai craint que papa n'ait commis une erreur de programmation. Vous comprenez, un jeu qui détruit les joueurs... À la fin, il était tellement... Ah, peu importe. Il était méconnaissable. Un peu comme vous. C'est pour ça que ça m'a fait peur.

Il se tut un instant et leva la tête avant de reprendre :

– Mais il ne voulait pas vous faire de tort à vous. Seulement à Ortolan.

Emily lui répondit, d'une voix douce, avec d'infinies précautions :

– Mais ça ne marche pas. Le jeu a conduit les joueurs à faire des choses épouvantables. Quelqu'un a saboté les freins du vélo de Jamie.

Adrian sursauta :

– Quoi ?

– Oui. Ce n'était pas un accident. Il s'est passé tout un tas d'événements terribles, dans le seul but d'empêcher que le projet de vengeance de ton père ne soit mis en péril. Hier, quelqu'un a essayé de pousser Nick sous le métro.

Le petit blond secouait la tête, le visage livide et défait.

– Si l'un des joueurs tue Ortolan, il détruit aussi sa propre vie, poursuivit la jeune fille. Tu dois en être conscient. Et ton père en était certainement conscient, lui aussi.

Il évitait son regard :

– Le jeu a parlé avec vous ? Vous lui avez posé des questions et il vous a répondu ? Ou l'inverse ?

– Oui, fit-elle.

– C'était ça qu'Ortolan voulait obtenir à tout prix. L'IA que papa a développée. « Intelligence artificielle », expliqua-t-il devant la mine perplexe des deux grands. Il a conçu un programme qui était capable d'apprendre comme un être humain. Y compris les langues vivantes. Il disait que, quand le jeu serait terminé et parfaitement au point, on lui décernerait le prix Nobel pour ça. Il en était extrêmement fier et il a tout fait pour que sa découverte reste secrète.

À cet instant, Nick retrouvait chez Adrian cette fragilité, cette blessure invisible à laquelle il avait toujours été sensible et qui donnait envie de le protéger.

– Mais un des comptables de la boîte de papa s'est laissé corrompre. Depuis toujours, Ortolan se tenait à l'affût des créations de ses concurrents. Dès qu'il a su que mon père avait progressé dans la mise au point de l'intelligence artificielle, il nous a fait vivre un enfer.

Nick était à peu près certain que ledit comptable pouvait désormais s'enorgueillir de posséder un garage couvert de graffiti.

– D'abord, Ortolan a voulu racheter son idée, mais papa a refusé. Il avait sa société et il voulait sortir le programme sous sa propre marque. À partir de là, on a vécu dans la terreur.

Emily se leva de sa place et vint s'asseoir à côté du jeune garçon :

– Ce que tu racontes est horrible. C'est une injustice intolérable ! Cependant, c'est pas une raison pour transformer quiconque en meurtrier.

– Non, murmura Adrian. Tu as raison.

– C'est pour ça que nous allons essayer de l'empêcher.

– O.K. Vous avez besoin de mon aide ?

Sa question était presque une supplique. Nick comprenait bien sa réaction. Il ne voulait plus se contenter d'un rôle de spectateur.

– Et comment ! s'écria-t-il. Tu es en quelque sorte la clé de ce mystère.

*

* *

Pendant qu'il attendait son métro, Nick appela Victor, qui décrocha à la première sonnerie.

– Ah, enfin ! Qu'a dit le petit McVay ?

– Qu'Ortolan était un salopard.
– C'est vrai ? Ma foi, il y en a quelques-uns dans le secteur.
– On dirait. Il a expliqué que son père avait mis au point un genre d'intelligence artificielle et qu'il l'avait intégrée dans son jeu. Un truc complètement révolutionnaire, sur lequel Ortolan voulait faire main basse.
– Oh, tu m'étonnes ! Je n'ose même pas imaginer : il serait devenu richissime !

*
* *

Intelligence artificielle. Arrivé chez lui, Nick brancha le notebook de Finn et essaya d'en savoir plus sur le sujet. Il semblait bien que des légions de spécialistes s'employaient à trouver un moyen d'inculquer à l'ordinateur la pensée humaine dans toute sa complexité. Le père d'Adrian avait réussi ce prodige. Son application était capable d'apprendre ; elle lisait et exploitait ce qu'elle avait lu. Elle analysait la psychologie de l'utilisateur de l'ordinateur et lui donnait ce qu'il désirait au plus profond de lui. Incroyable ! Rien de surprenant à ce que personne ne parvienne à décrocher d'Erebos. Désormais, le jeu était une arme, et l'arme était devenue autonome.

Nick poursuivit sa lecture. Il se documenta sur le test de Turing, le prix Loebner, l'IA neuronale et l'IA symbolique. Au bout de deux heures, il avait mal au crâne et abandonna ses recherches. Jamais il n'arriverait à comprendre ne serait-ce que le début de ce que Larry McVay avait créé.

# CHAPITRE 32

Le SMS de Victor arriva au milieu de la nuit. La sonnerie arracha Nick à un sommeil profond. L'écran de son portable faisait une tache de lumière crue dans l'obscurité de sa chambre.

Il sauta tellement vite au bas de son lit qu'il fut pris d'un étourdissement et dut se retenir à deux mains au bord du bureau.

« 1 nouveau message »

On dirait qu'Ortolan ne va pas tarder à passer à la casserole. Ils préparent le Cercle Intérieur pour le combat. Torches, serments, tuniques blanches, tout le bataclan. Je crois que c'est pour aujourd'hui. Nous sommes en train d'assiéger la forteresse.

P.-S. J'ai trouvé un cristal magique (jaune). Si tout est bientôt fini, il ne me restera plus qu'à en faire des confettis, c'est triste, non ?

Victor avait envoyé son texto à 3 h 48. Il était 3 h 50. Nick se recoucha avec son téléphone et appela son copain.

– Ça veut dire quoi, vous assiégez la forteresse ?

– Salut ! Disons que nous traînons aux abords. C'est un grand bloc blanc qui luit dans la nuit. Ses murs dégoulinent de sang. Beurk !

Nick ne répondit pas, un bâillement l'en empêcha.

– Je t'ai réveillé, hein ? Désolé, mais il fallait absolument que je te tienne au courant. Tu aurais pu... Oups ! Voilà qu'ils se remettent à nous bombarder avec des têtes !

Il entendit une succession de clics frénétiques.

– Bon, c'est réglé ! Je me disais que tu aurais pu vouloir intervenir illico.

– Je ne sais pas. Pour faire quoi ? Tu as une idée de ce que le Cercle Intérieur est censé entreprendre concrètement ? Y a-t-il des pistes qui peuvent nous être utiles ?

– Ils doivent faire tomber Ortolan. Le Messager a dit que, quand ils auraient réussi, sa tour s'effondrerait et que nous recevrions tous une belle récompense. Il y a déjà une foule de gens qui se sont rassemblés ici et qui attendent que le bâtiment s'écroule, bien que les champions du Cercle Intérieur n'aient quitté les lieux que depuis un instant.

– Je voudrais pouvoir filer illico à Blackfriars.

– Il n'y a pas de métro à cette heure. Quant aux bus de nuit, tu peux oublier. Et puis, qu'est-ce que tu ferais là-bas ? Va plutôt te recoucher, Nick !

Ça, c'était juste une plaisanterie : il n'y avait aucun risque qu'il se rendorme. Mais là où Victor avait raison, c'est qu'il leur fallait au moins une ébauche de plan.

– J'arrive chez toi par le premier métro et nous aviserons ensemble, O.K. ?

– D'accord. Moi aussi, je le sens mal. Je crois que ça tourne au vinaigre.

– S'il se passe quelque chose d'important, tu me fais signe.

– Dacodac ! Je tiens la position de nuit, isolé et solitaire… si l'on excepte les trois cents guerriers épuisés qui m'entourent.

Nick se cala contre son oreiller, les yeux rivés sur les aiguilles de son réveil, comme pour les faire tourner plus vite. Encore plus d'une heure jusqu'à la première rame ! Pourvu que la forteresse ne s'effondre pas d'ici là !

Incapable de rester assis plus longtemps dans son lit, il se leva et commença à faire les cent pas dans sa chambre. À tourner comme un lion en cage, il se rendit compte qu'il faisait pas mal de bruit dans l'appartement endormi. Surtout ne pas réveiller son père ou sa mère ! Il valait mieux aller dans la cuisine et écrire un petit mot pour leur dire qu'il était parti courir avec Colin avant le début des cours. C'est la seule idée qui lui venait à l'esprit. Avec un peu de chance, ses parents le croiraient quand ils se lèveraient, dans deux heures et demie. Il était cinq heures moins le quart quand il quitta furtivement l'appartement. Il avait embarqué son sac à dos avec ses affaires de classe, pour que sa mère ne tombe pas dessus, mais il le laissa dans le local à vélos. Pas la peine de s'encombrer inutilement.

Les rues étaient sombres et désertes. Les grilles de la station étaient encore baissées. Nick ferma les boutons de sa veste et remonta son col en comptant les minutes. Qu'allait-il faire ? Il pouvait guetter Ortolan et l'obliger à l'écouter. Ou se rendre à la police : « Vous savez, il y a un jeu vidéo dans lequel tout laisse à penser qu'aujourd'hui un patron sans scrupules va être assassiné. » Oui, oui. Excellente idée !

Le bip de son portable l'arracha à ses réflexions, lui annonçant un nouveau message :

Je suis sûr que c'est pour aujourd'hui. J'ai reçu la mission correspondante. Appelle-moi !

Il composa aussitôt le numéro de Victor.

– Si quelqu'un me pose la question, je dois déclarer que j'ai pris mon petit déjeuner avec un certain Colin Harris, expliqua celui-ci. Aujourd'hui, entre huit et dix.

Nick ne voyait pas où il voulait en venir.

– Pourquoi es-tu censé déjeuner avec Colin ?

– Pour lui fournir un alibi, tu compren ds ? À condition bien sûr qu'il ne soit pas pris en flagrant délit. Tu connais ce type ?

– Et comment !

– Peu importe. Écoute, Nick, tout ça commence à me faire salement flipper.

– Attends, j'arrive. Qu'est-ce qui se passe, du côté de la tour ? Elle tient bon encore ?

– Oui, oui. Elle est toujours debout : elle brille dans la nuit et elle saigne.

Lorsque la grille de la station s'ouvrit enfin, le garçon dévala les marches comme si le Messager en personne était à ses trousses. Pas de détours, cette fois. King's Cross direct. Vingt minutes plus tard, il sonnait à la porte de son copain.

– Regarde ! dit Victor.

La tour dressait sa masse immense, d'une blancheur spectrale, dans l'obscurité. Du sang suintait de ses murs et dégoulinait des fenêtres, des meurtrières et des fissures dans la pierre. Elle était cernée par des centaines de guerriers de toutes races et de tous niveaux. Ils attendaient. Nick imaginait aisément la curiosité qui devait les dévorer. Il aurait été tout aussi impatient, s'il n'avait pas connu l'envers du décor ! Dans l'état actuel des choses, ce qu'il ressentait ressemblait plutôt à du dégoût.

– Je vais me rendre chez Ortolan pour l'avertir personnellement, annonça-t-il. Même si c'est un salopard. S'il ne me prend pas au sérieux, tant pis pour lui. Au moins, j'aurai essayé.

– Ou alors nous allons à son bureau et nous faisons le guet. Dès qu'un des joueurs apparaît, nous l'interceptons et nous prévenons la police.

C'était un bon plan. Ça pouvait marcher.

– O.K., approuva Nick. Qui est dans le Cercle Intérieur en ce moment ?

Victor les compta sur ses doigts :

– Wyrdana, BloodWork, Telkorick, Drizzel et... attends, Ubangato, un barbare. Il les a rejoints lors des derniers combats dans l'arène. As-tu une idée de qui ils sont dans la vraie vie ?

– Non, répondit Nick. Sauf un. Plus ça va, plus il me semble probable que Colin soit BloodWork.

Ils se mirent en route peu après six heures. Nick envoya un SMS à Adrian. Pas vraiment de gaîté de cœur, mais après tout il lui avait promis de le tenir au courant. Quand Victor voulut prévenir Emily, il essaya de lui arracher son téléphone :

– T'es malade ? Et si ça devient dangereux ?

– Elle m'a fait promettre. Elle va m'étrangler si je ne la tiens pas au courant maintenant, dit-il en appuyant sur la touche « Envoyer ». Et puis elle a autant le droit d'y être que toi et moi. Et Adrian.

Blackfriars. Ils sortirent du métro et se dirigèrent vers Bridewell Place. Emily et Adrian les rejoindraient là-bas.

Il tombait une petite pluie fine et Nick marchait en silence à côté de Victor, sans cesser de regarder autour de lui, à l'affût de visages connus. Il n'arrivait pas à se débarrasser de ses craintes. Que se passerait-il si personne ne se montrait ? Si tout ça n'était qu'une fausse alerte ? Si la tour n'était pas l'immeuble de Bridewell Place ?

Ils remontèrent New Bridge Street. Au moins, il avait eu l'intelligence de prendre un gilet à capuche. Ça lui permettait de cacher sa queue de cheval, à défaut de pouvoir masquer sa haute taille. Il ne s'agissait pas d'être repéré trop tôt par les joueurs.

Pas question non plus de rester planté sur la place, pour la même raison. Il y avait bien un pub, derrière, mais il n'ouvrait qu'à onze heures.

– Écoute ! dit Victor, lorsqu'ils arrivèrent en vue de l'immeuble de bureaux. Tu restes ici et tu attends. Discrètement, bien sûr. Moi, je fais un tour du pâté de maisons pour voir. Personne ne me connaît.

Il partit en éclaireur, laissant Nick à son poste d'observation. Le garçon avait les yeux rivés sur le bâtiment, pourtant l'échafaudage masquait partiellement les fenêtres. C'était agaçant. Il concentra son attention dessus. Quelque chose bougeait là-bas ? Quelqu'un ? Non, son imagination lui jouait des tours. Et, s'il y avait quelqu'un, c'était sûrement un ouvrier du chantier.

Il consulta sa montre. Sept heures et demie. Bon sang, ça pouvait encore durer une éternité ! Il releva la tête en direction de l'échafaudage. À ce moment-là, une main se posa sur son épaule : il crut que son cœur s'arrêtait.

– J'ai dit « discrètement », Mr Dunmore. Tu es à peu près aussi discret qu'un phare sur un rocher.

Victor se tenait derrière lui, hilare.

– T'es obligé de me foutre la trouille comme ça ?

– Allez ! On a les plaisirs qu'on peut ! Bon, on y va maintenant ! Il faut qu'on s'approche un peu.

Pendant un temps, ils guettèrent l'entrée, mais ils ne remarquèrent personne de connu. C'est alors que le téléphone de Nick sonna : de frayeur, il faillit se jeter sous une voiture.

– Salut, c'est Emily. Adrian et moi, on n'est pas loin. On achète des sandwiches. Tu veux que je t'en prenne aussi ?

– Des sandwiches ? Maintenant ? Non, merci.

– J'ai toujours besoin de manger quand je suis à cran. T'es où ?

– Juste devant le siège de Soft Suspense. Victor est là aussi. Pour l'instant, calme plat.

– Peut-être que vous êtes trop visibles. À tout de suite !

Nick tira Victor à l'abri d'une fourgonnette de livraison : elle avait raison, naturellement. Il ne fallait pas qu'ils gâchent l'opération.

Dix minutes plus tard, quand les deux autres les rejoignirent, il ne s'était toujours rien passé. Il y avait sans cesse des gens qui entraient, mais aucun élève dans le lot.

– Je suis sûr que c'est pour aujourd'hui, maintenait Victor. Le Cercle Intérieur a été envoyé en mission commando et nous avons vu tous les deux la tour en sang.

Encore dix minutes. Toujours rien. Nick commençait à avoir mal au dos à force de rester plié en deux derrière la camionnette pour éviter que sa tête ne dépasse. Peut-être que les as du Cercle Intérieur avaient fini par se dégonfler ? Maintenant que ça devenait sérieux ?

– Voilà Ortolan, lança Adrian.

Il le dit calmement, cependant Nick vit les muscles de sa mâchoire se crisper et ses poings se serrer.

Il allait bien falloir que les guerriers du Cercle Intérieur arrivent. Quand viendraient-ils, si ce n'était pas maintenant ? Mais personne ne se montrait. Aucun passant ne s'attardait de façon suspecte. Nick avait de plus en plus le sentiment que quelque chose clochait. Avaient-ils mal analysé la situation ? S'étaient-ils trompés de lieu ? Peut-être qu'en ce moment quelqu'un était en train de planquer une bombe sous la Jaguar d'Ortolan ?

À peine se fut-il fait cette réflexion qu'il entendit un tremblement. Ça provenait de l'immeuble de bureaux, d'en haut. Une vitre ?

Il leva les yeux, mais ne vit rien à cause du foutu échafaudage... mais le tremblement recommença. Non, c'était plutôt un craquement...

– Nous sommes vraiment stupides ! murmura-t-il. Ils sont déjà dedans.

*Crac !* Pas très fort, juste assez pour qu'on l'entende malgré le vacarme de la rue.

Ils se regardèrent et partirent en trombe.

Ils traversèrent la place et atteignirent le hall d'entrée.

– Du calme, maintenant, recommanda le plus âgé de la petite troupe, sinon ils ne vont pas nous laisser passer. On prend l'escalier, pas l'ascenseur.

Marbre gris, colonnes et verre. Dans ce décor stylé, une jeune femme leur souriait d'un air avenant derrière son comptoir d'accueil. Tapi dans un coin discret du hall, presque invisible sur son fauteuil de cuir noir, ils reconnurent Rashid, qui faisait le guet.

– Soft Suspense ? demanda Victor en présentant sa carte de presse.

– Cinquième étage. Un moment, je vous annonce.

Leur camarade de classe regardait Nick avec une perplexité croissante. Il n'avait manifestement pas prévu que quelqu'un fasse irruption et leur mette des bâtons dans les roues. Puis il sembla avoir pris sa décision : il se leva précipitamment de son siège et vint vers eux.

– Très aimable à vous, mais il ne sera pas nécessaire de nous annoncer.

L'escalier était derrière. Ils se ruèrent vers les marches, sans écouter ce que leur criait l'hôtesse. Nick se demandait seulement si Rashid avait un pistolet.

Premier étage. Jusque-là, rien de suspect, pas de gens paniqués, pas de bruit. C'était normal, puisqu'il s'agissait du siège de la société d'immobilier.

Deuxième étage. Où était passé Rashid ? Nick jeta un coup d'œil par-dessus son épaule : l'escalier était vide. Ça ne le rassurait pas pour autant.

Ils franchirent le troisième, puis le quatrième étage : RAS. Partout, le business suivait son cours. Pour un bref instant – et de façon totalement irrationnelle –, Nick espéra qu'ils s'étaient peut-être trompés et qu'il ne se passerait rien, ce jour-là. Il continuait à se raccrocher à cet espoir absurde tout en grimpant quatre à quatre les marches jusqu'au cinquième étage.

À peine arrivés sur le palier, ils se trouvèrent face au guetteur, qui leur barrait le passage :

– N'avancez pas ! Ça n'est pas votre affaire.

Il n'avait pas de pistolet à la main. C'était déjà ça ! En revanche, il les menaçait avec un spray. Du gaz lacrymogène.

Sa main tremblait, sa voix aussi :

– Vous ne bougez pas, j'ai dit ! Je ne veux pas vous faire de mal. Vous restez... ou, ce qui serait encore mieux, vous repartez. Il n'arrivera rien à personne.

Emily lui répondit d'une voix parfaitement calme :

– Tu n'es pas obligé de faire ça. Tu n'as qu'à descendre ces marches et sortir dans la rue. Personne ne te fera rien. Ni nous, ni le Messager, ni aucun des autres joueurs. Je te le promets.

Sur le visage de son interlocuteur, un muscle tressauta légèrement.

– Tais-toi, tu sais pas de quoi tu parles. Maintenant tirez-vous !

Elle fit une nouvelle tentative :

– Si tu te dépêches, tu seras parti avant que la police n'arrive. Ils vont pas tarder et, là, tu pourrais avoir de sérieux ennuis.

Le doigt sur l'embout du spray tressaillit. Nick poussa doucement Emily derrière lui.

– Nous ne te menaçons pas, lança-t-il précipitamment. Au contraire. Nous voulons t'aider. Sauve-toi !

– Mais... après...

– Après, tu seras viré du jeu ? Et alors ? Honnêtement, je crois qu'après la journée d'aujourd'hui, *exit* le jeu !

La main crispée sur le flacon de gaz s'abaissa de quelques centimètres.

– Le Messager me tuerait.

– Tu vois un Messager quelque part, toi ? Un orc ? Un troll ? Tout ça, ici, c'est pour de vrai, et tu vas réellement aller en prison, pour une complicité de meurtre bien réelle !

L'autre laissa retomber son bras. Nick fut tenté de se jeter sur lui pour lui arracher la bombe lacrymo. Mais ce n'était sans doute pas nécessaire.

– Vous n'allez pas me dénoncer ? demanda-t-il à voix basse.

– Non. Promis.

Il leur jeta un dernier regard craintif et se mit à descendre les marches, d'abord lentement puis à toute vitesse.

– Rashid ? lui cria Nick. Ils sont combien là-dedans ?

– Aucune idée, répondit-il. Les deux gardes dehors sont peut-être déjà partis. En tout cas, dedans, il y a les cinq du Cercle Intérieur.

Ensuite, on n'entendit plus que le bruit de sa cavalcade résonnant dans la cage d'escalier.

– Cinq personnes et quelques armes, gémit Victor. On aurait pu au moins récupérer son gaz lacrymo.

Nick reconnut en son for intérieur qu'il n'avait pas tort. De toute façon, maintenant, c'était trop tard. Ils poussèrent la lourde porte vitrée qui donnait accès aux bureaux. Il pénétrèrent dans une sorte d'accueil, mais sans hôtesse. Il n'y avait personne dans les couloirs et toutes les portes étaient closes.

– Comment ça se fait qu'il n'y a personne ?

Ils s'engagèrent dans le premier couloir et ouvrirent prudemment une porte. Derrière, deux postes de travail, mais pas d'employé. Dans la pièce suivante ? Personne non plus. Nick ouvrit les portes les unes après les autres, redoutant à chaque fois de tomber sur un amoncellement de cadavres.

– Ils ont tous pris leur journée ou quoi ? demanda Victor.

– Là-bas derrière, j'entends quelque chose, fit Adrian en désignant, au bout du couloir, une porte en bois garnie de ferrures en cuivre, qui tranchait sur le style moderne du reste des locaux.

Ils tendirent l'oreille. Le jeune garçon avait raison : ils entendirent effectivement un coup sourd et une voix étouffée qui criait quelque chose.

– O.K. ! Au moins, nous savons où ils sont, constata le journaliste. On entre ou on va chercher les flics ?

Nick répondit aussitôt :

– Adrian, tu vas dans un des bureaux et tu appelles la police. Nous, nous tenons la position.

Après un court instant d'hésitation, le blondinet s'exécuta. Les trois autres se regroupèrent devant la porte en bois.

– Nous pourrions aussi faire irruption dans la pièce pour les prendre par surprise, suggéra Victor.

Nick secoua la tête :

– Je crois que je préfère m'abstenir de surprendre quelqu'un qui tient un pistolet.

Il plaqua son oreille contre la porte : des voix lui parvenaient distinctement, mais on ne comprenait rien.

– On aurait été bien inspirés de demander à Rashid qui étaient les membres du Cercle Intérieur, déplora Emily. Ça nous aurait permis de nous préparer et de mieux évaluer...

Elle n'eut pas le temps de finir sa phrase, car la porte s'ouvrit brutalement, livrant passage à une silhouette tout de noir vêtue. Elle portait sur la tête le masque du film *Scream*, un visage blanc déformé par un cri.

– Je vais chercher de l'eau, lança l'individu avant de s'arrêter net en découvrant les trois intrus. Il y a des... gens ! Et merde, d'où ils sortent, ceux-là ?

Il fit demi-tour et regagna le bureau, dont la porte resta ouverte.

– Personne ne bouge ! cria Nick nerveusement.

Oh là là, ça tournait mal. Il y avait un... deux, non, trois individus masqués, munis de pistolets. Et deux des trois étaient braqués sur eux. Un quatrième type avec un masque de diable se tordait sur le sol en geignant faiblement. Colin, pas de doute. Par terre, à côté de lui, une batte de baseball. Il semblait en avoir reçu quelques coups. Il avait dû y avoir une bagarre, car deux des vitres étaient fêlées.

Le cinquième type, celui qui allait chercher de l'eau, ne semblait pas armé. C'était une piètre consolation.

– Dunmore, prononça une voix grave sous un masque de tête de mort. Espèce de salopard !

Nick eut un mouvement de recul. Il connaissait cette voix et cette stature massive : Helen. Elle pointait son arme directement sur Andrew Ortolan assis sur son fauteuil directorial, les poignets ligotés posés sur son bureau et le visage livide. À ses pieds, deux femmes et trois hommes étaient allongés sur les dalles de marbre, les mains attachées dans le dos. Une femme pleurait sans bruit.

À son tour, Ortolan regarda vers la porte.

– Qu'est-ce que c'est que ça encore ? Du renfort ? ironisa-t-il d'un ton légèrement méprisant.

Nick vit qu'une balafre sanguinolente lui barrait le front.

– Ta gueule ! aboya Helen. Et maintenant dépêche-toi de faire ce que je te dis ou je te tire dans la jambe !

La jambe se trouvait actuellement derrière le bureau, ce qui n'en faisait pas une cible idéale. Ortolan eut un petit sourire.

*Ne la sous-estime pas. Elle est capable de tirer. Elle est folle à lier.*

– Vous devriez peut-être faire ce qu'elle vous demande, lui suggéra-t-il prudemment.

– Toi aussi, tu fermes ta gueule ! vociféra-t-elle. Et quelqu'un va chercher de l'eau, fissa !

Le masque de *Scream* s'élança à nouveau, bousculant Nick au passage, et dégringola l'escalier. Pourvu qu'Adrian ait eu la présence d'esprit de se cacher !

Hormis les discrets sanglots, tout était calme à présent. Nick sentait la sueur ruisseler dans son dos. Sous son masque de diable, Colin gémissait. Une fille – identifiable en dépit de son masque de Gollum – était agenouillée à côté de lui.

– Je crois qu'il va déjà mieux, déclara-t-elle.

Le dernier de la bande était un garçon très grand et baraqué, aux doigts épais, dont le visage était caché par un masque d'Alien. Nick n'avait pas l'impression de le connaître. Ce qu'il tenait entre ses mains énormes ressemblait à un fusil de chasse à canon scié. Pourtant c'était Helen qui avait l'air de diriger les opérations. C'était avec elle qu'ils allaient devoir composer.

Nick remarqua alors ce qu'elle portait autour du cou : c'était le symbole du Cercle Intérieur, rouge, avec la pointe dirigée vers le centre. Elle était la seule à l'arborer. Il supposa qu'elle l'avait bricolé elle-même avec du fil de fer épais.

L'individu au visage blanc revint avec de l'eau. Il tendit le verre à la fille à genoux, sans faire de commentaire. Il n'avait donc pas repéré le jeune McVay.

Colin détourna le visage des nouveaux arrivants pour ôter son masque de diable. Il se redressa difficilement, but quelques gorgées d'eau et s'étrangla.

– Ça va ? demanda la meneuse de l'opération.

– Oui. Ça va mieux.

– Bon, alors, on continue. Debout, Ortolan !

L'homme s'exécuta. On voyait bien que ce n'était pas de gaîté de cœur. Nick avait du mal à savoir si le PDG de Soft Suspense avait réellement peur. Lorsqu'il l'avait espionné à deux reprises, celui-ci lui avait paru plus angoissé. *Il devait avoir compris que quelque chose se tramait contre lui. Mais il n'avait pas idée de ce qui l'attendait. Ce n'était pas concret. Maintenant que ça l'est, il est presque détendu.*

– Tu vas payer pour tes actes, proclama Helen – le texte avait dû lui être donné –, pour ta rapacité, ta brutalité, tes mensonges.

Sur un signe d'elle, le costaud à tête d'Alien se précipita pour ouvrir une des fenêtres. Sous leurs yeux se déployait Bridewell Place. Et la première planche de l'échafaudage.

Ortolan comprit.

– Je crois que j'ai déjà payé, fit-il fébrilement, bien que je ne sois ni rapace, ni brutal, ni menteur. Vous savez parfaitement tout ce que vous m'avez fait subir. Ça suffit, vous m'entendez.

Il aurait sans doute donné cher – tout comme Nick – pour observer les réactions sur le visage de ses interlocuteurs.

– Dehors ! Par la fenêtre ! ordonna Helen.

Son pistolet était pointé sur le directeur. Aucun tremblement dans la voix, aucun tremblement dans la main.

– Écoutez ! intervint alors Victor. Nous ne nous connaissons pas et ce que je vais vous dire va vous sembler banal, mais vous êtes en train de commettre une grave erreur. Qu'est-ce que vous avez à gagner à ce que le type tombe par la fenêtre ? Vous irez direct en prison ! Laissez-le tranquille et rentrez chez vous !

La fille Gollum prit la parole pour la première fois :

– Tu es un de ses amis ? Un complice ?

– N'importe quoi ! Je ne le connais même pas, protesta-t-il. En revanche, je connais Erebos. Et je vous jure : il vous a roulés dans la farine. Quoi que le Messager vous ait promis pour... pour ça, vous ne l'obtiendrez pas. Laissez tomber. Fichez le camp !

– Jusqu'à présent, nous avons toujours tout obtenu, rétorqua le masque de *Scream*. Chaque fois. Sans exception. Alors ne parle pas de ce qui passe largement au-dessus de ta petite tête.

– Parfaitement, ajouta le gros Alien. Vous n'êtes rien. Nous sommes le Cercle Intérieur. Maintenant, jette-toi par la fenêtre, Ortolan !

Désormais, la peur était visible dans les yeux de l'homme :

– Je ne peux pas.

– Alors je vais devoir tirer, le menaça Helen.

Elle leva son arme et fit feu dans le mur, juste à côté de lui.

– C'est bon ! hurla Ortolan. Je vais le faire. Je vais le faire, d'accord ? Plus de balles !

Les sanglots de la femme au sol redoublèrent. Pourvu qu'elle ne finisse pas par exaspérer un des fous du Cercle Intérieur ! Nick était lui-même tellement tendu que la pièce tournait autour de lui. On avait forcément entendu le coup de feu ; des gens allaient venir voir ce qui se passait. Ça risquait d'aggraver encore les choses.

Andrew Ortolan monta sur le rebord de la fenêtre. Elle était haute, mais il dut se baisser en raison de sa grande taille. Avec ses mains ligotées, il avait du mal à garder l'équilibre.

Il lança un regard implorant vers l'intérieur de la pièce.

– Continue ! commanda Helen.

– S'il vous plaît, non...

Elle pointa à nouveau son pistolet vers lui. L'Alien l'imita.

– Nous n'avons même pas besoin de le toucher vraiment. Il suffit de l'effleurer. Et hop, le grand saut ! ricana-t-il.

Ortolan était maintenant debout sur le rebord de la fenêtre. Il levait la jambe gauche pour la poser sur la planche de l'échafaudage qui se trouvait un peu plus haut.

*Grimpe là-dessus, puis redescend. Ça devrait fonctionner. Tu arriveras sain et sauf dans la rue si tu contrôles tes nerfs.*

Mais les jambes de l'homme tremblaient. Il s'accrocha des deux mains au chambranle de la fenêtre. On voyait qu'il savait parfaitement ce qu'il fallait faire : se retourner, attraper aussi vite que possible la barre métallique de l'échafaudage. Mais il n'y arrivait pas.

– Pas la peine d'appeler à l'aide, sinon ça va faire boum, le prévint l'Alien.

Les mains liées du prisonnier se saisirent de la tige à la manière des pinces d'un crabe. C'était une torture de le voir se hisser sur l'échafaudage, le visage livide, les membres contractés. Au moment où il venait de réussir à se stabiliser à genoux sur la planche, Nick entendit un bruit derrière lui. C'était Adrian qui les avait rejoints.

Son arrivée déclencha des réactions en chaîne.

– Toi ? s'étrangla le PDG, qui manqua de perdre l'équilibre.

Helen, tout aussi surprise, baissa son arme un bref instant.

– Qu'est-ce que tu fais là ? s'énerva-t-elle. Dégage !

– Tu le laisses filer ? demanda Colin derrière son masque de diable. T'as perdu la boule ?

Le pistolet se braqua sur lui.

– Tais-toi ! On touche pas à lui. Il est tabou.

– Qui dit ça ?

– Le Messager ! Qui veux-tu que ce soit ?

*S'ils commencent à s'engueuler, c'est le moment d'en profiter pour prendre le large avec mes amis.*

– T'as prévenu la police ? glissa Nick à Adrian.

Il n'obtint pas de réponse. Toute l'attention du garçon était concentrée sur l'homme en équilibre instable sur l'échafaudage.

– Bonjour, Mr Ortolan.

En découvrant le fils de son concurrent, celui-ci s'était cramponné plus fermement à sa tige.

– C'est toi qui es derrière tout ça ? demanda-t-il.

– Non, répondit Adrian qui s'approcha de la fenêtre et regarda en dessous. La chute doit être terrible.

– Tu m'en diras tant ! ironisa son interlocuteur, dont la colère reprit le dessus une fraction de seconde. Explique à ces crétins masqués qu'il faut qu'ils me laissent rentrer.

– Pourquoi m'écouteraient-ils ?

– Tu as forcément quelque chose à voir avec ça. Ne me prends pas pour un demeuré. Il me suffit de voir le truc que la fille, là, a autour du cou pour tout comprendre.

Adrian se retourna vers Helen et aperçut ce dont parlait Ortolan. Sans hésiter, il s'approcha d'elle, saisit le symbole et l'examina.

– Pourquoi tu portes ça ?

– Dégage, tu ne peux pas comprendre !

Adrian se dressait entre elle et Ortolan et l'empêchait de le tenir en joue.

– Tu l'as fait toi-même, n'est-ce pas ? Mais pourquoi ?

– Parce que je fais partie du Cercle Intérieur et que c'est son symbole.

Elle repoussa Adrian d'un geste qui ressemblait à une excuse, mais qui aurait pu l'envoyer valdinguer à la renverse, si Emily ne l'avait pas retenu.

– C'est le logo de Vay too far. La société de mon père.

– Exactement, dit Ortolan.

Le mot s'acheva dans un cri, car une bourrasque s'était mise à secouer le fragile édifice, dont les montants craquaient dangereusement.

Par ailleurs, le vent apportait un bruit. Des sirènes. Étaient-ce les voitures de police ? Fort possible. Elles se rapprochaient. Le soulagement se peignit sur le visage de l'adulte.

– Saute ! dit Helen.

– Pardon ?

– Je te dis de sauter.

Elle vint à la fenêtre et braqua son pistolet sur la poitrine de l'homme :

– Saute ou je te descends !

Les sirènes n'étaient plus loin. L'Alien et la fille Gollum échangeaient des regards nerveux.

– On devrait se tirer, prévint la fille. Quelqu'un a appelé la police. Venez ! Vite !

– Saute maintenant, espèce de porc, ordonna la chef derrière son masque de tête de mort.

L'image s'imprima définitivement dans la mémoire de Nick. Comme si c'était la mort elle-même qui parlait.

– Tes amis ont raison, la police est en route, implora Ortolan d'une voix que la peur poussait dans les aigus. Ils te prendront en flagrant délit de meurtre, tu en es consciente ? Si tu tires, tu es une meurtrière. Tu finiras tes jours en prison.

Il ne parvenait pas à détacher ses yeux du pistolet. Helen était tout près de lui : si elle appuyait, elle le toucherait à tous les coups et il tomberait quoi qu'il arrive, mort ou vif. Il y allait de sa vie.

Ses mots commençaient déjà à produire leur effet sur l'un des cinq masques. Le type au masque de *Scream* avait reculé pas à pas jusqu'à la porte et il détala. L'Alien et Gollum semblaient bien tentés de l'imiter. Ils continuaient à tenir en joue les deux groupes – les uns debout, les autres à terre – mais sans grande conviction.

Victor l'avait remarqué.

– Allez-y ! Partez sans regret ! dit-il pour les encourager. Vous savez quoi ? Je vous révèle un secret : le jeu est terminé. Peu importe ce que vous ferez, le Messager ne vous récompensera pas. En revanche, vous pouvez être sûrs qu'il y aura un tribunal qui vous punira. Erebos est fini, c'est...

– Ferme ta gueule ! Tu ne sais pas ce que tu racontes ! hurla Helen, qui braqua en un éclair son pistolet sur Victor, avant de se rappeler sa véritable mission et de le pointer de nouveau sur Ortolan.

– Saute ! répéta-t-elle en faisant encore un pas vers lui.

Pendant une fraction de seconde, on eut l'impression qu'il allait obéir. Il jeta un regard vers le bas comme pour évaluer la hauteur ou ses chances d'atteindre le sol entier en se retenant aux planches. C'est alors qu'Adrian s'interposa entre la fille et la fenêtre.

Victor et Nick se précipitèrent vers lui dans un même élan et stoppèrent net aussitôt. Il fallait à tout prix qu'Helen reste calme. Il fallait surtout éviter qu'elle tire maintenant.

– Éloigne-toi, Adrian ! cria Nick.

Il ne bougeait pas. Elle devenait de plus en plus nerveuse et dansait d'un pied sur l'autre pour ne pas perdre Ortolan de vue. Mais elle n'avait pas baissé son arme.

– Tu ne vas pas tirer sur Adrian, hein ? demanda-t-il. Il n'a rien à voir avec tout ce délire.

Une sirène l'interrompit.

Dégrisés, Gollum et l'Alien partirent sans demander leur reste. Nick les vit filer du coin de l'œil ; on aurait dit qu'ils venaient tout juste de réaliser la gravité de la situation dans laquelle ils s'étaient mis.

– Non ! rugit Colin. Ne me laissez pas ici ! Emmenez-moi, bande de sales trouillards !

Il essaya de se redresser, ce qui lui arracha un cri de douleur, puis se laissa retomber sur le sol. Le masque de diable glissa légèrement, laissant entrevoir sa peau sombre.

– Mr Ortolan, dit Adrian, reconnaissez devant nous tous que vous avez essayé de voler Étincelle des dieux à mon père. Si vous ne le faites pas, je m'écarte d'un pas.

– Enfin, qu'est-ce que vous attendez pour lui prendre son flingue, à cette folle ? lança son interlocuteur sans répondre. Ça ne doit pas être bien difficile !

Des pneus crissèrent devant l'immeuble. Une lumière bleue tremblotait sur la façade opposée.

– Je suis ici, en haut ! clama le prisonnier en direction de la place. Venez me libérer. Faites-moi descendre !

Puis il se tourna vers l'intérieur de la pièce.

– Ça suffit maintenant. Je rentre. On arrête ce délire !

Adrian fit un pas de côté. Le canon du pistolet d'Helen était braqué directement sur la tête d'Ortolan.

– Non ! S'il vous plaît !

En se baissant sur l'échafaudage, il fit vaciller toute la structure. Il poussa un hurlement et parvint à rétablir son équilibre.

– Dites-le ! répéta Adrian.

– Pourquoi ? Ça ne tiendrait devant aucun tribunal au monde ! Ce serait sous la menace.

– C'est pas ce qui m'intéresse. Reconnaissez-le ! Nous savons tous les deux que c'est la vérité.

Devant l'immeuble, le bruit s'amplifiait. Quelqu'un lança un ordre, des portes de voitures claquèrent. Les employés ligotés commençaient à s'agiter. Nick pria pour qu'aucun d'eux ne craque maintenant, car la patience d'Helen semblait à bout.

Sous son masque de tête de mort, la sueur dégoulinait dans son cou. Nick sentait la colère monter en elle comme si c'était la sienne.

Adrian s'était remis devant le PDG de Soft Suspense, le fixant sans ciller.

– Ton père était un maudit génie, gueula Ortolan. Il n'y connaissait rien au business. À deux, on aurait pu devenir les maîtres du marché, mais il voulait absolument tout faire tout seul.

– Est-ce que vous avez volé son programme ?

– Oui ! Oui et oui, bordel ! Et j'ai bien fait, tu comprends ?

– Vous l'avez fait chanter ? Vous l'avez volé ? Terrorisé ?

– Oui, si tu veux. Mais ça n'a pas marché. Je n'ai pas pu récupérer la version complète d'Étincelle des dieux. Rien que j'aie pu exploiter d'une façon ou d'une autre. Si ça peut te rassurer.

L'adolescent se retourna :

– Helen, laisse-le partir.

– Non, je le laisserai seulement sauter, c'est tout. Pousse-toi !

Adrian ne bougea pas d'un pouce. Elle remit son masque.

– Sincèrement désolée ! fit-elle en lui assénant un coup de poing qui l'envoya valser à l'autre bout de la pièce.

Les deux garçons réagirent en même temps : ils se jetèrent par-derrière sur Helen. Victor la plaqua au sol de tout son poids, tandis que son comparse tentait d'attraper sa main serrée sur la crosse.

La fille résistait de toutes ses forces :

– Laissez-moi ! Je suis le dernier guerrier encore capable de gagner la bataille !

– Il n'y a pas de bataille, gémit Nick. Il n'y a plus de Messager et plus de mission. Arrête, Helen, je t'en prie !

– Traîtres ! cria-t-elle.

Le coup de feu partit juste à côté de lui, lui crevant les tympans. Il crut d'abord qu'il était mort. Tué à bout portant. Mais il comprit vite que la balle n'avait touché que le mur. Cependant le choc lui avait fait relâcher son emprise, et Helen en profita pour se retourner et tirer sur Ortolan qui tentait de réintégrer son bureau.

Elle le toucha au flanc. Il resta pétrifié, puis bascula lentement dans le vide.

Nick vit une ombre s'élancer vers lui et l'empoigner par le bras. Victor. Il attira l'homme à l'intérieur de la pièce et l'étendit sur le sol. Le sang maculait sa chemise de rouge.

– Victoire ! soupira Helen. Je savais bien que ça marcherait.

Nick était tétanisé et il lui fallut encore quelques secondes pour retrouver le contrôle de son corps. Il arracha l'arme des mains de la fille et la tendit à Victor :

– Qu'est-ce qu'on fait maintenant ? Regarde comme il saigne... Il nous faut une ambulance.

L'un des deux employés à terre leva ses mains ligotées :

– Débarrassez-moi de ces cordes ; je m'occupe de sa blessure.

Nick fit ce qu'on lui demandait. Il se sentait bizarre, comme pris de vertige. Il n'allait pas tarder à s'effondrer.

– Il nous faut une ambulance, répéta-t-il.

Il était urgent qu'il s'asseye. De petits points noirs et blancs dansaient devant ses yeux. Les noirs étaient de plus en plus nombreux. Il tâtonna jusqu'à la chaise la plus proche, s'y assit en fermant les yeux et attendit que le malaise se dissipe.

Lorsqu'il les rouvrit, Helen était assise à côté de lui. Elle regardait ses mains. *Quelqu'un devrait la tenir*. Mais elle ne s'enfuit pas.

Des pas dans l'escalier. On entendit l'un des ascenseurs arriver à l'étage. Bientôt, les secours seraient là.

– Helen ?

Il lui ôta son masque. Sa large figure apparut sous la tête de mort. Elle était couverte de sueur, mais la satisfaction se lisait sur ses traits.

– Ne m'appelle pas Helen ! répliqua-t-elle. Je suis BloodWork.

Policiers, médecins, secouristes. Le bureau grouillait de gens qui parlaient dans tous les sens. Dans un premier temps, ils évacuèrent Ortolan et s'occupèrent de Colin, qui avait des côtes cassées et pour lequel on craignait une rupture de la rate. Un des employés raconta que le PDG de Soft Suspense lui avait arraché la batte de baseball des mains et l'avait frappé à plusieurs reprises dans le ventre. Nick s'étonna qu'Helen n'ait pas riposté immédiatement en tirant sur lui. Peut-être parce qu'elle n'avait jamais pu blairer Colin ?

Avant d'être emmené, ce dernier se tourna vers Nick, qui s'agenouilla près de lui. Il lui prit la main :

– Dis, tu témoigneras en ma faveur ? Ils vont certainement m'inculper et me mettre dans le même sac qu'Helen. Mais je n'aurais jamais tiré. C'est pour ça que j'avais choisi la batte. S'il te plaît ?

Il eut du mal à ne pas retirer sa main :

– C'est... trop tôt. Peut-être. Oui. Laisse-moi maintenant.

– C'était pas moi non plus pour Jamie. Je le jure !

– Je sais.

Ils descendirent le blessé dans l'ambulance, tandis que Nick suivait les policiers au commissariat pour être entendu.

*

* *

*Lâcher prise, c'est facile dès lors qu'on l'a décidé. Je regarde autour de moi et ce que je vois me donne envie de rire. Tout ça sera bientôt du passé. Moi-même, je ne suis plus qu'un souvenir, douloureux pour les uns, désagréable pour les autres.*

*Ma tâche est achevée. Désormais, je ne saurai pas ce qui va se passer et c'est bien ainsi. Au moins, je ne serai pas tenté d'intervenir.*

*Le futur regorge de promesses. Je ne ressens nulle curiosité. Si j'étais curieux, resterais-je ? Je ne sais. Je suis las. Voilà qui aide aussi à lâcher prise.*

# CHAPITRE 33

À travers l'épais rideau de pluie, le Whittington Hospital ressemblait à un gros bloc marronnasse. Nick avait rabattu sa capuche sur sa tête, mais ça ne l'avait pas empêché de se faire tremper. Il avait mis le petit paquet contenant le chocolat préféré de Jamie à l'abri dans la poche intérieure de son imperméable.

Sa chambre était au troisième étage. Arrivé devant la porte, il n'eut qu'une envie : prendre ses jambes à son cou.

« Il est réveillé, mais il ne va pas bien encore. » C'est ce qu'avait dit Mr Watson et personne n'avait osé demander de détails.

Il frappa à la porte. Frappa de nouveau. Pas de réponse. Animé d'un mauvais pressentiment, il ouvrit la porte.

Deux lits, dont l'un était vide. Dans l'autre, il y avait son ami. Il paraissait petit, fragile. Nick prit une profonde inspiration.

– Salut, Jamie ! C'est moi. On m'a dit que tu allais mieux et j'ai eu envie de passer te voir.

Le garçon ne bougea pas. Il avait la tête tournée vers le mur. La moitié de son crâne était rasée, comme celui de Kate, sauf que chez lui elle était barrée d'une longue couture.

– Je t'ai apporté quelque chose.

Il sortit le paquet de sa poche et s'approcha lentement. Il découvrait maintenant le visage de Jamie. Il regardait fixement le mur et avait la bouche entrouverte.

*Le miracle n'a donc pas eu lieu.* Nick sentit sa gorge se nouer. Il détourna vite le regard.

– Emily te salue. Elle va bientôt venir te voir. Il s'est passé plein de choses au cours de ces dernières semaines.

Le blessé gardait les yeux rivés sur le mur. Nick crut voir tressaillir un muscle dans son visage. Mais peut-être était-ce juste son imagination.

– J'aimerais tellement savoir comment tu vas. Je ne peux pas te dire à quel point je m'en veux d'avoir été tellement dégueulasse avec toi, ce jour-là. Mille fois, j'ai souhaité m'être comporté autrement. En tout cas, le jeu, c'est terminé. Peut-être que ça te réjouira. Pas seulement pour moi, mais pour tout le monde.

Se pouvait-il qu'il ait souri ? Non.

– Si tu m'entends, si tu entends ne serait-ce qu'un mot de ce que je dis, fais quelque chose. S'il te plaît ! Cligne de l'œil ou bouge tes orteils, n'importe quoi !

Il réagissait ? Il réagissait vraiment ? Nick se mordit les lèvres en voyant Jamie lever sa main droite avec une infinie lenteur et étirer ses phalanges.

– Tu fais ça comme un chef, bredouilla-t-il. Tu vas revenir au top. C'est sûr.

La main restait suspendue en l'air. Ses doigts tressautèrent. Puis il les replia l'un après l'autre, à l'exception du majeur. Il tourna la tête, regarda son copain et son visage se fendit d'une large grimace.

– Cox, espèce d'enfoiré, tu m'as foutu la trouille de ma vie ! s'écria Nick, en se retenant de lui flanquer une grande bourrade dans les côtes ou de lui sauter au cou. Tu vas mieux, c'est bien vrai ? Qu'est-ce que je suis content ! J'ai vraiment cru que tu étais… parti.

– Je vais bien ? Tu dis ça sérieusement ? J'ai des migraines d'enfer et tu n'imagines pas comme c'est agréable, une hanche cassée.

Il parlait sur le ton de la plaisanterie, mais il plissait les yeux de douleur.

– Heureusement, on me donne des pilules géniales. Rien que pour ça, ça valait presque le coup.

– Idiot ! Je t'ai vu étendu sur la chaussée et j'ai cru que tu étais mort. J'arriverai jamais à me sortir cette image de la tête.

À nouveau, son copain lui décocha un sourire moqueur :

– T'as qu'à m'en envoyer une copie.

Comme il le lui expliqua, il se souvenait de tout, à l'exception des deux jours précédant l'accident. Sa colère contre le jeu était intacte.

– Il ne fonctionne plus, le rassura Nick. Aucun joueur ne peut plus y avoir accès. Quand la bataille a été perdue, tout est devenu noir chez tout le monde en même temps. Fini. Terminé. Certains joueurs ne s'en sont toujours pas remis.

– Comment ça se fait ? Quelqu'un a débranché le serveur ?

– Non.

Il se rappela que son ami n'avait pas idée de ce qu'était Erebos et de tout ce qu'il était capable de faire.

– C'était un jeu absolument extraordinaire. Il savait lire et il comprenait ce qu'il lisait. Ma théorie, c'est que, pendant la bataille, il n'a pas cessé de sonder Internet en attendant qu'on annonce la mort de « l'ennemi ». Comme l'info n'est pas arrivée, mais plutôt l'inverse, il s'est débranché tout seul.

Jamie avait l'air impressionné :

– C'est fou !

– Totalement.

Il semblait pensif. Était-il trop tôt pour lui dire la vérité ? *Non. Plus vite on s'en débarrassera, mieux ce sera.*

– Écoute-moi, commença-t-il. En réalité, ton accident n'en était pas un. Quelqu'un a sectionné les freins de ton vélo. C'est pour ça que tu as déboulé à toute blinde dans le carrefour.

Il fit une pause, respira à fond et reprit :

– Je connais le nom de celui qui l'a fait. Si tu veux, je te le dirai.

L'incrédulité se lisait sur le visage blême. Il ouvrit la bouche, la ferma et tourna la tête face au mur :

– Je ne me souviens pas de l'accident. Ni des jours d'avant. J'aimerais bien savoir ce qui s'est passé. Ça avait un rapport avec le jeu ?

– Oui.

– Je comprends. Je vais réfléchir. Peut-être que j'aurai envie de l'apprendre un jour, reprit-il en se forçant à sourire. Pour l'instant, la seule chose qui m'intéresse, c'est de savoir s'il est possible que je le rencontre dans la cour et que je lui propose la moitié de mon sandwich en toute amitié ?

– Non, le rassura Nick.

Brynne avait effectivement changé de lycée. Aux dernières nouvelles, elle ne s'était pas rendue à la police.

– Combien de temps tu vas rester encore ici ? demanda-t-il.

– Ça risque de durer encore un peu. Après, je dois aller en rééducation avec toutes les mamies qui se sont cassé le col du fémur. Je suis curieux de savoir si elles aimeront ma coiffure.

Le cerveau de Jamie était sain et sauf et – soulagement suprême – son humour était intact. Nick en aurait pleuré de joie.

– Quand tu seras sur pied, il faudra que je te présente quelqu'un. Vous allez vous adorer.

– Une fille ?

– Pas vraiment. Mais quelqu'un qui a le même humour et qui aime encore plus le thé que toi.

*

* *

Une rencontre d'un autre genre était prévue deux jours plus tard. C'est Emily qui l'avait organisée, car elle trouvait qu'il fallait conclure cette histoire proprement. « Pour beaucoup, c'est très dur, en ce moment, avait-elle constaté. Le jeu s'est arrêté si brutalement qu'il a laissé un grand vide. »

Nick, qui ne se souvenait que trop bien du manque qu'il avait ressenti, soutenait totalement son initiative. Il avait aussi une autre idée très concrète en tête, un plan qu'il ne pouvait réaliser qu'en présence des anciens joueurs.

Avec l'aide de Mr Watson, ils avaient loué la salle de conférences d'une maison des jeunes et placardé des annonces dans tous les établissements où le jeu avait eu des adeptes.

Cependant l'ancien elfe noir n'avait pas compté sur une pareille affluence. Lorsqu'il pénétra dans la salle, toutes les chaises étaient occupées et nombreux étaient les gens assis par terre. Il tenta d'évaluer le nombre de participants, mais il renonça avant d'être arrivé à la moitié. Il y en avait en tout cas plus de cent cinquante. Malgré la fraîcheur de ce soir de novembre, ils allaient bientôt être obligés d'ouvrir les fenêtres s'ils ne voulaient pas étouffer.

Il s'installa sur l'estrade et attendit que le volume sonore des discussions retombe.

– Bonsoir, commença-t-il. Je suis Nick Dunmore. Beaucoup d'entre vous me connaissent du lycée. Comme vous, j'ai joué à Erebos et j'ai adoré, franchement. Néanmoins – et là je vous demande de me croire – c'est une bonne chose que le jeu ait pris fin. Mais, avant de vous expliquer ce qui se cachait vraiment derrière, je trouve qu'il serait temps que nous nous présentions. Les règles n'existent plus maintenant. Dans le jeu, j'étais Sarius, un elfe noir, et j'ai été éjecté alors que j'étais au niveau huit.

Quelques rires fusèrent dans la salle : « Sarius, sans blague ? C'était toi, Sarius ? »

Chacun voulut y aller de son petit récit, de ses expériences, de ses anecdotes. Il eut du mal à les arrêter.

– Stop ! D'abord il faut que nous parlions d'un truc important. Écoutez, vous avez vraisemblablement tous lu dans le journal ce qui s'est passé. Ortolan n'était pas un monstre, mais un homme en chair et en os. Pas très sympathique, certes, mais un homme quand même.

Il constata qu'il avait réussi à capter l'attention de son public.

– Il doit sortir de l'hôpital d'ici quelques jours et il va sans doute continuer ses affaires comme par le passé. La seule finalité d'Erebos était de se venger de lui en lui faisant payer une de ses saloperies. Ça n'a pas marché. D'un côté, c'est une bonne chose. De l'autre, il ne serait pas tout à fait normal qu'il s'en tire comme ça.

Quelques-uns hochèrent la tête en signe d'approbation. La plupart le regardaient les yeux vides comme s'ils ne comprenaient pas de quoi il parlait.

– Voilà ce qui serait bien, poursuivit Nick. Vous avez sûrement tous reçu de « vraies » missions. Avec votre aide, je souhaiterais les répertorier. Surtout celles qui ne concernaient pas des gens de votre école. Si vous pouviez noter tout ce qui vous a intrigué, ce serait génial. Si vous avez gardé des photos, des scans ou des photocopies qu'on vous avait ordonné de faire, ce serait super que vous me les donniez.

Maintenant, c'était de la méfiance qu'il lisait dans leurs yeux.

– Rassurez-vous, ce ne sera pas exploité contre vous, c'est juré ! Mais nous essaierons de l'utiliser contre Ortolan s'il s'avérait qu'il a trempé dans d'autres magouilles. Ce qui ne m'étonnerait pas. On se retrouve ici dans une semaine, d'accord ? Et maintenant j'aimerais bien savoir qui vous étiez.

Ce fut un raz-de-marée, comme si des digues s'étaient brisées. Nick tenta bien d'imposer un ordre d'intervention, mais tout le monde se mit à parler en même temps. Chacun voulait raconter son histoire et savoir qui se cachait derrière les guerriers auxquels il avait été confronté pendant le jeu. Nick renonça à arbitrer les débats pour se mêler aux autres.

Des petits groupes se formèrent, cependant certains élèves restaient à l'écart, comme Rashid. Contrairement aux membres du Cercle Intérieur, il ne s'était pas fait prendre, mais Nick voyait bien qu'il n'était pas tranquille. Il avait toujours peur de se faire dénoncer.

Alors, Nick alla vers lui avec un grand sourire :

– Ça fait longtemps que je me demande qui tu étais. Blackspell ?

Son interlocuteur haussa les épaules, manifestement embarrassé :

– Je continue à trouver ça bizarre de parler de nos personnages. J'ai toujours l'impression qu'on ne devrait pas.

– Arrête ton char ! Allez, dis-le-moi ! Blackspell ?

Un sourire ténu s'esquissa sur les lèvres du garçon :

– Raté. J'étais Nurax.

– Jamais j'aurais imaginé. Comment c'était de jouer en loup-garou ? C'était cool ?

Ils discutèrent des avantages des différences races, des aventures qu'ils avaient partagées, de celles qu'ils avaient vécues chacun de leur côté. D'autres se joignirent à eux pour évoquer leurs personnages. La salle était une vraie volière.

Nick parcourut la salle à la recherche des joueurs qu'il avait le plus souvent croisés. Il voulait découvrir qui étaient Sapujapu et Xohoo, ou le fameux Galaris. Soudain, il sentit une main sur son épaule. Aisha se tenait derrière lui :

– Salut, Sarius. Tu m'as drôlement surprise, tu sais ça ? Je croyais que tu étais LordNick. La plupart des gens en étaient persuadés.

– Je sais, soupira-t-il. Je veux absolument le trouver et lui demander pourquoi il a fait ça. Tu me préviens si tu le trouves, d'accord ?

Elle le regarda, vexée :

– Et ça ne t'intéresse pas de savoir qui j'étais ?

*Ce qui m'intéresserait vraiment, ce serait de savoir si tu as l'intention de clarifier cette histoire d'attouchements.*

– Si, bien sûr, répondit-il. On se connaît ?

– Oh, oui, dit-elle en rigolant. Mais on ne s'aimait pas. Tu m'as piqué un niveau dans l'arène.

– Feniel ?

– Tout juste !

En deux heures, Nick avait réussi à établir une liste assez conséquente des identités. Les vraies, cette fois. Derrière Blackspell se cachait Jerome, derrière LaCor Greg le discret. Xohoo s'avéra être Martin Garibaldi, que Nick avait surpris suppliant un de ses copains, au lendemain de son éviction. Nick ravala sa déception. Il avait cru trouver en Xohoo un copain dans la vraie vie.

Quelques instants plus tard, il découvrit aussi Sapujapu, qui n'avait rien d'un nain. C'était au contraire un grand type dégingandé de terminale, prénommé Eliott, qui se destinait à des études de littérature anglaise. Ils échangèrent leurs numéros de téléphone, parlèrent de films et de musique. Il apparut qu'il était également un fan de Hell Froze Over.

– Je n'ai malheureusement plus mon tee-shirt du groupe, soupira-t-il. J'ai dû le sacrifier pour gagner un niveau dans Erebos. Aucune idée de ce à quoi il a servi.

Nick fut pris d'un tel fou rire qu'il lui fallut quelques instants avant de retrouver son sérieux pour expliquer à son nouveau copain le fin mot de l'histoire.

– Voilà un bon motif pour aller aiguiser ensemble des haches au pub, à la première occasion, plaisanta Eliott, tout en ajoutant que Nick ressemblait à LordNick à s'y méprendre.

– Je sais et ça m'agace. Ça fait un bail que je voudrais savoir qui s'est amusé à emprunter mon visage.

Quelqu'un toussota derrière lui :

– Je crois que je peux t'aider.

Nick se retourna. C'était Dan, Sœur Popote numéro un.

– Tu m'en diras tant ! Et c'était qui ?

Dan regarda le sol d'un air gêné.

– Tu ne le dis à personne, hein ? Je suis à peu près sûr que c'était Alex. Il te... il t'admire. Depuis quelques années déjà. Pendant un temps, il a essayé de t'imiter. Tu as remarqué ? Non ? Moi si, commenta Dan en se grattant le derrière. Quand un clone de Nick Dunmore a fait son apparition dans le jeu, alors que je venais de lui donner le DVD, j'ai tout de suite pensé à lui.

*Qui me dit que ce n'était pas toi ?*

– Pourquoi tu me racontes ça ?

Le petit gros se gratta avec une vigueur redoublée.

– Ben, Alex est mon meilleur pote. Et ça lui fait de la peine que tu l'appelles toujours Sœur Popote. J'ai pensé que, si je t'expliquais ce qu'il pensait de toi, tu serais plus sympa avec lui. Il n'a pas osé venir t'en parler lui-même. Ce qui plaide en faveur de ma théorie.

Nick fut étrangement touché par l'argument de Dan. Il avait envisagé toutes les raisons possibles et imaginables pour s'expliquer l'existence de LordNick, mais l'admiration, ça, non.

– Et toi ? demanda-t-il à Dan. Tu étais qui ?

– Aïe, aïe, aïe ! fit Dan avec un petit sourire honteux. Je ne vais pas me faire un ami. J'étais Lelant. Je suis vraiment désolé, mais ton cristal magique, je ne peux pas te le rendre.

Beaucoup de choses s'expliquaient, mais pas toutes. Nick n'avait toujours pas réussi à savoir qui était Aurora, la femme-chat qui était morte dans le labyrinthe, victime du scorpion. En revanche, il découvrit que Galaris était une grande maigre à lunettes de terminale. Pas plus que Nick, elle ne soupçonnait ce que contenait la caisse. Elle s'était contentée, comme lui, de la transporter d'un point à un autre. Tyrania, la barbare en mini-jupe sexy, s'avéra être la timide Michelle. C'était d'elle que provenaient les pilules avec lesquelles Nick était censé empoisonner Mr Watson. Elle les avait piquées dans l'armoire à pharmacie de son grand-père. Personne n'avait rien remarqué parce que le papi stockait toujours la double dose à la maison, pour le cas où. Henry Scott, le novice de Nick, s'était métamorphosé en Bracco, l'homme-lézard.

– Qui étaient les membres du Cercle Intérieur ? lui demanda une fille un peu boulotte, plus tard dans la soirée.

– Helen était BloodWork, répondit-il. C'est particulièrement dur pour elle en ce moment. Elle est dans un centre psychiatrique, d'après Mr Watson.

– Et Wyrdana ? Et Drizzel ?

Nick ne connaissait pas le vrai nom de Wyrdana. Pour lui, elle restait Gollum. Elle venait d'un autre lycée, ainsi que Scream et l'Alien. Ça devait être aussi l'un de ces deux-là qui avait voulu le pousser sous le métro. Mais il ne tenait pas à en savoir plus. Il préférait finalement ne pas creuser, comme Jamie avec son saboteur de freins.

– Drizzel, continua Nick, devait être Colin. Tu le connais ? Grand, la peau sombre, basketteur.

*Et mon ami dans une vie antérieure.*

# CHAPITRE 34

C'était le premier vrai week-end de détente pour Nick. Il était bien décidé à ne rien faire d'autre que se reposer, dormir et aller au cinéma avec Emily.

Malheureusement pour lui, Victor avait d'autres projets. Il s'était mis une idée en tête et n'en démordait pas. Ils parlementèrent presque une demi-heure au téléphone.

– C'est débile.

– Pas du tout. C'est même la seule chose à faire.

– Tu vas démolir Adrian avec ça.

– Je ne crois pas.

– En plus, ça ne va pas marcher

– Bien sûr que si. J'ai déjà tout testé.

– Alors, vas-y. Mais ce sera sans moi !

Ça, Victor ne l'avait manifestement pas envisagé :

– Allez, viens ! On devrait tous être là, ensemble. Nous pouvons bien faire ça pour Adrian, il me semble. Emily a promis de venir.

Nick finit par se rendre à ses arguments. Mais c'était surtout pour elle, il devait bien l'admettre. Il n'en restait pas moins qu'il ne se sentait pas très à l'aise.

Victor s'était surpassé : trois variétés de thé dans trois théières différentes, des cookies et de la pizza. Affalés dans la pièce aux canapés, ils mangeaient et discutaient à bâtons rompus.

Emily était allée rendre visite à Colin à l'hôpital. Il passerait en jugement comme Helen et les autres membres du Cercle Intérieur.

– Ils vont nous appeler à la barre pour témoigner, dit-elle. Le problème, c'est que le jeu ne marche plus. Pour le juge, ça va être difficile de comprendre ce qui s'est vraiment passé.

– D'un autre côté, intervint Nick, des centaines de gens peuvent le lui décrire. Ils l'ont vu et ils l'ont vécu.

– Sauf moi, intervint le jeune McVay d'une petite voix.

Il n'aurait pu offrir meilleure transition à Victor :

– Tu as raison. Toute la partie multi-joueurs est terminée. J'en suis désolé pour toi, mais, tu sais, je crois qu'il y a plein de trucs qui ne t'auraient pas plu. En revanche, il y a autre chose que tu devrais voir.

Il le tira hors du canapé et l'entraîna dans la pièce aux ordinateurs. Il avait disposé son meilleur fauteuil de bureau devant le plus grand écran.

– Assieds-toi.

Le visage du garçon exprimait la curiosité la plus vive.

– Le début fonctionne encore sans problème, déclara le maître des lieux en approchant un tabouret à côté de lui.

Les deux autres l'imitèrent. Ils formèrent un demi-cercle autour de l'adolescent, comme pour le protéger.

Victor alluma l'écran.

La clairière dans la forêt. La lumière blafarde de la lune. Au centre, l'anonyme accroupi sur le sol.

En transe, Adrian s'empara de la souris et changea de perspective.

– Je connais ce coin. Ça se trouve près de Wye Valley. Regardez, là-derrière, l'arbre qui fait une fourche. C'est là qu'on accrochait toujours le sac à dos quand on venait pique-niquer.

Il conduisit l'anonyme jusqu'à l'endroit et l'immobilisa. Il le fit se baisser et ramasser un objet bleu qui ressemblait à un bout de bois laqué. Nick vit une larme glisser sur sa joue.

– C'est quoi, ça ?

– Mon canif. Je l'ai perdu là-bas quand j'avais sept ans et j'ai passé le reste de la journée à pleurer.

Nick et Emily échangèrent un regard. Ça risquait de devenir plus douloureux qu'ils ne l'avaient imaginé. La jeune fille posa une main sur l'épaule de leur protégé.

L'anonyme cherchait un chemin pour sortir de la clairière et ne tarda pas à le trouver. C'était un minuscule sentier qui se perdait au milieu des arbres. Mais le joueur savait parfaitement où il allait. Il ne s'arrêtait presque jamais pour s'orienter et faisait spontanément attention à son endurance. Au bout de quelques instants, il parvint à un petit ruisseau, où il fit stopper son personnage.

– Ici, nous avons… Le voilà, murmura-t-il.

Nick ne comprit pas immédiatement de quoi il parlait, puis il découvrit deux points brillants dans le noir et enfin l'animal tout entier.

– Vous avez vu un renard à cet endroit ?

Adrian hocha la tête. La bête ne tarda pas à prendre la poudre d'escampette et à disparaître dans les taillis.

L'anonyme reprit sa progression en suivant le ruisseau. Il le traversa à l'endroit où trois pierres formaient un passage à gué. À partir de là, le chemin descendait en pente douce. Déjà, on apercevait, plus bas, la lumière vacillante d'un feu de camp.

Cette fois, l'homme mort n'était pas assis, le regard perdu dans les flammes. Il était debout et fixait sur l'Anonyme des yeux pleins d'espoir.

– Adrian ?

– Oui, papa, susurra-t-il.

Nick vit sa main se crisper sur la souris. Son personnage chancela et s'arrêta.

– Tu as suivi notre chemin. Dis-moi si tu es Adrian.

Le blondinet posa les deux mains sur le clavier :

– Oui, c'est moi.

L'homme mort sourit :

– C'est bien. J'espérais que tu viendrais quand tout serait terminé.

– Tu veux qu'on sorte ? lui demanda Nick.

Adrian secoua la tête. Il tenta à plusieurs reprises de taper quelque chose, mais il ne savait visiblement pas par quoi commencer.

– Comment vas-tu ? finit-il par écrire.

– Mon plan a échoué. Si je vivais encore pour en être témoin, je serais certainement fou de rage.

L'adolescent laissa échapper un petit bruit à mi-chemin entre le soupir et le rire :

– Moi aussi, je suis furieux. Mais contre toi. Pourquoi t'as fait ça ?

– Fait quoi ?

À présent, ses doigts volaient sur les touches :

– Ben, qu'est-ce que tu crois ? Tu t'es tiré, tout simplement ! Est-ce que tu imagines à quel point ça a été l'horreur pour nous ? Les premiers jours, Maman était constamment sous tranquillisants. C'est elle qui t'a trouvé. Tu ne nous as même pas laissé la moindre lettre. Rien du tout. Pourquoi ?

L'homme mort eut d'abord l'air d'hésiter :

– Je n'aurais pas su quoi écrire. Erebos était terminé et tout était parfait. J'avais créé quelque chose d'unique. Tu vois bien comme c'était génial, n'est-ce pas ? Tout ce qui pouvait venir après n'aurait été que bagarre, procès, prison, sans doute. Une vie bousillée. Erebos était parfait, moi je ne l'étais pas. Tout ce qu'il y avait en dehors du jeu me dégoûtait.

– Tu ne savais même plus ce qu'il y avait en dehors ! écrivit Adrian.

Les pleurs ruisselaient sur son visage et il ne faisait rien pour les arrêter. Il ne semblait même pas les remarquer.

– Tu es resté enfermé dans ta cave pendant près de deux ans. Tu n'allais plus voir ce qui se passait à l'extérieur.

– C'est vrai. Je ne pouvais plus supporter le monde. Il n'était fait que de hasards et d'événements imprévisibles. Voilà pourquoi je m'en suis retiré, mais j'ai laissé Erebos en héritage. C'est ce que j'ai créé de mieux.

– Ce que tu as créé de plus brutal. Un de mes amis est à l'hôpital à cause de toi et il a failli mourir. D'autres élèves du lycée vont aller en prison parce qu'ils avaient l'intention de tuer Ortolan. Tu savais que ça allait se passer ainsi ? Tu le savais, n'est-ce pas ?

– C'était dans l'ordre du possible.

– Comment tu as pu faire ça ? Ils sont à peine plus âgés que moi et ils n'ont rien à voir avec ton projet de vengeance.

L'homme mort s'assit sur un rocher auprès du feu :

– Erebos était comme une pièce que j'ai lancée en l'air. Le temps qu'elle se retourne, j'étais déjà parti. Les joueurs ont toujours eu le choix. Ils pouvaient arrêter à tout moment. Au début, ils devaient tous se présenter devant moi. Je les ai mis en garde. Chacun d'eux.

Des étincelles jaillissaient du foyer et se réfléchissaient dans les yeux verts de Larry McVay, qui ressemblaient tant à ceux de son fils.

– Ceux qui avaient des scrupules étaient sauvés. Les autres, je les ai utilisés. Mais ils avaient leur chance ; j'ai été juste. Ils pouvaient dire non.

Nick se souvint qu'il s'en était pas fallu de peu qu'il n'empoisonne Mr Watson. Puis il repensa à l'expression de satisfaction sur le visage dégoulinant de sueur d'Helen. Il sentait les larmes lui monter aux yeux.

– Rien de tout ça n'était fair-play. Tu les as influencés, manipulés et instrumentalisés pour une vengeance à laquelle tu ne peux même plus assister.

L'homme mort secoua lentement la tête :

– Je les ai tous mis en garde.

– Pas vraiment mis en garde, papa. Pas de telle façon qu'ils aient pris ton avertissement au sérieux.

– Je les ai mis en garde.

Les doigts d'Adrian glissèrent du clavier.

Une bourrasque de vent arracha la capuche de l'homme mort, ébouriffant ses cheveux blonds clairsemés. Un silence s'installa. Le garçon ne quittait pas son père des yeux. Un dialogue sans paroles semblait se dérouler entre eux, dont les autres étaient exclus. Puis ils le virent tressaillir.

– Mettons les choses au point : tu n'as pas fait ça pour moi. Je ne suis pas d'accord. Et je ne comprends pas comment tu as pu me demander de donner le jeu aux gens.

Un vague sourire se dessina sur les lèvres de Larry McVay :

– Tu n'es pas responsable. Ne te fais pas de reproches.

– Je ne m'en fais pas ! C'est à toi que j'en fais. Pour toi, je n'ai été rien d'autre qu'un de tes personnages.

L'homme mort détourna son regard et fixa le feu :

– Je t'ai protégé.

L'adolescent éclata d'un rire désespéré :

– Si tu avais voulu me protéger, tu ne te serais pas tué. C'était lâche, papa. C'était tellement lâche de ta part !

– Je suis désolé, mais je ne peux plus rien y changer.

– Non. Et tu ne peux rien réparer.

– Non.

Il souleva la main du clavier et, pendant une fraction de seconde, Nick crut qu'il allait caresser l'écran à l'endroit du front de son père. Il s'arrêta cependant dans son élan et laissa retomber son bras :

– Papa ?

– Oui ?

– Tout ce que tu me dis maintenant, tu l'as préparé pour le cas où je viendrais. Tu as réfléchi à ce que tu répondrais à chacune de mes questions en fonction de l'issue du jeu. C'est bien ça ?

– Oui ?

– Quand ?

– Tu veux dire : quel jour ?

– Oui.

– C'était le 12 septembre à 1 h 46.

Adrian fondit en larmes, cachant son visage dans ses mains. Emily le prit dans ses bras et le serra fort. Ils restèrent ainsi pendant plus d'une minute, tandis que l'homme mort continuait à les regarder avec le même sourire impersonnel.

*McVay s'est pendu le 13 septembre. Juste après.*

– À ce moment-là, il aurait encore pu changer les choses. Il aurait encore pu tout changer, murmura Adrian.

Il prit le mouchoir en papier que lui tendait Victor et se moucha, sans quitter des yeux l'image de son père. Ses mains vinrent se replacer sur les touches :

– Le jeu était plus important que nous, pour toi, n'est-ce pas ? Ortolan était plus important.

– Je suis désolé.

– Tu ne m'as pas dit adieu, papa. C'était presque le plus terrible pour moi. Le fait que tu n'aies pas laissé de mot en partant.

– Je suis désolé.

– Tu m'as tellement manqué. Déjà pendant les deux années d'avant.

– Je suis désolé.

Il semblait bien qu'on était arrivé au cœur du message de l'homme mort. Il avait dit tout ce qu'il avait à dire. Adrian hocha la tête en silence. Ils échangèrent encore de longs regards. Les bûches du feu craquaient et le vent soufflait dans la cime des arbres de la forêt dans laquelle Larry McVay et son fils avaient croisé un renard, il y a bien longtemps.

– Adieu, papa.

– Tu t'en vas maintenant ?

– Oui, je crois.

– Adieu, Adrian. Prends soin de toi.

L'homme mort lui adressa un sourire, leva la main et l'agita. Le garçon lui répondit avec le même geste. Puis il éteignit l'ordinateur, s'écroula contre l'épaule d'Emily et pleura jusqu'à ce qu'il s'endorme.

*

* *

Les préparatifs de Noël battaient leur plein dans la capitale illuminée. Sapins de Noël étincelants, flocons de neige, étoiles et bougies scintillaient au fil des rues de la ville. Dans tous les magasins, on était accueilli au son de *Jingle Bells* et de *Last Christmas*.

Nick et Emily s'étaient donné rendez-vous chez Muffinski's, près de Covent Garden. Lorsqu'il entra, elle l'attendait déjà.

Ils se saluèrent tendrement, sans parler. Nick n'arrivait toujours pas à croire à son bonheur, à réaliser qu'Emily lui avait donné son cœur. Chaque baiser le transportait au septième ciel.

– Il y a des bonnes nouvelles, annonça-t-il en balayant une mèche de cheveux de son front. Hier, j'ai récupéré un nouveau lot de documents rassemblés par les anciens joueurs. On y trouve notamment l'enregistrement d'une communication entre Ortolan et un certain Tom Garsh, à qui il confie explicitement la mission de s'introduire dans une entreprise concurrente.

– Bien joué !

– Par ailleurs nous avons des photos qui montrent les deux hommes ensemble. Victor s'est renseigné : Garsh a déjà été condamné à trois reprises pour cambriolage.

– Mouais. C'est pas encore une preuve.

– Non, mais, tout mis bout à bout, ça donne un joli dossier.

Ils commandèrent du café et des muffins. « *Have yourself a merry little Chrismas*[1] », chantait Judy Garland.

– As-tu réussi à savoir quel était l'objectif de ta mission photos dans le parking ? demanda Emily.

– Je crois qu'il s'agissait seulement de constater que la dame aux côtés d'Ortolan n'était pas sa femme. Mais les photos ne sont plus utilisables : son épouse l'a quitté. J'ai le sentiment que le projet de vengeance d'Erebos s'est déjà en partie réalisé.

– Oui, convint Emily. Au moins il est encore en vie.

– C'est déjà ça.

---

1. NdT : « Puissiez-vous avoir un joli petit Noël. »

Quand ils quittèrent le café, la neige s'était mise à tomber. Ils marchèrent étroitement enlacés dans les rues, s'arrêtant parfois pour s'embrasser ou pour éclater de rire.

– Je n'ai pas encore de cadeau de Noël pour Victor, constata Emily, qui s'était arrêtée devant la vitrine d'une boutique de bandes dessinées, où les albums côtoyaient diverses figurines et des tasses en tous genres.

– Tu as vu celle-là, au fond ? demanda-t-elle en montrant une tasse jaune avec des creux ronds, qui semblait sculptée dans du gruyère.

– Bien vu ! Il va adorer.

Emily investit cinq livres dans le monstre jaune.

– Tu veux la même ? proposa-t-elle avec un petit rire moqueur. Ou tu préfères un bon-cadeau pour une coupe chez le coiffeur ?

Nick la prit dans ses bras et fit mine de la secouer.

– Tu sais bien que j'ai déjà reçu mon cadeau, répondit-il quand ils se retrouvèrent dans la rue.

– C'est pas vrai.

Il glissa sa main sous la natte d'Emily et caressa la naissance des cheveux. Il ne sentait rien, évidemment. On ne pouvait rien sentir.

– Pour moi, ça a été un cadeau, poursuivit-il. Le plus beau que tu puisses me faire. Mieux qu'une bague.

Elle lui sourit :

– Oui, et bien plus difficile à perdre.

– Exactement.

Il se pencha vers elle, dégagea sa tresse noire et posa délicatement ses lèvres sur le corbeau dessiné dans sa nuque.

*Cet ouvrage a été mis en pages*
*par DV Arts Graphiques à La Rochelle*

*Impression réalisée par*

*La Flèche*

*en décembre 2012*
*pour le compte des Éditions Bayard*

*Imprimé en France*
N° d'impression : 71454